*Fable : Les Tro*

*Fable*

*Déjà parus :*

*La Quête de l'Oiseau noir*

*Les Deux Princes*

*Les Trois Rubis rutilants*

*À paraître :*

*Les Quatre sombres héros*

*Le Cinquième Roux du carrosse*

# Fable :

# Les Trois Rubis rutilants

## Lucien Vuille

*J'ai dédié ce livre à mon père.*

*Par contre, comme il n'a jamais lu de fantasy, il ne l'a jamais su.*



Édition : BoD – Books on Demand 12/14 rond-point des Champs-Élysées, 75008 Paris Impression : BoD – Books on Demand, Norderstedt, Allemagne

Numéro ISBN : 9782322217441
Dépôt légal : février 2021

## Personnages principaux

| | |
|---|---|
| Abdonide : | Ménestrel, responsable des Héros Épiques Retors Perspicaces Efficaces et Sensuels |
| Alis : | Jeune guerrière courageuse portant des lunettes |
| Alphée : | Prêtresse de combat à la robe rose |
| Bringue-Balle : | Nain révolutionnaire (il n'apparaît pas dans ce livre mais j'aime bien son nom) |
| Brudo d'Anno : | Ancien prêtre reconverti en ermite savant |
| Califourchet : | Souverain demi-homme débonnaire du royaume |
| Crâne-Lard : | Druide nain, propriétaire de Touffe, sanglier- totem invisible |
| Dardaumiel : | Jeune prêtresse naïve envoûtée par le prochain personnage |
| Enaxor : | Nécromancienne incarnée dans le corps du personnage précédent |
| Grand Filandreux : | Souverain des rameks, les hommes-rats vivant sous terre |

| | |
|---|---|
| Jolilie Perdreaux : | Érudite spécialiste des dragons |
| Joséphyr : | Prêtre soigneur nain |
| Josk : | Mort-vivant, commandant des troupes d'Enaxor |
| Lamkikoup : | Guerrier homme-lézard, maître d'escrime d'Alis |
| Mycostère : | Alchimiste de la Guilde des Alchimistes Revanchards Carrément Obligés d'être Noctambules |
| Pernicia : | Voleuse borgne |
| Paulain : | Orque érudit pacifiste |
| Rue-Thon : | Mercenaire humain |
| Seize : | Éclaireur manchot |
| Siffle-Abricot : | Ancien voleur de haut niveau reconverti en troubadour |
| Siegfrieda : | Mercenaire et ancienne péripatéticienne |
| Tartisco : | Fils du roi des félains, prétendu vainqueur du dragon Prospère |
| Tasse-Dent : | Héritier du trône |

Vertanor : Chevalier du Sanglier, mais aussi prêtre de la mort et serviteur de la Nécromancienne en cachette

Yuyiyine : Jeune fille issue du peuple des gens sauvages

# Prologue

*(Pas tout à fait dans le ton du reste du roman, du genre qui donne des indices sur la tournure des événements de manière un peu mystérieuse mais que vous pouvez ne pas lire sans être embêté)*

Les lourdes portes de la sombre salle du trône cédèrent lentement. Le Chevalier, à bout de forces, s'était laissé tomber de tout son poids contre elles pour les ouvrir. Accompagnant le guerrier agonisant, un discret rai de lumière pénétra dans la profonde et lugubre pièce. Il disparut rapidement, emportant avec lui la moindre once de chaleur qui avait pu parcourir la salle.

Le seigneur chancelait, tenait sur ses deux jambes avec difficulté. À chacun de ses pas, son corps était foudroyé par la douleur. Les pièces de son armure, usées par les coups reçus, peintes de sang, s'entrechoquaient et accompagnaient en un rythme lent sa pénible progression. Digne malgré ses souffrances, courageux malgré le trépas certain qui l'attendait, le Chevalier avançait, foulant de son pas fatigué le tapis pourri menant au trône de la reine. Il apercevait, sans prendre la peine de leur jeter le moindre regard, les prêtres encapuchonnés qui marmonnaient en souriant le long des murs de briques noires qui l'entouraient. Rien ni personne ne pourrait plus l'arrêter.

Pour mieux distinguer la femme qui lui faisait face, trônant, majestueuse, sur un sinistre siège de marbre blanc, il ôta son heaume défoncé et le laissa tomber. Le choc du métal sur le sol retentit lourdement. La vue toujours embrumée, le Chevalier ne distinguait clairement que le visage de la reine, recouvert d'un masque de porcelaine. Malgré la distance, malgré les murmures des religieux, malgré l'écho métallique, il entendait le souffle de cette femme, les soupirs qu'il connaissait tellement bien.

Sa main droite tenait sa fidèle épée, Serment, aussi fermement qu'il le pouvait. À l'intérieur de son gantelet de fer, ses doigts trempaient dans son sang. Il n'en sentait déjà plus les extrémités, et les maintenir serrés lui arrachait d'atroces souffrances, aussi fortes que celles qui le transperçaient constamment, là où les lames ennemies s'étaient abattues sur lui, lacérant son dos, ses flancs, son cœur.

Lorsque le Chevalier atteignit enfin les marches qui menaient au trône, il s'affaissa lentement et mit un genou à terre. Ses dernières forces l'avaient quitté. Le mourant ignorait s'il serait capable de se relever. La reine dirigea son visage face à celui du Chevalier. Le souverain releva les yeux sur elle. Évitant de laisser traîner son regard sur les gravures funestes et effrayantes creusées sur le trône, il concentra désormais sa vision affaiblie sur ce corps féminin, maigre et gonflé de pouvoir, jeune et au-delà de toute notion connue du temps. Il admirait la robe et les formes qu'elle recouvrait. La reine percevait les soupirs d'agonie de l'homme à ses pieds. Ils entendaient tous les deux leurs battements de cœur respectifs.

La reine se leva d'un mouvement doux et calme. Les paumes tournées vers le ciel, elle tendit ses mains blanches au Chevalier. Sans hésiter, il lâcha son arme. Une à une, les différentes parties de son armure churent à leur tour. Les épaulières, les gantelets, les brassards, puis son plastron. Ensuite la tassette, les genouillères, les jambières. C'était comme si le lourd équipement se décrochait tout seul de son corps meurtri. Il ne restait que sa côte de maille, déchirée par les griffes monstrueuses, ointe du sang de mille combattants. Il enfonça ses doigts gourds dans les mailles et arracha d'un seul geste sa chemise de métal. Léger, libéré, le Chevalier se leva et fit un pas en direction de la reine. Au moment où son pied foulait la première marche menant au trône, un craquement retentit dans l'immense salle. Le masque de la souveraine s'était fendu. Le guerrier sans armure avança encore et la porcelaine éclata en morceaux.

Ce n'était pas le visage qu'il s'attendait à voir. La femme devant lui avait un visage délicat, des traits fins, les lèvres claires. Elle le dévisageait intensément. Le Chevalier était désormais assez proche de la reine pour pouvoir poser les mains sur elle. Elle ferma les yeux, et le Chevalier approcha son visage du sien. Les yeux clos, lui aussi, il respira l'essence qui émanait de la femme immortelle. Son parfum sucré envahit le cœur et l'esprit du combattant.

Alors les prêtres se mirent à hurler, scandant sans reprendre leur souffle des mélopées incompréhensibles et agressives. Les murs du château tout entier se mirent à trembler. Les secousses s'amplifiaient à mesure que les deux amants s'approchaient l'un de l'autre. Avant qu'ils ne se touchent, les pierres de la salle s'étaient déjà fendues, terrassées par la passion vagissante.

Lorsqu'ils s'embrassèrent, enfin, tout avait disparu. Les blessures du guerrier, l'affliction de la reine, le château maudit, les prêtres malfaisants, le trône, la mort.

Il ne restait plus, au monde, que deux amants. Emportés par les vents, ils dansaient dans le ciel. Sans plus savoir qui ils étaient, ils parcourraient le monde.

# Les trois dernières aventures

## *La dernière aventure de l'homme-rat*

Torya l'homme-rat n'était pas le genre d'aventurier à faire dans la subtilité.

Dès que son enquête lui permit d'établir où se trouvait sa cible, il s'y rendit sans plus attendre. Les indices récoltés par le ramek lui indiquaient que Grumbert le gobelin bleu s'était réfugié dans une auberge mal fréquentée, la taverne des Croupes Furibondes. Torya connaissait très bien ce bouge, qui se trouvait en plein cœur du quartier des gueux, au nord de la ville de Chaude-Fronde. Il y avait passé de nombreuses soirées et il avait même remporté quelques-uns des divers concours proposés par l'aubergiste chaque second lundi du mois[1].

Le ramek traversa les rues sans un regard pour les mendiants, il laissait sa partenaire les repousser : Torya était toujours suivi de près par sa camarade d'aventure, Klööd, une puissante crustacienne aux pinces aiguisées. Le ramek était le cerveau brutal du duo, Klööd les muscles serviles. Dès qu'un inopportun s'approchait de trop près de Torya,

[1] Le ramek avait gagné le premier prix d'un tournoi de fléchettes sur cible vivante, une compétition de flatulence (mais son prix lui avait été retiré après qu'il fut prouvé que l'homme-rat avait triché) et, surtout, trois quizz de culture générale.

l'un des prestes tentacules faciaux de la crustacienne s'abattait sur lui pour le fouetter douloureusement.

Sans un regard pour les bâtiments voisins de la taverne, Torya pénétra dans l'auberge des Croupes Furibondes. L'estaminet était plein à craquer, rempli de fêtards, d'ivrognes, de chanteurs bruyants. Tenu par un ogre nommé Couennald, l'endroit était connu pour accueillir volontiers les représentants de tous les peuples du royaume, même (et surtout) ceux dont la présence dans la plupart des établissements était interdite : rameks, orques, gobelins et minotaures, notamment.

Les deux aventuriers traversèrent la grande pièce bruyante, sans attirer particulièrement l'attention sur eux. La crustacienne évita l'impressionnant rejet gastrique d'un orque éméché et tordit de sa preste pince le bras habile d'un tire-laine qui s'approchait de trop près de son compagnon homme-rat. Le duo passa sans s'en rendre compte devant un félain borgne et un sauromme qui faisaient semblant de boire.

Le ramek restait concentré sur sa proie, qu'il avait repérée dès son entrée : Grumbert se trouvait tout au fond de la salle, sur la droite. Il était attablé, ses bras bleus tatoués croisés devant lui. À ses côtés, deux gardes du corps gobelins se tenaient sur le qui-vive. Ils scrutaient, attentifs, prêts à réagir à la moindre menace. Malgré cela, parmi cette foule bigarrée et agitée, il aurait été facile de s'approcher d'eux discrètement.

Mais Torya l'homme-rat n'était pas le genre d'aventurier à faire dans la subtilité.

Dès qu'il estima se trouver suffisamment proche du gobelin bleu, Torya se saisit des deux dagues empoisonnées qu'il portait à la ceinture, cachées derrière son dos sous sa cape, et il se précipita sur Grumbert. Les deux gardes du corps se levèrent immédiatement mais avant qu'ils aient pu effleurer leurs armes, le ramek avait lancé ses lames dans la gorge des deux mercenaires qui s'étaient dressés devant lui. Sans attendre qu'ils choient, l'homme-rat bondit sur la table et fit face au gobelin bleu.

– Donne-moi le collier et tu vivras.

Grumbert ne se laissa pas impressionner. Autour de lui, personne ne semblait avoir réagi. La plupart des clients n'avaient rien remarqué, les autres se gardaient bien d'intervenir dans une rixe. Le gobelin bleu était acculé mais il nc cilla pas. Torya se doutait que Grumbert n'accepterait pas facilement d'abandonner son trésor.

– Jamais de la vie.

Alors que Torya allait adresser une dernière phrase menaçante au gobelin bleu, un homme-chat borgne intervint dans son dos.

– Excusez-moi de vous déranger, mais, en fait, on était là avant vous…

Le ramek, surpris, se tourna un peu. Prudent, il bougeait légèrement la tête de droite à gauche pour garder un œil à la fois sur Grumbert et sur ce félain.

– … Je veux dire, vous êtes super agile, c'est impressionnant, mais voilà quoi, on était là en premier, ça fait genre au moins trois heures qu'on attend que le gobelin bleu il sorte d'ici…

Torya chercha rapidement Klööd, sa camarade crustacienne, du regard. Avec un sincère dépit, il constata que Klööd était occupée à combattre un homme-lézard qui semblait drôlement costaud : les pinces de sa camarade paraient tant bien que mal les coups de poings du sauromme. L'homme-rat vérifia que Grumbert ne bougeait pas d'un pouce, puis il répondit à Tartisco.

– T'as été envoyé pour récupérer le collier ?

– Oui, la grosse dame du manoir nous a confié cette mission.

Le ramek détailla brièvement son interlocuteur. Un jeune homme-chat, certainement noble, à moitié aveugle, une rapière passée à la ceinture et une arbalète fixée au bout de sa queue. Il semblait plutôt inoffensif. À l'arrière-plan, Torya assista à la fin du pugilat dans lequel avait été entraînée sa collègue : un puissant coup de boule de son rival homme-lézard venait d'assommer Klööd.

- Je m'en fiche, c'est moi qui l'ai attaqué le premier, j'ai tué ses deux gardes du corps, t'avais qu'à pas attendre si longtemps.

- Ha mais moi je voulais pas attendre, c'est Requin-Buisson qui a insisté pour ce plan.

En assommant la crustacienne, l'homme-lézard avait déclen-ché une bagarre générale : les clients, enthousiastes et éméchés, s'étaient volontiers laissés entraînés dans une violente rixe conviviale. Les choses tournaient de plus en plus mal pour Torya. Il tenta de détourner l'attention du félain avec qui il parlait en pointant son index dans le vide et en criant.

- Attention ! Derrière toi !

L'homme chat ne tomba pas dans le piège éculé. Le ramek comprit qu'il s'était fait avoir avant même de retourner son vilain museau en direction de Grumbert : le gobelin bleu avait profité de l'inattention de Torya, brève mais fatale, pour se carapater. Il jura, se maudit et bondit au sol. L'homme-rat se mit à filer à quatre pattes, évitant sans peine le félain trop pataud qui tenta de l'attraper au passage. Grumbert avait déjà quitté l'établissement, Torya se précipita en direction de l'entrée de la taverne des Croupes Furibondes. En matière de vitesse, l'homme-rat se savait en mesure de rattraper sa cible.

Il sortit précipitamment de l'auberge, sur les traces de Grumbert mais, dès que Torya franchit la porte de l'établissement, il entra en collision avec une jeune femme.

Une grande épée dans le dos, costaude et elle aussi en pleine course, elle envoya valdinguer l'homme-rat. Torya retomba sur le dos. La guerrière s'était arrêtée à sa hauteur. Après avoir replacé ses lunettes sur l'arrête de son nez du bout de l'index, la jeune femme tendit la main au ramek. « Excuse-le moi, je l'ai pas vu de toi. Tu cherches aussi du golebin bleu ? »

### *La dernière aventure de la compagnie de Tasse-Dent*

Yuyiyine s'était installée sur le toit du bâtiment faisant face à l'auberge. Elle avait reçu la mission de surveiller attentivement l'unique porte d'entrée de la taverne des Croupes Furibondes. La fillette issue du peuple des hommes sauvages aimait bien les missions et elle trouvait qu'on ne lui en confiait jamais assez. Patiente, elle gardait donc ses yeux perçants fixés sur le seul accès de l'auberge. Le prince Tasse-Dent, le sympathique demi-homme qu'elle devait désormais appeler "Requin-Buisson", lui avait bien expliqué ce qu'elle avait à faire : lorsqu'un gobelin à la peau bleue quitterait les lieux, Yuyu devait imiter bruyamment le hurlement d'une chouette-souris agonisante. La tâche de la jeune fille était très importante, elle le savait alors elle restait bien concentrée. Durant son enfance vécue au cœur de la forêt, Yuyiyine était maintes fois passé restée des heures immobile et silencieuse pour chasser de savoureux ragondins ou des moufettes dodues. Cet exercice ne l'effrayait pas.

Plus bas, au sol, le prince Tasse-Dent était caché dans un tonneau, un peu en retrait dans une ruelle perpendiculaire à la taverne. Depuis sa position il ne voyait pas la façade de l'auberge, mais il attendait, attentif, le signal qui serait lancé par Yuyiyine. De l'autre côté du bouge, la jeune guerrière Alis, puissante et courageuse, était elle aussi dissimulée, dans la ruelle opposée. Le plan mis en place par le prince consistait à intercepter par surprise le gobelin bleu dès sa sortie de l'auberge. Il n'y aurait plus qu'à récupérer le collier sur lui, et leur mission serait accomplie.

Tasse-Dent et ses compagnons aventuriers avaient pour but de rejoindre le Palais Royal. Le prince avait disparu depuis des mois, après que son escorte ait été attaquée et décimée par des chevaucheurs d'ours. Le roi Califourchet Haute-Couronne lui-même, la cour et la plupart des habitants du royaume ne savaient pas si l'héritier du trône était encore en vie. Tasse-Dent, qui n'était toutefois pas pressé de regagner son royal domicile, faisait tout son possible pour retarder son retour. Il savait ce que lui réserverait sa vie au palais et le prince considérait ses mésaventures comme une opportunité inattendue de se soustraire, momentanément, à un destin qui ne l'enchantait absolument pas.

Évidemment, un jour ou l'autre, il rentrerait au palais. Mais Tasse-Dent avait trouvé un prétexte pour accomplir encore une mission : le prince avait prétendu que son palais n'était plus accessible que par la voie des airs et qu'avec ses compagnons, ils devaient réunir la coquette somme de cinq pièces d'or pour s'offrir un trajet en vessicoptère[2] de Chaude-Fronde, la ville où ils se

[2] Ce rare moyen de locomotion était constitué d'un organe de dragon renforcé, gonflé d'air chaud, à laquelle était accroché une nacelle rudimentaire. Rien ne dirigeait la vessie une fois celle-ci ouverte : elle suivait

trouvaient, jusqu'au Palais Royal. Un petit mensonge pour prolonger un peu leur périple. Peut-être trouverait-il encore une autre manigance pour retarder le jour où il devrait remettre les pieds au Palais Royal.

Caché dans un vieux tonneau placé au croisement de ruelles malodorantes, Tasse-Dent se demandait s'il vivait la plus belle période de sa vie. La veille, le prince et ses quatre compagnons, la guerrière Alis, le félain Tartisco, la jeune Yuyiyine et le redoutable sauromme Lamkikoup avaient accepté une quête. Cette mission, proposée par la riche Dame Keigerschrubel, représentante de la noblesse de Chaude-Fronde, consistait à mettre la main sur le vil voleur qui l'avait cambriolée quelques jours auparavant et récupérer le collier que ce voleur lui avait dérobé. Une enquête rapide mais finement menée leur avait permis d'identifier le cambrioleur comme étant un certain Grumbert, un gobelin à la peau bleue. Keigerschrubel leur avait quelque peu mâché le travail, en leur fournissant de précieux indices : la victime du cambriolage avait vu et reconnu son voleur. Les aventuriers avaient appris que le gobelin bleu s'était réfugié dans l'auberge des Croupes Furibondes et qu'il ne devait en sortir que pour rencontrer un mystérieux intermédiaire à qui il comptait remettre le butin bien mal acquis.

Tandis qu'Alis, Tasse-Dent et Yuyu patientaient à l'extérieur, Lamkikoup l'homme-lézard et Tartisco le félain s'étaient infiltrés à l'intérieur de l'estaminet afin surveiller

---

l'épais câble à laquelle elle était reliée. Les vessicoptères ne pouvait donc transporter leurs courageux passagers que d'un point précis à un autre.

le gobelin bleu, s'assurer qu'il détenait le collier dérobé à Keigerschrubel et surtout qu'il ne le transmette à personne.

Soudain, un cri terrible retentit. Tout d'abord, le prince s'étonna qu'une chouette-souris périsse dans les environs, puis il réalisa ce qui se passait : Yuyu signifiait la sortie du gobelin bleu en poussant le hurlement prévu. Tasse-Dent perçut alors des bruits de pas de course qui venaient dans sa direction. Il sortit la tête de son tonneau, juste à temps pour repérer le gobelin bleu qui atteignait la ruelle dans laquelle il était planqué. Le demi-homme était pris de court : le gobelin s'était montré plus rapide que prévu. Le temps que Tasse-Dent s'extirpe de sa cachette, le cambrioleur à la peau bleue était déjà en train d'escalader très habilement le mur du bâtiment voisin de la taverne, une boulangerie elfique. Aidé par ses griffes et une singulière technique de reptation, le gobelin était déjà proche du toit recouvert de tuiles d'ardoises[3]. Tasse-Dent se lança à sa poursuite sans tergiverser.

L'escalade n'était pas le point fort de Tasse-Dent mais il en connaissait tout de même quelques notions fondamentales. Ainsi il réussit à atteindre le sommet de la boulangerie et constata que sa cible continuait sa fuite

---

[3] Les amateurs de toiture et de matériaux de recouvrage seront certainement émoustillés de savoir que les tuiles étaient pour la plupart des ardoises quadrangulaires, mises en place à la manière de lauzes sur un corps de bâtiment rectangulaire mais qu'elles côtoyaient en outre des ardoises taillées en écailles qui venaient couvrir une abside ! Le plus truculent étant de savoir que ces dernières étaient montées à pureau décroissant.

éperdue sur les toits. Le demi-homme savait que la course poursuite était perdue : le gobelin était trop loin pour qu'il puisse le rattraper.

Son camarade homme-chat, le borgne Tartisco, le rejoignit sur le toit d'ardoise. Le félain avait suivi lui aussi le gobelin bleu depuis sa sortie des Croupes Furibondes.

- Purée, il est déjà super loin, pourquoi tu l'as pas arrêté ?

- Bin je viens juste d'arriver sur le toit.

- C'est trop moi que j'aurais dû me cacher dans le tonneau, je l'aurais trop rattrapé le gobelin, moi je suis vachement plus rapide que toi, à la course et pour grimper en haut des trucs. À cause que c'était toi, on a loupé la mission, mais je suis sûr que si ça avait été moi…

- T'es un peu gonflé Tart', je t'avais proposé d'aller dans le tonneau, justement parce que t'es plus rapide. Mais c'est toi qui ne voulais pas, parce que ça n'était pas assez confortable…

Le gobelin bleu venait de sauter, habilement, sur le toit du bâtiment suivant[4]. Il se trouvait désormais à une cinquantaine de mètres de ses poursuivants. Lamkikoup

---

[4] Pour les amateurs de construction de toiture, il est intéressant de souligner le fait que Grumbert le gobelin bleu avait effectué sa réception directement sur le faîtage en lignolet dudit toit.

l'homme-lézard accéda à son tour au sommet de la boulangerie et surprit la dispute des jeunes aventuriers.

- Pourquoi vous vous chamaillez au lieu de courir derrière le cambrioleur ? Il ne va pas vous tomber tout nu dans les bras, vous savez ?

- Tasse-D... Requin-Buisson était trop lent pour l'attraper et maintenant c'est mort, il est trop loin.

Le demi-homme se retint d'exprimer ses pensées à Tartisco. Vexé, il s'accroupit et s'empara de l'objet qu'il portait dans le dos, protégé dans un sac de toile. Tasse-Dent équipa son propulseur de poussins explosifs sur son avant-bras et plaça son poignet sur son genou pour qu'il ne tremble pas, malgré le poids du dispositif. Le prince héritier ferma l'œil gauche. Il était parfaitement immobile. Devant lui, à une centaine de mètres désormais, le gobelin bleu continuait sa course effrénée.

Alis apparut à son tour sur le toit.

- Désolée que j'ai pas arrivée avant, j'ai dû le battre d'un homme-rat malpoli qui voulait aussi l'attraper du gobelin.

Constatant que Tasse-Dent s'apprêtait à utiliser son terrible engin, Alis se boucha les oreilles et tous ses compagnons l'imitèrent. Mis-à-part le demi-homme, bien sûr, qui avait besoin de ses deux mains pour manier son propulseur.

*La dernière aventure du gobelin bleu*

Mortibiers se faisait attendre. Entouré de ses deux gardes du corps, Grumbert le gobelin bleu avait hâte que le fromagicien vienne à sa rencontre. Le gobelin avait réussi à mettre la main sur un artefact précieux, unique aux yeux de son peuple : le Collier de la Première Fermentation. La pierre principale de ce bijou, une belle citrine, contenait une relique d'une valeur inestimable pour tous les gobelins : un fragment de la Couenne originale. Cette relique sacrée avait été dérobée il y a peu dans un musée peau-verte[5] par les sbires d'Eugenia Keigerschrubel[6].

Grumbert avait autrefois mené une trépidante et héroïque carrière d'aventurier. Sa réputation avait rapidement pris de l'ampleur auprès de ses congénères grâce à un taux d'accomplissement de missions hors du commun : le gobelin à la peau bleue n'avait jamais échoué à la moindre quête qui lui était confiée. Mais Grumbert bleu n'était pas plus intéressé par la célébrité que par la richesse. Au sommet de sa réussite, il estima que les récompenses amassées lors de ses aventures étaient suffisantes pour lui garantir une vie paisible et il se retira pour mener une vie calme et tranquille. Il se procura un lopin de terre, devint fermier et épousa l'amour de sa vie, Germentaline. Le modeste mais heureux couple eut trois enfants. Le gobelin

---

[5] Il s'agissait du « Fastueux, Raffiné et Odorant Museum des Arts Gobelins Éternels », un musée ambulant (comme tous leurs lieux dédiés à l'éducation mis en place par les peaux-vertes).

[6] La ventripotente sexagénaire avait commandité le Collier de la Première Fermentation car la couleur s'accordait de celui-ci à ravir avec une robe canari qu'elle comptait porter pour le prochain bal de la fête de la courgette.

bleu s'était promis de ne jamais plus repartir à l'aventure : il avait même fondu ses griffes de métal pour fabriquer une cloche à son unique vache, baptisée Coccinelle.

Un soir, plus de dix ans après qu'il ait pris sa retraite, deux représentants d'une organisation clandestine œuvrant pour le bien-être des gobelins et la préservation de leur patrimoine[7] s'étaient rendus dans la ferme de Grumbert. Les peaux-vertes encapuchonnées lui avaient expliqué que l'un des artefacts les plus précieux du peuple gobelin leur avait été soustrait, que la communauté avait besoin d'un mercenaire habile et compétent. Le succès de cette mission était primordial : il leur fallait un aventurier impliqué par la cause et fiable. Grumbert était le gobelin de la situation.

Si le fameux héros à la peau bleue avait accepté de quitter sa retraite, c'était conséquemment au caractère exceptionnel de la mission qui lui avait été confiée. Et aussi parce qu'il était flatté qu'on vienne le chercher jusque dans sa petite ferme, parce que tous les soleils qui se levaient sur son potager étaient identiques et parce que sa Germentaline lui avait murmuré qu'ils auraient bien besoin d'un peu de pognon pour remplacer les porcelets qui avaient été dévorés par une meute de chats-pards affamés et téméraires. Grumbert n'en aurait pas pour longtemps, avait-il promit à ses marmots qui se languissaient déjà de leur sympathique paternel. Ensuite, le gobelin avait goulûment embrassé son épouse et il avait discrètement rejoint la ville de Chaude-Fronde. Sur place, des représentants du Secret et Anticonstitutionnel Conseil Anarcho-socialiste des

[7] Cette organisation confidentielle était nommée « Secret et Anticonstitutionnel Conseil Anarcho-socialiste des Gobelins Énervés ».

Gobelins Énervés accueillirent leur providentiel mercenaire. Ils lui adjoignirent quelques bougres d'hommes de main dévoués qui lui obéiraient au doigt et à l'œil : ces seconds couteaux se montrèrent très enthousiastes à l'idée de côtoyer le héros de tout un peuple le temps d'une quête, qui plus est une mission d'une si grande importance pour la communauté des gobelins.

Malgré tout le talent de Grumbert, le larcin ne fut pas une partie de plaisir. Le manoir Keigerschrubel où était illégitimement conservé le collier était bien protégé : surveillé par des miliciens, truffé de pièges et gardé par des chiens dressés à dévorer les intrus. Pour éviter les gardes, le gobelin bleu observa durant plusieurs jours et plusieurs nuits les allées et venues des responsables de la surveillance du manoir, afin de découvrir quel moment serait le plus propice pour un cambriolage. Grâce à l'un de ses anciens contacts au sein de la Guilde des Architectes Circonspects Hypocondriaques mais Illustres et Sympas, Grumbert obtint les plans des lieux, ce qui lui permit de situer les divers pièges, particulièrement fourbes, qui étaient dissimulés dans les quatre coins du manoir. Enfin, le gobelin neutralisa les féroces mâtins en s'aspergeant d'urine de loup-ogre[8], qu'il dégota pour trois fois rien chez un alchimiste de sa connaissance.

---

[8] En sa qualité de professionnel de l'élevage de bétail, Grumbert n'était pas sans savoir que les canidés urbains étaient facilement effrayés par l'odeur acre mais troublante des déjections du terrible loup-ogre. Malheureusement pour feus les porcelets du gobelin bleu, aucun parfum n'était à même de faire fuir des chats-pards affamés.

Grumbert avait choisi de s'infiltrer seul dans le manoir. L'opération était bien trop difficile pour qu'il s'encombre des gobelins soumis à ses ordres, motivés mais peu compétents. Comme à l'époque la plus trépidante de son existence, le gobelin à la peau bleue avait accompli sa mission : évitant tous les pièges, il avait récupéré l'artefact ancestral, le collier de la Première Fermentation.

Comme prévu, Grumbert avait ensuite rejoint la planque préparée par l'organisation clandestine précitée. Impossible de quitter la ville dans l'immédiat : les Keigerschrubel contrôlaient Chaude-Fronde et toutes les issues de celle-ci étaient étroitement surveillées, d'autant plus que la disparition du collier avait immédiatement été constatée. Ensuite le gobelin s'était rendu à la taverne des Croupes Furibondes. Il devait retrouver dans cet endroit le fromagicien Mortibiers, qui récupérerait le collier pour le mettre en lieu sûr, protégé de l'avidité des collectionneurs. Mais l'érudit ne s'était jamais montré. Le gobelin bleu n'aimait pas du tout cette situation, qui mettait en danger son butin et sa propre intégrité. Malgré cela Grumbert patientait, attablé avec les deux gobelins qui l'accompagnaient. Ils s'étaient installés tout au fond de l'auberge bondée et bruyante, face à la foule.

Le second jour d'attente, au milieu de l'après-midi, Grumbert allait partager à ses sbires sa volonté de quitter la ville dès la nuit tombée, si le fromagicien ne se montrait pas d'ici là, lorsqu'il constata qu'un homme-rat fonçait dans sa direction, se frayant un passage entre les clients éméchés de l'établissement.

« Ce n'est pas le genre d'aventurier à faire dans la subtilité », estima Grumbert.

Comprenant aisément que ce ramek en avait après leur héros, les deux gobelins tentèrent de s'interposer mais l'homme-rat, rapide et précis, leur transperça la gorge de vilains surins de lancer. Avant que Grumbert puisse lever ses fesses du tabouret inconfortable qu'il occupait, le ramek avait sauté sur sa table et le toisait.

- Donne-moi le collier et tu vivras.

Le gobelin bleu ne se laissa pas impressionner par la voie aiguë mais râpeuse du rongeur géant. Autour de lui, aucun des clients n'avait réagi. La plupart d'entre eux n'avaient rien remarqué, les autres se gardaient bien d'intervenir dans une rixe. Grumbert se savait acculé, mais pour rien au monde il n'accepterait d'abandonner son trésor. Il avait accepté cette mission en toute connaissance des risques qu'elle comportait.

- Jamais de la vie.

Grumbert savait que si le ramek décidait de lui porter un coup, il n'aurait pas le temps de tenter la moindre esquive. Il avait combattu suffisamment d'hommes-rats par le passé pour connaître leur terrifiante vitesse. Le gobelin bleu se savait perdu. Il pensa à ses fils, à sa femme. Il regretta un peu de s'être laissé flatté, cette nuit-là, dans sa ferme. Et puis, un étrange félain, jeune et borgne, interpella l'homme-rat qui se tenait devant lui. Le ramek détourna un bref instant son regard jaune pour observer l'homme-chat.

C'était inespéré.

Grumbert ne se fit pas prier et il fila à toute allure en direction de la sortie.

Dehors, à l'air libre, toutes les chances seraient de son côté. S'il parvenait à sortir sans que l'homme-rat ne puisse l'atteindre, il pourrait s'en sortir. Le gobelin bleu courut à s'en casser les rotules. Il courut pour sa vie. Il courut pour le collier de la Première Fermentation. Il courut pour sa famille. Il courut même pour Coccinelle, tiens.

Grumbert atteignit la sortie de l'auberge.

Le gobelin bleu tourna immédiatement sur la gauche, pour s'enfoncer dans la première ruelle venue. Il évita de justesse un tonneau, étrangement placé au milieu de la rue, puis il grimpa à toute vitesse sur le toit du mur adjacent. C'était un jeu d'enfant pour Grumbert : durant un stage professionnel effectué auprès de trapézistes hommes-taupes, il avait appris à escalader aisément et très rapidement les surfaces les plus lisses. Après avoir atteint le toit de tuiles d'ardoises, le gobelin bleu n'interrompit pas sa fuite effrénée. Il sauta sur la prochaine bâtisse, son cœur se remplissant d'allégresse : il venait par miracle d'échapper à la mort et le précieux collier était toujours en sa possession. Grumbert était essoufflé mais rien ne l'arrêterait plus. Il allait réussir cette mission. Il n'en avait jamais manqué aucune.

Grumbert perçut un sifflement. Tout en continuant de courir, il tourna légèrement la tête. Il ne réussit pas à identifier le projectile qui se dirigeait sur lui.

Mettons-nous à sa place, comment le gobelin bleu aurait-il pu comprendre qu'il allait recevoir en plein dans la caboche un poussin mort rempli de poudre explosive ?

***

Tasse-Dent fut le dernier à atteindre la dépouille de leur cible. Le haut du crâne détruit par la violence de l'explosion, le gobelin bleu gisait sur le dos. Alis avait déjà récupéré le collier, qu'elle souhaitait essayer. Lamkikoup tentait de lui expliquer qu'il ne valait mieux pas qu'elle porte un tel bijou, qu'il pouvait détenir d'inquiétants maléfices.

Le prince ne voulut pas trop s'approcher. Il regrettait la mort de ce cambrioleur. À cause de sa volonté de retarder son retour, il avait contraint ses camarades à accepter cette mission. Par sa faute un être vivant, fut-il hors-la-loi, avait trouvé la mort d'une manière atroce. Le demi-homme remarqua un papier, froissé, qui venait de s'échapper de la poche du gilet de Grumbert, sa victime. Il s'en saisit et le déchiffra.

« Mon petit papa bien aimé, je me réjouis que tu rentres à la ferme. Fais bien attention à toi pendant ta quête. Maman dit qu'il ne va rien t'arriver et que tu es le meilleur. Je m'occuperai super bien de Coccinelle en ton absence. Bisou. »

Tasse-Dent décida alors qu'il était temps d'affronter ses responsabilités et de regagner le Palais Royal.

## La Grande Meule

Josk pénétra dans l'imposante salle du trône, toute en pénombre et en hauteur.

Le capitaine de l'armée des morts trépignait : le commandement qu'il avait reçu était un message personnel et non pas une commu-nication télépathique transmise à tous les morts-vivants animés par la Nécromancienne, comme c'était souvent le cas. Cette fois-ci, Enaxor s'était adressée à lui, et à lui seul. C'était la première fois depuis belle lurette. La dernière fois que la Nécromancienne lui avait accordé ce privilège, elle l'avait convoqué pour lui confier la mission de se rendre au-delà des Brumes qui entouraient le royaume pour explorer les ruines du temple maudit de Shubarte l'Éternel. Josk avait réussi à lui ramener la tête éternelle du père de la nécromancie et, depuis, le capitaine n'avait plus reçu aucune tâche particulière. Il savait qu'il n'était pas un séide putréfié d'Enaxor comme les autres, il était unique : contrairement aux milliers de cadavres relevés, Josk avait une conscience et pouvait s'exprimer. Enaxor avait également confié à sa goule favorite Noiréchine, une épée magique.

Josk s'avança, fier et confiant, ses bottes frottant sur le tapis moisi qui menait jusqu'au trône aux cents crânes gravés de la Nécromancienne. Les vieux murs avaient été parés d'étoffes aux couleurs de la magicienne : noir, violet et mauve. Le capitaine mort-vivant avait d'ailleurs autrefois reçu la mission de faire revêtir à l'ensemble de l'host cadavérique des vêtements correspondant à ces teintes et cela avait été très compliqué pour Josk d'habiller des centaines de morts-vivants. Heureusement, depuis qu'Enaxor s'était alliée à Shubarte, ce dernier lui avait enseigné des savoirs obscurs millénaires et oubliés qui avaient amplifié les pouvoirs magiques de la Nécromancienne. Ainsi elle pouvait dorénavant créer des morts-vivants capables de s'habiller et de se chausser tout seul. Les revenants savaient même désormais dépouiller leurs victimes de leurs armes et armures lorsque celles-ci étaient plus performantes que celles dont ils étaient équipés. Au fond de la salle Enaxor siégeait, majestueuse. La Nécromancienne avait pris possession du corps jeune et beau d'une prêtresse qui ne pouvait être blessée par aucune arme. Vêtue d'une robe courte et sombre, Enaxor avait les jambes croisées, en travers de son siège taillé dans la pierre. Tandis qu'il avançait, Josk sentait son âme vibrer à l'approche de sa maîtresse.

Amèrement déçu, Josk constata qu'il n'aurait pas le privilège de se trouver seul en tête-à-tête avec la Nécromancienne. Deux individus se tenaient à côté d'elle : un prêtre fatigué et costaud, aux longs cheveux noirs, ainsi qu'un personnage très élancé, portant un large chapeau sombre et un long manteau usé dont le col relevé cachait le visage. Le mort-vivant reconnut immédiatement le premier : Vertanor, le Chevalier félon, celui qui avait offert à Enaxor son corps invincible. Le prêtre était le seul être vivant que comptait l'ost de la Nécromancienne. Josk s'était toujours demandé par quel prodige les milliers de morts-vivants ne se jetaient pas sur lui pour le dévorer lorsque Vertanor passait à proximité d'eux, comme ils en avaient l'instinct dès qu'ils approchaient un être dont le cœur battait encore. Lui-même n'avait d'ailleurs jamais ressenti le moindre appétit pour le Chevalier du Sanglier, et la terrible balafre qui dévisageait le prêtre n'y était pour rien. Josk percevait la vie qui s'écoulait dans le corps du Chevalier, le sang bouillant, le cœur qui palpitait, mais il n'était pas viscéralement attiré à le dévorer. Peut-être s'agissait-il là d'un sortilège ou d'un ordre émis par Enaxor qui préservait son fidèle homme de main. Le mort-vivant n'avait jamais rencontré l'autre personnage, qui se tenait dans l'ombre et dont il ne parvenait pas à distinguer le visage. Celui-ci devait être un chasseur ou un éclaireur vivant dans les bois : il dégageait une odeur de mousse et d'écorce fraîche, plutôt agréable. Josk aperçut seulement deux lueurs jaunâtres briller sous son galurin.

Lorsque le capitaine mort-vivant atteignit le pied des quel-ques marches menant au trône de la Nécromancienne, il ploya respectueusement les méandres de son genou. Mentalement Enaxor lui ordonna, plutôt délicatement, de se relever, puis tourna son beau visage en direction de l'inconnu.

– Asliouba'a, je vous remercie de vous être déplacé jusqu'au Château Perdu. Je prends bonne note de votre proposition et vous souhaite un retour sans encombre jusqu'à Solfami.

Le longiforme individu prit congé silencieusement de la Nécromancienne puis, sans le moindre regard à Vertanor ou à Josk, il quitta la salle du trône. Dès qu'il fut suffisamment éloigné, Enaxor s'adressa à ses deux serviteurs, élus parmi la multitude de ses séides.

– Mes braves capitaines, je tenais à m'adresser à vous deux avant que les événements s'enchaînent et nous dépassent. Avant même ma renaissance, vous m'avez loyalement servie. Vertanor, tu te trouvais déjà à mes côtés il y a des décennies, à l'époque des sept sorcières, et tu m'as apporté ce nouveau corps invincible. Quant à toi, Josk, tu fus le premier mort-vivant que j'ai relevé depuis bien longtemps et tu as prouvé mille fois ton courage et ta dévotion : en tuant le Chevalier du Renard, en protégeant mon fief des gens sauvages, lorsque tu as vaincu cette petite escouade d'elfes d'hiver, désormais transformés en fidèles soldats morts-vivants, ou lorsque que tu as, traversant les Brumes…

Alors qu'elle évoquait son expédition jusqu'au temple de Shubarte l'Éternel, Josk constata avec surprise que la tête décapitée du père de la nécromancie n'était pas parmi eux. D'habitude, le chef de Shubarte se trouvait entre les bras d'Enaxor ou reposait sur un moelleux coussin de tissu violet.

– … c'est par égard pour votre dévouement que j'ai souhaité vous avertir. Notre collaboration touche à sa fin.

Josk était consterné. Il s'attendait sincèrement à être au service de la Nécromancienne pour très, très longtemps. L'âme de Josk était comme soudainement déchirée. Comment sa créatrice pouvait-elle ne plus vouloir de lui ? Qu'est-ce qui pouvait motiver cette séparation alors qu'elle venait justement de souligner, respectueusement mais de manière non-exhaustive, ce qu'il avait accompli pour elle ?

Avant qu'il ne puisse manifester verbalement son étonnement, la Fille du Titan continua son monologue.

– Il y a bien longtemps, je régnais sur un territoire où la nécromancie faisait partie du quotidien de chacun de mes sujets. Au lieu de pourrir cachés sous la terre ou d'être détruits par le vent, les cadavres était réanimés par ma magie. Esclaves soumis et infatigables, ils servaient les intérêts de mon peuple. Les paysans n'avaient plus à labourer, à semer ni à récolter : mes morts-vivants trimaient sans protester à leur place.

Mes terres étaient ouvertes à tous les habitants du royaume qui souhaitaient rejoindre mon peuple. Ce que je leur offrais, c'était une vie de plaisir, sans labeur, puis l'asservissement éternel de leur dépouille. Ils furent des milliers à rejoindre le Royaume Utopique Terrifiant. Je ne prétendais à rien, si ce n'est de proposer à ceux qui le souhaitait un affranchissement des chaînes du labeur. Les vivants se mêlaient aux morts en toute harmonie ; mais ni le roi ni l'archipape n'approuvèrent mon œuvre et une longue guerre fut déclenchée pour détruire mon royaume et éparpiller mes sujets. Comme chaque soldat royal ou chaque prêtre de combat qui tombait augmentait la taille de mon peuple, le Grand Temple envoya des héros pour me vaincre. C'était leur unique chance de mettre un terme à mon règne. Un homme, porteur de trois épées enchantées, réussit à m'empêcher d'utiliser mes sortilèges en transperçant de l'une de ses lames mon cœur magique. Tous les cadavres que j'animais furent immédiatement réduits en poussière. Puis, l'un de ses compagnons, un maxiprêtre, parvint à lier mon corps immortel à ce trône. J'étais condamnée à pourrir pour toujours, à l'endroit même où je me trouve en ce moment. Pour me punir encore plus, ce serviteur de la Déesse m'arracha mon fils unique et l'exila, loin, très loin de moi. Si j'ai patienté toutes ces années, ce n'était pas seulement pour récupérer, petit-à-petit, mes pouvoirs magiques. J'attendais le passage de la Grande Meule. Il fallait que je sois prête au moment où cette comète passerait au-dessus de nos têtes. Je me rends compte que tout cela, tu le sais déjà, Vertanor.

- Oui, Enaxor. J'étais à vos côtés, avec Atimram et Nihilap, à l'époque du royaume utopique ; et, pour la comète, vous m'en aviez touché un mot. Vous savez, avec l'histoire du dragon.

Josk était envieux. Depuis sa renaissance, il n'avait qu'une seule envie, un unique désir : être essentiel aux yeux de la Nécromancienne. Il détestait le fait que Vertanor soit lui aussi proche de la magicienne, il haïssait l'idée qu'ils aient des souvenirs communs, antérieurs à son existence. Il était en colère de ne pas s'être montré assez efficace pour qu'Enaxor lui parle de cette comète à lui aussi, avant ce jour. La Nécromancienne savait lire en lui, elle perçut les sentiments de la goule.

- Ne sois pas énervé, mon courageux capitaine. Tu accomplissais une mission primordiale au-delà du royaume lorsque Vertanor recherchait un dragon pour moi. Vois-tu, mon fils est prisonnier d'un astre qui traverse, à chaque génération, notre ciel. Cette comète est surnommée la Grande Meule par les rameks, qui la vénèrent. Ils croient qu'elle représente leur divinité fromagère... Peu importe, je dois accéder à celle-ci pour libérer mon enfant. Prévoyante, j'avais prévu deux plans pour y parvenir. Dans un premier temps, j'avais demandé à Vertanor de me fournir la dépouille d'un dragon afin d'en faire une monture mort-vivante qui m'aurait permis de voler assez loin pour atteindre la Grande Meule. Malheureusement, tuer un dragon est une chose très difficile, même pour des aventuriers aguerris ou des hommes-rats retors. Heureusement, ma seconde option a fonctionné : acquérir assez de puissance pour atteindre, seule, la Grande Meule. Il n'y avait que Shubarte qui puisse m'apprendre à faire cela et, désormais, c'est chose faite. Grâce à toi. Toutefois, Shubarte l'Éternel n'a pas partagé ses connaissances avec moi par bonté. Comme vous avez fréquenté le personnage, vous devez savoir qu'il n'est pas du genre à donner sans rien attendre en retour. Nous avons conclu un accord : dès que mon fils serait libre, je lui céderai le Château Perdu, mon trône et tous mes serviteurs. Ne vous ne faites pas pour moi, je suis complètement guérie du désir de gouverner et d'être la souveraine d'un peuple de cadavres. Seulement, je souhaitais vous expliquer tout cela pour que vous compreniez pourquoi je souhaitais que vous compreniez pourquoi je préférais désormais que vous ne fassiez plus partie de mon armée.

– Vous ne voulez pas que nous passions sous les ordres de Shubarte lorsque vous lui transmettrez le pouvoir sur vos morts-vivants.

- C'est exactement cela, mon avisé Vertanor.

- Peu m'importe, je ne veux rien d'autre que vous servir aussi longtemps que possible. Laissez-moi rester à vos côtés pour toute l'éternité.

- Tu mérites d'être libre, mon brave Josk. L'épée que j'ai créée spécialement pour toi, Noiréchine, te permet de t'éloigner de moi, au contraire de mes autres séides. Tous ceux que tu occiras avec elle deviendront eux aussi des morts-vivants et, désormais, t'obéiront sans broncher. Josk, je te remercie pour tout ; mais dès à présent, je ne veux plus te voir au Château Perdu. Cela vaut aussi pour toi, Vertanor. Tu as pris énormément de risques pour moi en cumulant tes mandats de Chevalier auprès du roi, de prêtre de l'archipape et de serviteur acquis à ma cause.

- Si j'ose vous le demander, ma reine, qu'allez-vous faire une fois que vous aurez retrouvé votre fils ?

- Sincèrement, Josk, je ne sais pas ce qu'il adviendra de moi après sa libération.

- Vous voulez dire que le fait de voler jusqu'à la Grande Meule sera dangereux pour vous ?

- Il ne me semble pas avoir mentionné le fait que j'irai jusqu'à la comète... Maintenant, ouste, mes fidèles capitaines. J'ai de puissants sortilèges à préparer.

***

Depuis les hauts remparts du Château Perdu, forteresse ancienne devenue demeure de la Nécromancienne, Josk observait l'horizon. Avant de quitter à jamais le fief d'Enaxor, l'ancien capitaine avait voulu admirer la vallée qui s'étendait à perte de vue, bordée de forêts de sapins noirs. Le mort-vivant n'avait plus d'yeux depuis longtemps, ses globes oculaires étaient des cavités vides, les portes béantes d'un crâne inhabité. Après sa résurrection, opérée par la magie nécromantique, son corps tout entier avait pourri, puis était parti en lambeaux mais son squelette recouvert d'une antique armure et d'une cape violette était toujours mu par sa volonté. Josk n'avait jamais compris comment il pouvait penser sans cerveau, vivre sans cœur, se battre sans muscle, comment son squelette restait assemblé alors que plus rien ne retenait ses os les uns aux autres. Il en avait conclu que c'était le propre de la magie d'être incompréhensible.

Josk scruta le ciel et il pensa l'apercevoir, à l'ouest, juste au-dessus des Brumes. Elle était ronde, bleu roquefort, plus petite qu'un soleil. C'était la comète qu'Enaxor attendait depuis tant de temps. La Grande Meule, à l'intérieur de laquelle son fils était prisonnier. Dévasté à l'idée de devoir s'éloigner de sa reine, Josk n'avait pas d'autre choix que d'accepter son destin. Il observait la comète, terriblement déçu de pas pouvoir accompagner la Nécromancienne lors de l'opération de libération de son enfant.

Josk quitta discrètement le Château Perdu. Dans la tête du premier mort réveillé par la Nécromancienne résonna une dernière fois la voix de la magicienne.

- J'espère que tu as compris que je ne te bannis pas pour te punir, mais pour que tu ne sois pas contraint à servir Shubarte pendant des siècles.

La goule se retourna face aux ruines.

- Vous ordonnez, j'obéis. Voilà tout.

- Pendant qu'on télépathise et avant que tu t'en ailles à jamais, tu aurais un mort-vivant à me conseiller pour te remplacer ?

- J'aurais dit sans hésiter Nagaruo, mais il s'est fait cramer par les pyronains pendant le raid de la Guilde Occulte Uniformée Presque Illégale Légitimement. Alors, je vous conseille Markus. Il est efficace et respecté par la communauté des cadavres.

- Markus ? Mais quel Markus ? Markus Crâne d'œuf ?

- Non, bien sûr que non. Markus le Sec.

- Markus le Sec, évidemment. Merci, Josk. Et adieu.

- Adieu, pensa le mort-vivant en s'éloignant à jamais du Château Perdu.

***

Elle était ronde, éclatante. Un homme aux longs cheveux gris l'observait, depuis le plus haut pic du col Yfishey, près de Mange-Esther. Avec ses yeux parfaits, le guerrier pouvait presque deviner les aspérités qui recouvraient la sphère bleutée. Quand il l'avait remarquée, Morgrise s'était tout d'abord imaginé qu'il s'agissait d'autre chose, un satellite qu'il connaissait parfaitement bien ; mais il avait ensuite reconnu l'astre qui poignait au loin. Hanté par l'acédie, le guerrier le regarda encore, mélancolique, quelques instants. Il n'avait aucun intérêt pour l'astronomie. Ensuite, il contempla le vide qui s'étendait sous ses pieds. Morgrise venait de combattre et vaincre un goryéti, terrifiant mammifère laineux des hautes altitudes qui gisait dans la neige, tranché en deux, à ses pieds. Machinalement, il remonta le mécanisme qui se trouvait à la hauteur de son cœur. Le corps entièrement recouvert d'un épais manteau noir, destiné non pas à le protéger du froid mais à dissimuler les terribles conséquences de son combat contre une frambraignée, Morgrise reprit la chasse. Il errait, sans autre but que celui d'affronter les créatures les plus puissantes qui le foulait de leurs pattes la surface du royaume. Il cherchait un adversaire à sa mesure.

***

La prêtresse Songes-Jartelle s'était installée, à la demande de l'archipape, au sommet du Grand Temple. Entourée de membres éminents du clergé qui se tenaient en demi-cercle autour d'elle, Songes-Jartelle joignit les mains et se mit à prier à haute voix. Ce faisant, elle demandait humblement à la Déesse le droit d'utiliser le pouvoir divin confié à tous les prêtres et prêtresses dévoués. Une telle prière n'était pas nécessaire pour qu'elle active son pouvoir, mais Songes-Jartelle, vu le contexte, l'endroit où elle se trouvait et les pontes qui l'entouraient, préférait en faire un peu trop, dans le doute. Ensuite, Songes-Jartelle tendit les bras au ciel, déterminée. D'abord, il ne se passa rien du tout. Il y avait juste la prêtresse, concentrée et anxieuse, son ample robe blanche, ses longues tresses blondes et ses gros seins qui dansaient un peu, à cause du vent. Quelques maxiprêtres se raclèrent la gorge, peu patients ; et puis, petit-à-petit, tout ce petit aréopage sur le toit du Grand Temple sentit l'air se réchauffer tandis que des bourrasques, de plus en plus fortes, venaient caresser Songes-Jartelle. La jeune prêtresse, qui pouvait contrôler la pression atmosphérique, utilisa son don pour repousser les nuages. Une fois le ciel complètement dévoilé, les pontes religieux se munirent de longs-lorgnons pour scruter l'astre bleu. Plus personne ne faisait attention à elle, alors Songes-Jartelle ne savait pas trop quoi faire. Finalement, la main au-dessus des yeux, elle regarda dans la même direction que les maxiprêtres.

***

Dans les Terres du Bœuf, à une vingtaine de kilomètres de Vent-Drelle, Grouge-Mont, honnête fermier, labourait son champ sous le soleil de midi. Fripet, son courageux poney, tirait depuis des heures une vieille charrue. Lorsque l'épouse de Grouge-Mont vint le rejoindre pour partager avec lui une collation bienvenue il lui désigna de son doigt épais la sphère qui était apparue dans le ciel.

– Bin tiens, la r'voilà, dit-elle. Puis elle ajouta, en déballant un sandwich à la fraise :

– J't'ai mis d'la menthe dedans.

## Le chevalier du Corbeau

Semblable à un doigt biscornu pointé maladroitement en direction du ciel, la tour de la Guilde des Voleurs était visible depuis presque n'importe quel endroit de la ville flottante d'Alpédia. La confrérie la plus puissante du royaume (qui réunissait toutes les fripouilles et les escrocs les plus retors : escamoteurs, cambrioleurs, banquiers ou réparateurs de charrettes), s'était réunie pour célébrer un événement d'une grande importance. Le druide Crâne-Lard n'était vraiment pas dans son élément parmi ces filous professionnels : avec sa robe verdâtre et franchement crado, sa longue barbe mal tressée et son bâton de marche sur lequel il avait laissé une ribouldine des futaies faire son nid, le nain et son allure forestière détonnaient au milieu des autres convives. Il restait immobile dans la grande pièce aux murs couverts de tentures sur lesquelles figuraient le blason du Corbeau et le symbole de la Guilde des Voleurs, coincé entre la table des amuse-gueules et la fontaine à bière. Même si le breuvage houblonné était bien tiède comme il fallait et si le plateau de petits fours végétariens lui avait fait découvrir des sensations gustatives remarquables, le nain se réjouissait de quitter les lieux. Non seulement il en avait plein les bottes des mondanités, mais son animal totem, Touffe, un sanglier qu'il était le seul à pouvoir voir, avait de la peine à se tenir tranquille aussi longtemps en présence de tant de monde.

Son ami, le ménestrel Siffle-Abricot, était bien plus à l'aise : il riait, parlait à tout le monde, pinçait des fesses et lançait des clins d'œil. Il possédait également l'avantage de bien connaître le milieu dans lequel ils se trouvaient puisqu'il avait lui-même longtemps exercé la profession de voleur. Ses petites blagues faisaient donc mouche car l'humour très particulier des hors-la-loi lui était familier.

Seul l'habillement de Siffle-Abricot tranchait avec celui des autres convives. Crâne-Lard était étonné du choix vestimentaire de son camarade : alors que le ménestrel se montrait très soucieux et pointilleux de sa manière de se coiffer, de se chausser, de se nettoyer les dents avec des bâtons de réglisse, il tenait depuis plusieurs semaines à porter un vilain manteau de seconde main : alors qu'ils allaient s'enfuir du Château Perdu, Siffle-Abricot était allé récupérer ce vieux veston élimé sur la dépouille d'un courageux demi-homme. Depuis, il n'avait pas voulu l'ôter et semblait fier de se rendre dans le fief de la Guilde des Voleurs avec cela sur le dos. Comme son compagnon connaissait le demi-homme décédé, le nain imagina qu'il devait s'agir là d'un souvenir de son ami perdu. Crâne-Lard profita que le barde venait remplir sa chopine à la fontaine pour lui attraper la manche et le tirer auprès de lui, vers le bas.

- C'est quand tu veux qu'on met les voiles, Siffla'.

*– Mon ami, ton impatience est légitime,*
*mais toutefois comprends ma joie d'être présent*
*en ce lieu, égayant nos hôtes de mes rimes*
*les poches pleines d'or sonnant et trébuchant.*

- Oui, j'ai pigé, j'suis content pour toi mais on devait juste venir quelques minutes.

*- Impatient druide barbu,*
*attendons donc l'allocution de notre hôtesse*
*et d'ailleurs ne souhaites-tu*
*revoir l'enfant sauvée par nous de la détresse ?*

- Je pense que Marika a tout ce qu'elle veut depuis qu'elle a été adoptée par la reine de la Guilde. Après, si on me demande mon avis, je ne sais pas si une société de voleurs est le meilleur endroit qu'un enfant puisse trouver pour s'épanouir.

*- Justement, je l'aperçois fendre la foule*
*dame Gladys la Glaciale, elle qui manda*
*d'aller lui rechercher au-delà de la houle*
*une enfant qui un beau jour lui succédera.*

Gladys, la vieille et sèche dirigeante de la puissante Guilde des Voleurs, venait d'entrer dans la pièce où étaient réunis les capitaines de son entreprise, des représentants des guildes les plus influentes d'Alpédia, un maxiprêtre du Grand Temple et deux émissaires des Chevaliers voisins du Rat et du Bœuf. Tous avaient été conviés officiellement, à l'aide de jolis parchemins d'invitation enluminés, à participer à une agape pour fêter l'adoption par la Glaciale Gladys de sa fille, la jeune Marika. Cette douce enfant originaire des Terres du Loup, aux grands yeux noirs, avait été très récemment désignée par l'augure divine comme étant celle qui deviendrait Chevalier du Corbeau, héritant d'un petit territoire champêtre situé au sud des Terres de la

Salamandre, coincé entre les Terres de la Vipère et le Bosquet de l'Orvet. En attendant sa majorité ce serait sa mère adoptive, la Reine des Voleurs, qui administrerait à distance les Terres du Corbeau. Le gratin de la ville libre d'Alpédia et des environs était donc convié, ainsi que le prometteur ménestrel Siffle-Abricot, qui avait retrouvé Marika perdue dans les neiges du nord. Celui-ci avait été rondement rétribué et invité à participer aux festivités, avec son nouvel acolyte nain. Le barde n'aurait pas pu refuser une telle invitation, lui qui avait à cœur de se forger avec panache une réputation de brillant troubadour.

La Reine des Voleurs était suivie par Marika. Siffle-Abricot et Crâne-Lard eurent du mal à la reconnaître : soigneusement coiffée, parée d'une magnifique robe violet clair, elle avait changé du tout au tout. Après s'être présentée très poliment et en suivant rigoureusement une étiquette qui lui était inconnue il y a encore quelques semaines, Marika se dirigea prestement vers les deux héros qui l'avaient sauvée. Elle tomba dans les bras de Crâne-Lard, qui avait vécu dans le même village qu'elle et son frère Josk.

- Oh Crâne-Lard ! J'su contente de te voir ! Je savais pas qu'tu serais là !

Un vieil homme revêche aux allures de majordome, mains croisées dans le dos, lorgnons et crâne chauve, avait suivi la petite fille comme son ombre. Droit comme un piquet, derrière elle, il se racla deux fois la gorge.

- Hum hum.

- Excusez-moi, je voulais dire… Je suis contente de vous voir. Je ne savais guère que vous seriez présent.

- C'est mieux, précisa le vieillard, sans bouger.

- Heu, mais nous aussi on est bien contents de te voir. Comme tu es belle dis donc...

Le nain faillit ajouter « ton frère serait fier de toi » ou « le tissu de cette robe plairait beaucoup à Josk », mais il n'en fit rien. Depuis qu'il l'avait retrouvée au Château Perdu, Crâne-Lard avait fait bien attention de ne jamais aborder le sujet du grand frère de Marika, qui était mort à ses côtés. Il pensait légitimement que la petite fille serait effondrée d'apprendre le piteux décès de Josk et il ne savait pas comment gérer une fillette en pleurs, même si celle-ci avait grandi sous ses yeux, dans leur village enneigé. Crâne-Lard brûlait également de savoir si Marika était au courant du pouvoir étrange que possédait Josk, communiquer avec les animaux, mais le nain garda cela bien au chaud dans sa petite tête toute dure et toute ronde par crainte d'attrister la fillette en abordant le sujet.

*- Que de chemin n'as tu pas parcouru*
*depuis cette geôle, – oh prison infâme ! –*
*ce sombre et putride Château perdu*
*où – je m'en souviens bien – nous vous trouvâmes.*

*Vous êtes désormais vraiment très belle,*
*jeune héritière et bientôt souveraine ;*
*il n'est aisé de reconnaître celle*
*qui est ici la fille de la Reine.*

- Ouais, ça fait beaucoup de trucs qui changent...

- Hum hum.

- Certes, cela constitue d'importants... heu... changements, se corrigea Marika, suite aux raclements de gorge de son précepteur.

- L'important c'est que tu ailles bien. C'est ton professeur, derrière toi ?

Marika se retourna et présenta à Crâne-Lard et à Siffle-Abricot le vieil homme.

- Voici Nande de l'Égide de Ferro, c'est lui qui me dit comment qu'il faut faire et parler.

- Et j'ai encore du pain sur la planche, si vous me permettez l'expression. Je suis humblement enchanté, messire Lard et messire Abricot. J'ose espérer que notre accueil vous convient.

*- Ci-fait, nous sommes comblés*
*par le bon goût de notre hôte*
*nous goûtons d'être invités*
*cette fête est un sans-faute.*

- Ouais, c'est chic, c'est sympa. J'aurais préféré une fontaine de bonne vieille bière De Chez Nous plutôt que de l'Ambrée Pâle de Mange-Esther.

- Peu importe la choppe, pourvu qu'on ait l'ivresse, si vous me permettez l'expression. Je me permettrai de transmettre votre opinion au brasseur attitré de la Guilde.

- Et sinon, Crâne-Lard, tu... Vous... Allez-vous séjourner dans la ville d'Alpédia encore quelques temps ?

- Bin Marika, je crois pas trop. Déjà, maintenant je suis druide, alors je suis plutôt censé passer du temps dans la forêt tu vois. On a pas trop décidé de ce qu'on allait faire, en fait. Après le Château Perdu, on a passé beaucoup de temps à ramener les enfants sauvés un peu partout dans les Terres du Loup, à leur retrouver des familles ou des guildes quand leurs... heu... leurs foyers n'existaient plus. Et là, avec Siffla', on a placé tous les gosses alors je sais pas trop. On n'a plus vraiment de but commun.

*- Enfin mon barbu compagnon*
*crois-tu qu'il soit dans ta nature*
*de répondre un cinglant « Non ! »*
*au bel appel de l'aventure ?*

- Non, je trouve sympa de bouger, et franchement, malgré tous les malheurs qu'on a rencontrés, je préfère de loin ma vie de maintenant que... que celle que je menais au village. Il faudra qu'on en parle tranquillement, Siffla'.

Crâne-Lard eut peur de faire de la peine à Marika en évoquant leur foyer natal, mais elle ne sembla pas réagir. Peut-être que Nande de Ferro lui avait appris à garder un visage serein dans toutes les circonstances. Elle était rayonnante.

- En tout cas, j'aimerais trop pouvoir continuer de te voir, même si j'adore trop…

- Hum hum.

- Quoi qu'il en soit, je confesse le désir sincère de profiter encore, à l'avenir, de votre présence. Quand bien même ma nouvelle situation n'est pas sans avantages, il m'arrive parfois de songer à notre village. Je souhaite si possible garder contact avec un ancien voisin.

Gladys la Glaciale, ayant fait le tour de tous les autres invités, s'approcha finalement de ce quatuor. Elle n'adressa qu'un regard furtif au nain et fit signe au précepteur de sa fille adoptive de reprendre sa place derrière Marika, attentif à tout ce qu'elle faisait et disait.

*- Madame, intendante des Terres du Loup,*
*et Reine de la Guilde des Voleurs,*
*d'Alpédia et de ce qu'il est en-dessous,*
*vainqueuse du satyre mangeur de cœur,*

*c'est un honneur pour moi de vous remercier,*
*au nom de mon ami tout autant qu'au mien,*
*de nous avoir si gentiment conviés*
*à partager votre fastueux festin.*

- Madame, enchanté. Crâne-Lard, druide.

La Reine des Voleurs tendit mollement son bras maigre pour que les deux compères puissent la saluer en toute dignité par un léger baiser frôlant sa bague ornée d'une pie. Elle se mit à parler, mais sa bouche semblait figée dans un immuable rictus de mécontentement.

– Je sais qui vous êtes, tous les deux. Et je suis extrêmement ravie de vous voir ici. Siffle-Pruneau, vous avez été parfaitement efficace et je saurais m'en souvenir. Je regrette toutefois que l'excellent détective Énok n'ait pu survivre à cette quête. J'espère que vous saurez continuer à vous entourer de personnes de qualité à l'avenir. Ce fut une initiative particulière de ma part d'engager deux aventuriers qui ne faisaient guère partie de ma guilde pour accomplir une mission qui m'était chère, mais je ne m'étais pas trompée. Comme d'habitude. Bref, je vous souhaite beaucoup de succès dans votre nouvelle carrière de troubadour. Messires, profitez du buffet et passez une bonne fin de journée.

La Glaciale Gladys se fendit d'une esquisse de révérence, leur tourna le dos et s'en alla.

*– Je ne suis pas dupe, loin de là,*
*la Glaciale – c'était volontaire –*
*a écorché mon nom et cela,*
*c'est certain, juste pour me déplaire.*

Le précepteur de Marika lui fit comprendre qu'il fallait suivre sa mère adoptive.

– Bon bin, j'espère qu'on se reverra bientôt... Oh ! Je sais ! Je vais vous donner un petit poigeon voyageur, c'est super pratique. Je vous confie cet oiseau, vous écrivez un petit mot sur sa patte, il vient me le donner, et je peux vous répondre. Comme ça on peut se donner des nouvelles et se retrouver bientôt. Je vais demander à un voleur novice de vous en donner un.

- Ha, heu, ouais alors en tant que druide j'arrive facilement à parler aux bêtes alors si jamais y'a même pas besoin d'écrire, il pourra me répéter ce que tu dis. Bon, au revoir, Marika.

- Attendez, restez au moins pour voir Lazo-Vert l'haruspice. Il paraît qu'il est super, il voit l'avenir et tout et tout !

L'héritière des Terres du Corbeau quitta les deux amis à son tour, suivie par l'inflexible Nande de l'Égide de Ferro.

- Lazo-Vert, c'est pas le type dont tu m'as parlé, celui qui lit dans le ventre des bêtes mortes ?

*- Exactement, j'ai déjà eu l'occasion*
*avec le demi-homme boiteux, Énok*
*de rencontrer ce devin en sa maison*
*et là j'ai pu entendre son soliloque.*

- Écoute, moi je vais pas rester voir un type étriper un animal pour lire à l'intérieur. J'aime pas ça et ça risque de faire tourner de l'œil tu sais qui si jamais c'est un sanglier qu'il mutile. Je vais sortir de cette tour et attendre un peu en bas. Quand tu en auras assez des flonflons, rejoins-moi, on parlera un peu de… Bin, tu sais, de ce qu'on pourrait faire maintenant. Enfin, si tu veux parler.

*– Nombreux sont les sujets dont parler tous les deux,*
*tes transformations, tes pouvoirs, ton statut,*
*comment donc, et pourquoi – le savoir, je le veux –*
*d'une longue barbe affublé je t'ai vu*
*après ce vol magique à dos d'un fier dragon*
*quand dans ton corps de nain tu t'es enfin glissé*
*tu n'avais pas du tout les mêmes pantalons*
*tes traits étaient tirés, vieilli je t'ai trouvé.*

*Dans mon cerveau, ami, cent mille questions trottent ;*
*je nous crois dos à dos, désormais, petit pote.*
*Ma vie c'est réceptions, mondanités et gens ;*
*et toi bois, sangliers, loutres, biches et faons.*
*Sauver ces enfants c'est, et vraiment de très loin,*
*la chose la meilleure en ma vie que j'ai faite*
*mais aujourd'hui je veux chanter, et de même demain,*
*je veux que chaque jour soit une grande fête.*

*Saurons-nous donc trouver un tout nouvel élan,*
*comment concilier nos objectifs et défis*
*afin que tous les deux nous allions de l'avant ?*
*Tandis que tu m'attends au dehors, penses-y !*

Crâne-Lard resta silencieux quelques secondes, le temps d'être certain d'avoir assimilé l'information.

– Ha… Bon, bin d'accord. Je vais y penser. Comment faire pour concilier nos deux vies, quoi. Je t'attends en bas, qui tu sais doit faire sa petite commission totémique.

Le nain siffla pour que son sanglier invisible le suive et quitta la salle des fêtes de la tour de la Guilde des Voleurs. Il descendit jusqu'au rez-de-chaussée dans l'élévateurdescendeur mécanique. À l'extérieur, le soleil tapait fort dans les rues d'Alpédia.

## Vingt-sept chevaliers et un roi

Le roi Califourchet Haute-Couronne VI a convoqué l'intégralité de ses chevaliers dans la plus grande salle du palais royal. Le souverain, en bout de table, s'est assis en premier et ses vassaux l'ont imité. Cette réunion exceptionnelle est relative aux sujets très urgents qui doivent être débattus, ou du moins mis au clair, depuis les récents événements qui ont bouleversé le royaume. Les Chevaliers ont répondu à son appel, comme ils sont tenus de le faire (certains sont un peu en retard). L'ordre du jour, distribué à tous et affiché derrière le roi, est le suivant :

- la disparition de l'héritier royal, le prince Tasse-Dent,

- l'invasion des Terres du Loup par les monteurs d'ours de Bernon, du Chevalier de l'animal susnommé,

- le décès des Chevaliers du Loup et du Renard,

- les rumeurs sur l'installation d'une sorcière dans les ruines du Château Perdu,

- l'usage des ninjas royaux pour étouffer les velléités révolutionnaires de la Guilde Anarchique Libre, Impétueuse, Prolétaire

Et Très Très Enthousiaste, menée par le révolutionnaire Napoléon Beaupépon, fils illégitime du roi et d'une décoratrice d'intérieur[9].

Le garde du corps royal, maître d'armes et général de l'armée du roi, Schnappi, est lui aussi présent, debout, aux côtés de Califourchet. Il reste droit, presque au garde-à-vous, durant toute la scène. Un représentant du Grand Temple était attendu, mais il a eu un accident de charrue et est donc excusé pour cette séance.

Ce jour-là, autour du roi, se tiennent donc :

- Amézan, Chevalier de la Salamandre,
- Ardexlan, Chevalier du Fuligule morillon,
- Argus, Chevalier du Faucon,
- Articaulholt, Chevalier de la Loutre,
- Avouarée, Chevalier du Cheval,
- Beauvin Cent-Os, Chevalier du Tétras,
- Bernon, Chevalier de l'Ours,
- Chlimazel, Chevalier du Chamois,
- Erdwige, Chevalier de l'Orvet,
- Fesse-Auge, Chevalier du Lièvre,
- Firud, Chevalier du Rouge-Gorge,
- Gattara, Chevalier de la Grenouille,
- Gottöka, Chevalier de l'Écureuil,
- Ekicokuac, Chevalier du Hérisson,
- Guésan, Chevalier du Blaireau,

[9] Ce dernier point est écrit de plus en plus petit car la place commence à manquer sur le parchemin.

- Herpied, Chevalier du Bœuf,
- Ire-Timide, Chevalier du Muscardin,
- Leamzi, Chevalier de la Vipère,
- Marika, Chevalier du Corbeau,
- Maudais, Chevalier de l'Aigle,
- Nasleroken, Chevalier de la Couleuvre,
- Onésèphe Jarès, Chevalier du Lynx,
- Parmeyère, Chevalier de la Fouine,
- Shouna, Chevalier du Hibou,
- Vertanor, Chevalier du Sanglier et
- Yell, Chevalier du Scutigère.

Les Chevaliers du Renard et du Loup sont décédés et aucun successeur ne leur a été désigné par l'Augure du Grand Temple. Les Chevaliers du Chat et du Cerf sont portés disparus. Le Hibou et la Grenouille sont en retard. Les sièges de ces six seigneurs sont vides. Une chaise est à l'écart, c'est celle de Broche-Veine, Chevalier du Vespertilion à Moustaches.

Une fois tout le monde installé, Califourchet Haute-Couronne VI, roi de tous les peuples, souverain gardien de la Sphère, protecteur des gourmands, premier des goûteurs, attend que le silence s'installe. Quelques Chevaliers ajustent leur position, les chaises grincent. Quand tout le monde est immobile, le souverain prend la parole.

*Califourchet :*

– Chers Chevaliers, fidèles vassaux, votre roi doit vous parler de bien des choses. Tout d'abord, je tiens à excuser le Chevalier Broche-Veine, qui aurait dû assister à notre réunion mais qui est excusé. Il est en cure thermale à Chic-Ruban.

*Amézan :*

– Votre majesté, ce n'est pas le seul à manquer autour de cette table ! Où sont le Crapaud et le Hibou ? Et l'autre, là, le Rat-Musqué ?

*Guésan :*

– Tss, c'est le Muscardin, pas le Rat-Musqué, ignare.

*Ire-Timide* (d'une petite voix) :

– Et en fait, je suis là.

*Le roi se lève. Malgré sa discrète stature de demi-homme, il impose ce faisant immédiatement le silence de tous.*

*Califourchet :*

– Amézan, Chevalier de la Salamandre, aussi compréhensible que soit votre réaction, vous ne me couperez plus la parole. Nombreux sont les sujets que nous allons aborder et nous n'avons pas de temps à perdre. Guésan, Chevalier du Blaireau, gardez vos corrections pour les élèves de votre université. J'ai convoqué tous les Chevaliers. Gattara de la Grenouille m'a fait parvenir un pigeon, il est en retard et cela doit être le cas de Shouna du Hibou également.

*Les Chevaliers sont habitués au comportement emporté d'Amézan, comparable au caractère de Vertanor. Il est par contre bien plus rare que le sage et vénérable Guésan se fasse gronder ainsi par le roi, qui se montre toujours extrêmement respectueux à son égard. Quelques Chevaliers échangent donc des regards étonnés.*

*Califourchet :*

– Je reprends. Ainsi, le Grand Temple ne sera donc pas représenté aujourd'hui, ni certains territoires, du moins temporairement. Comme il est d'usage, chaque Chevalier aura droit, à son tour, à la parole. Le principal sujet de préoccupation de la couronne, aujourd'hui, vous le comprendrez, est la disparition de mon fils unique, Tasse-Dent.

*Amézan ouvre la bouche, se retient, mais il est incapable de la garder fermée plus longtemps.*

*Amézan :*

– Alors là, je m'excuse votre majesté, mais on pourrait rapidement faire la lumière sur ce dernier point vu que je vois en face de moi le responsable de l'enlèvement du prince !

*Tous les Chevaliers tournent alors la tête vers Bernon mais celui-ci reste impassible. Dans les couloirs, avant d'entrer dans la somptueuse salle de réunion, les Chevaliers ont beaucoup débattu à propos du Chevalier de l'Ours et personne n'avait osé imaginer que Bernon viendrait au palais après avoir ravagé les Terres du Loup. Ils l'imaginaient, séditieux, se cloîtrer dans sa grotte perdue près du glacier. À la surprise générale, le géant roux a bien répondu présent à l'invitation de son roi.*

*Il reste toutefois impassible. Le roi reprend la parole.*

*Califourchet :*

– Retrouver mon fils n'est pas l'affaire des Chevaliers. Comme vous le savez certainement, j'ai envoyé à travers tout le royaume mes sept ninjas. Ils ont pour mission de débusquer tous les révolutionnaires fidèles à Beaupépon et surtout de retrouver la trace de mon fils, votre prince. S'il fallait vraiment qu'un Chevalier se sente concerné, je ne désignerais pas celui de l'Ours… Selon toute vraisemblance, Tasse-Dent a disparu dans les terres du Loup, lorsqu'il se rendait à Bielsko pour assister à une rencontre de schlagenballe. Mes ninjas ont pu remonter sa trace jusqu'à une crique non loin de Libre-Bourg. Si mon fils a bien été enlevé à l'intérieur des terres du Loup, ce serait au Chevalier Krash d'en répondre, pas à Bernon. Par contre, vous, Chevalier Guésan, vous êtes le souverain des terres du Blaireau. Ceux qui ont capturé mon fils ont vogué librement sur vos fleuves et vendu mon fils à des esclavagistes-fromagers sans scrupules. Qu'avez-vous à répondre à cela ? Avez-vous mis en œuvre quoi que ce soit pour retrouver votre prince ?

*Le Chevalier du Blaireau est sincèrement déconfit, son visage se décompose.*

*Guésan :*

– Mon roi, je déplore avec sincérité et tristesse la disparition de Tasse-Dent et si vous le souhaitiez je mettrai en œuvre tous les moyens nécessaires, tous mes moyens disponibles pour le retrouver. Je sais que l'équilibre du royaume entier repose sur la vie de cet enfant. Trop d'adversaires de la couronne espèrent en secret l'avènement de Beaupépon pour redistribuer les cartes du pouvoir dans notre royaume. Mais, si vous me le permettez, votre majesté, je pense qu'il incombe à l'un des Chevaliers qui siège autour de cette table plus de responsabilité dans la disparition de Tasse-Dent qu'à moi.

*Encore une fois, le regard de tous les Chevaliers se fixe sur l'imposant Chevalier de l'Ours, Bernon. Cette fois celui-ci se lève, digne.*

*Bernon :*

– Votre majesté, messires les Chevaliers. Schnappi. J'imagine que beaucoup d'entre vous ne pensaient pas que je vien-drai aujourd'hui, pas après ce que j'ai fait. J'ai mené mes chevaucheurs d'ours et mes ravageurs sur les terres de Krash, c'est vrai. J'ai envahi son territoire…

*Fesse-Auge :*

– Trahison ! Mon roi, c'est une trahison royale et divine !

*Amézan :*

– Et il a le culot de l'admettre ! Les Chevaliers ont l'interdiction de se battre entre eux ! Vous devez sévir.

*Califourchet :*

– Amézan, j'espère que vous ne pensez pas que je ne connais pas sur le bout de mes doigts gras les Lois de la Déesse. Tous, autour de moi, m'enjoignaient à mener mes armées contre Bernon et à lui révoquer son titre de Chevalier. J'ai choisi de l'inviter à s'expliquer, avant de le condamner. Reprenez, Bernon, je comptais justement vous donner la parole.

*Le Chevalier de l'Ours joue de sa puissante carrure. Lorsqu'il parle, il plonge ses yeux dans ceux de ses interlocuteurs et bon nombre d'entre eux baissent alors le regard, pour le planter dans son imposante barbe rousse, ou ailleurs, car il est difficile de soutenir les prunelles sombres de cet homme.*

*Bernon :*

– C'est vrai, j'ai attaqué un autre Chevalier. Je ne le cache pas. J'ai ordonné à mes chevaucheurs d'ours d'enlever des enfants. J'ai commis des crimes impardonnables. Mais je n'ai pas fait cela par méchanceté, par désir de conquête ou je ne sais quoi d'autre…Une puissante sorcière s'est réveillée, à la frontière des Brumes. Elle devait y être cachée depuis longtemps, on n'entendait pas parler d'elle, et du jour au lendemain, elle… Elle a fait des choses terribles, vous n'avez pas idée, des créatures monstrueuses venaient la nuit voler nos fils et nos filles. Nous n'avons rien pu faire.

Mes guerriers ont tenté de vaincre ces créatures, mais… Finalement, je suis allé à la rencontre cette sorcière.

*Fesse-Auge :*

– Mensonge ! Le dernier sorcier a été tué sur Butaniku il y a longtemps ! Personne n'ose plus user de magie depuis lors. Ne cherchez pas à mentir à votre roi !

*Le roi commence à se lever mais, avant qu'il ne demande une nouvelle fois à ses Chevaliers de se tenir à carreau et au fougueux Amézan de cesser de couper la parole à tout bout de champ, le Chevalier du Sanglier, le prêtre de la mort Vertanor, se dresse, plus rapidement que lui.*

*Vertanor :*

– Bernon dit vrai. La Nécromancienne est de retour. Elle n'est jamais morte. Elle a repris des forces.

*Un silence pesant suit cette déclaration. Toutes les personnes présentes connaissent le rôle ambigu qu'avait tenu autrefois Vertanor auprès de la sorcière, lui qui avait été l'un des quatre lieutenants d'Enaxor, il y a plusieurs décennies, avant qu'elle ne fût défaite par l'inquisiteur Lucius Von Klagenfuss. Le prêtre avait été pardonné par le roi d'alors, le père de Califourchet. Il avait même été désigné ensuite par l'Augure comme le souverain des Terres du Sanglier. S'il affirme aujourd'hui que la Nécromancienne est de retour, c'est sans le moindre doute possible qu'il sait de quoi il parle. En général, dès que Vertanor prend la parole, on l'écoute et on le respecte. Les terribles et récentes blessures qu'il a subies et qui le défigurent renforcent encore son potentiel de respectabilité.*

*Bernon* (murmurant) :

– Il fallait que je protège mon peuple…

*Vertanor s'assied et le Chevalier de l'Ours reprend la parole.*

*Bernon :*

– J'ai rencontré cette sorcière. Je n'ai pas eu le choix. Il fallait lui fournir des enfants. Elle m'a promis qu'ils ne mourraient pas. Elle allait seulement utiliser leurs rêves... Et elle laisserait les fils et les filles des terres de l'Ours en paix. Voilà. C'est pourquoi j'ai emmené mes hommes sur les Terres du Loup. Je n'en suis pas fier. Et je suis prêt à assumer les conséquences de mes actes face au roi. Et face à la Déesse. Il fallait que je protège mon peuple.

*Bernon prend place sur son siège, lentement. La tête droite, malgré tout. Califourchet tourne la langue dans sa bouche et soupire.*

*Califourchet :*

– Si cela est vrai, Bernon, pourquoi n'avez-vous pas attaqué cette sorcière ? Ou si vous vous sentiez trop faible pour le faire, pourquoi n'avez-vous pas demandé l'aide de l'armée royale, ou de feu le Chevalier du Loup ?

*Bernon :*

– J'ai ordonné à mes hommes de monter la garde, d'empêcher les… créatures d'enlever nos enfants. C'était… je ne vais pas donner l'impression de vouloir esquiver ma responsabilité, votre majesté. Mais j'ai tenté d'avertir Krash. Et je vous ai envoyé un messager, mais vous n'avez jamais répondu à ma prière de venir défaire la sorcière. Le temps pressait...

Le Chevalier de l'Ours se tait et les autres vassaux du roi se mettent à chuchoter entre eux. Voyant que Califourchet Haute-Couronne reste songeur et laisse la parole à qui veut la prendre, le Chevalier du Lynx, le solitaire mais charismatique Onésèphe Jarès, se lève à son tour. Il est bien moins grand et imposant que Bernon, ni maigre ni gros, porte une armure très simple et de longs cheveux châtain clair rapidement noués au-dessus de la nuque. Mal rasé sans être barbu, costaud sans être musclé, il a une allure nonchalante. Sa présence au Palais Royal est rare, il ne se déplace que rarement hors de ses plaines.

*Onésèphe Jarès :*

- Votre majesté, messires les Chevaliers, maître Schnappi. J'entends aujourd'hui que la Nécromancienne autrefois vaincue est à nouveau assez puissante pour représenter une menace pour le royaume. Qu'attendons-nous pour la détruire une bonne fois pour toute ? Je ne peux pas imaginer laisser mon peuple courir le moindre risque de subir ses infâmes sortilèges.

*Maudais :*

- Il ne faudrait pas oublier que jusqu'à preuve du contraire, c'est surtout Bernon qui a commis des actes innommables. Enaxor ne peut, semble-t-il, pas être détruite mais à ce que je sais, elle n'est plus qu'un tas d'organes obèses. Ne laissons pas notre roi être déconcentré de notre principal problème, après la disparition de Tasse-Dent : le Chevalier de l'Ours est un traître et il ne doit pas repartir d'ici avec sa tête sur les épaules.

*Maudais, le Chevalier le plus ancien en service, a vécu la première défaite de la Nécromancienne. Malgré la violence de ses propos, il parle calmement, affalé sur son siège, de sa voix grave et caverneuse.*

*Califourchet :*

– Je suis très concentré. Je n'aime pas que l'on insinue le contraire. Nous avons récemment perdu deux Chevaliers : Krash du Loup et Lorde Ouragan du Renard. D'autres nous ont quittés il y a plus longtemps, je pense au Chevalier du Chat et du Cerf, et n'ont toujours pas été remplacés par le Grand Temple. Je ne veux pas prendre le risque de perdre encore un vassal maintenant.

*S'il était soulagé par les paroles du roi, le Chevalier de l'Ours n'en montre rien. Autour de lui, des Chevaliers s'offusquent.*

*Ekicocuac :*

– C'est scandaleux. Votre majesté, si vous ne punissez pas ce traître, vous légitimez ses crimes.

*Amézan :*

– Et qui sait si ses ravageurs ne viendront pas demain piller d'autres terres ?

*Guésan :*

– Votre parole est sacrée, mon roi, et votre avis fait loi. Je sais que vous avez connaissance de la possibilité qui vous est offerte de suppléer à l'Augure en cas d'urgence et de désigner vous-même un nouveau Chevalier, ou d'octroyer des terres à un Chevalier existant, comme le Grand Temple et vous-même lorsque vous avez sagement décidé de laisser l'intendant des Terres de la Vipère régner sur celles du Corbeau, avant que son successeur ne soit désigné. Si la Nécromancienne est de retour, les Terres du Loup sont en danger sans Chevalier. Pourquoi ne pas utiliser la jurisprudence du Sang de Chevalier...

*Fesse-Auge :*

– Blaireau ! Vous savez que si le roi fait cela, il va s'aliéner l'archipape et les membres du Grand Temple ! C'est un cas de force majeure qui fut utilisé uniquement lors de la Guerre des Chevaliers et la situation est bien loin d'être aussi grave !

*Guésan :*

– Cher Lièvre, vu votre jeune âge, il est toujours envisageable que vous vous mettiez dans la tête que le détenteur du pouvoir dans ce royaume c'est notre roi, et non pas l'archipape.

*Maudais :*

– C'est vrai, Fesse-Auge. Ce n'est pas Guésan qui place l'archi-pape plus près de la Déesse que le roi dans une ode dédiée à Hubertignac.

*Fesse-Auge :*

– Sournois persifleur ! Vous remettez en question ma loyauté ? Blaireau, si la Déesse vous lasse, vous pouvez toujours déplacer le Grand Temple dans mes terres. Là où il devrait se trouver !

*Sur ce, la plupart des Chevaliers commencent à se disputer, certains arguent qu'il faut se soumettre à la Déesse à travers son Augure, d'autres estiment qu'il faut pallier au plus urgent.*

*Dépité par la tournure des événements, Califourchet Haute-Couronne VI se lève pour exiger, une nouvelle fois, le silence à ses subordonnés mais la porte de la pièce s'ouvre à la volée. Alors que les réunions de Chevaliers sont strictement interdites au personnel, un garde demi-homme, une fourchette à fondue de combat à la ceinture, fait irruption dans la salle. Il se courbe respectueusement en avant, tout en bafouillant, à bout de souffle. Schnappi se dirige vers lui mais le roi lui ordonne, d'un signe, de s'arrêter.*

*Garde :*

– Désolé d'interrompre… Je m'excuse de… J'ai… J'ai une nouvelle très importante et très urgente, qui ne pouvait attendre. Je vous prie de m'excuser.

*Califourchet :*

– Abrégez les excuses, nous vous écoutons. Qu'avez-vous à dire ?

*Garde :*

– Votre fils bien-aimé, Tasse-Dent… Il est de retour au palais, en parfaite santé !

*Le roi sourit, regarde ses Chevaliers, son garde, ses Chevaliers, puis il quitte la pièce sans rien ajouter, tout empressé. Schnappi le suit. Les seigneurs, surpris, restent interdits.*

***

*Après quelques instants, une femme entre dans la pièce, à la volée. Elle est plutôt petite, athlétique, vêtue d'une armure de cuir et porte plusieurs armes sur à la ceinture et dans le dos. Elle est belle, mais une terrible cica-trice, en croix, barre son œil droit et défigure son visage. Beauvin Cent-Os est visiblement ravi de la voir. Il sourit bêtement et la dévore du regard.*

*Les Chevaliers, sauf Avouarée, se lèvent légèrement de leur siège, une fois passée la surprise de cette arrivée tonitruante. Maintenant que le roi n'est plus dans la pièce, l'attitude des Chevaliers est beaucoup plus détendue.*

*Shouna :*

– Alors, qu'est-ce que j'ai loupé ? Le roi n'est pas là ?

*Firud :*

– Il était là. Tu l'aurais vu si tu avais été à l'heure.

*Shouna :*

– Tout doux, le rouge-gorge, j'ai fait aussi vite que possible.

*Maudais :*

– La Cordillère du Hibou, c'est la porte à côté. Vous n'avez aucune excuse, moi, j'ai traversé tout le royaume pour venir ici.

*Shouna :*

– Tu veux que je t'applaudisse ? On a trouvé un truc vraiment étrange dans les fosses sous les Monts-d'Or… mais en fait j'ai pas à me justifier auprès de toi et, à ce que je vois, je suis pas la seule à être en retard.

*Argus :*

– Ouais, mais Krash et Lorde ont plutôt une bonne excuse pour être à la bourre, ils sont morts…

*Fesse-Auge :*

– Bon les petits oiseaux, vous arrêtez de vous voler dans les plumes ?

*Tous les Chevaliers rient à la plaisanterie du Lièvre, sauf le Rouge-Gorge, le Faucon, le Fuligule morillon et le Hibou. Shouna ne réagit pas, elle désigne Bernon.*

*Shouna :*

– Eh, l'Ours, t'a toujours la tête sur les épaules ? Le roi t'a pas décapité pour avoir attaqué et tué le Loup ?

*Yell :*

– Du calme, cocotte, personne ne va décapiter personne.

*Shouna* (menaçante) :

– Qui est-ce que tu appelles « cocotte » ?

*Vertanor :*

– Bernon a fait une erreur, mais le roi n'a pas jugé adéquat de le juger pour cela.

*Fesse-Auge :*

– Une erreur ? Enlever des enfants, massacrer des innocents, tuer un autre Chevalier, c'est juste une erreur ?

*Puis, en regardant Guésan le Chevalier du Blaireau droit dans les yeux :*

– Je ferais bien une erreur, moi aussi, tien.

*Onésèphe Jarès :*

– Personne ne néglige la portée des crimes de Bernon mais, encore une fois, notre véritable ennemi, notre seul ennemi, c'est la Nécromancienne.

*Shouna :*

– Oh, elle est de retour ? C'est vrai ?

*Les autres Chevaliers hésitent, puis Vertanor opine. Alors la plupart d'entre eux l'imitent.*

*Shouna* (en brandissant d'un geste théâtral la dague qu'elle porte à la ceinture) :

– Qu'est-ce qu'on attend pour aller la détruire une bonne fois pour toutes ?

*Nasleroken :*

– Ouais ! À la guerre !

## Le prince demi-homme

La plus belle table de tout le palais avait été dressée. Ivres de joie, le roi et la reine avaient organisé en toute hâte un repas gargantuesque, et c'était peu dire. Afin de célébrer le retour du prince Tasse-Dent, sain et sauf, accompagné de ses amis et sauveurs, Califourchet avait fait mettre les petits plats dans les grands : tiramisu à la viande hachée, crêpes panées à la crevette, éclairs au chocolat biscuités, macarons tonnerre, biscuits saurommes nappés de pépites de caramel... Tous les mets préférés du prince Tasse-Dent furent servis.

Après moult câlins et embrassades, Tasse-Dent avait été envoyé auprès du petit personnel. Il fut lavé, coiffé, oint, parfumé, ausculté. Les camarades avec qui il était parvenu au palais reçurent eux aussi un accueil privilégié : Yuyiyine, Schlagenbeuz et Lamkikoup purent se laver, se reposer et se virent tailler des vêtements de grande qualité pour remplacer leurs habits sales et usés. Alis et Tartisco furent immédiatement soignés par les prières divines et médicales de l'archiprêtresse Izaamaribel ainsi que par les onguents de Latranne-Hisse, première créatrice de potions royales[10].

---

[10] Malgré les talents de deux guérisseuses, il fut impossible de sauver l'œil du félain, crevé par une flèche félonne lors d'une épique escarmouche. Tartisco n'en fut pas marri outre mesure, estimant que cette blessure de combat le rendait plus viril.

Une fois tous les aventuriers bichonnés, ils passèrent à table. Califourchet fit un long discours sur son bonheur, sans manquer de saluer la mémoire de ceux qui avaient perdu la vie lors de leur voyage à Bielsko aux côtés de Tasse-Dent : Cornecul le Maître d'armes, Marmita la prêtresse gourmande, Chatamuse la boulangère, Xylophage le cordonnier et Terimousse le mycologue.

Tasse-Dent siégeait en bout de table, face au roi. Croyant lui faire plaisir, son père lui avait posé sa couronne sur la tête. Trop large, elle ne tenait pas en place. Le prince avait accepté cet honneur, pour ne pas faire de la peine à son géniteur. Il avait envie de tout sauf de s'imaginer roi, en ce moment. Autour de lui, tout le monde était heureux : Alis découvrait avec joie et voracité de nouvelles saveurs délicieuses. Yuyu, quant à elle, restait bouche bée devant tant de nourriture, tant de faste et de richesse. La fillette sauvage montrait un tout nouveau visage, une fois lavée et peignée. Elle avait très fièrement fait admirer au prince sa belle robe, sa jolie tiare, ses confortables chaussures. Tartisco, affublé d'un magnifique cache-œil orné de petites pierres brillantes figurant un crâne, prenait ses aises dans un cadre qui lui était familier. Lamkikoup restait placide et mesuré mais Tasse-Dent constatait bien qu'il était impressionné d'être à la table du roi.

Alors que le second plat n'était pas encore servi, le prince en avait déjà ras la couronne. Plus que jamais, rester à table pour s'empiffrer lui semblait inutile, pénible et vain. Il n'osait s'imaginer le nombre de repas officiels auxquels il devrait participer maintenant qu'il était de retour au palais.

Prétextant un besoin urgent, le jeune prince demi-homme s'éclipsa. Il déambula quelques minutes, au hasard des grands et majestueux couloirs de son palais natal.

Tasse-Dent traversa l'imposante allée où s'élevaient les fières statues de ses illustres aïeux, figés dans la pierre pour l'éternité : Félicieux Premier, Albertourte le Foutriquet, Félicieux le Second, Frigimousse l'Épais, Califourchet Premier, Porcophile Trésobèse, Frangipon Premier, Félicieux le Dernier, Pâtissor le Costaud, Fuligulle Martinouet l'Aîné, Fuligulle Martinouet le Jeune, Tonnerre Premier, Califourchet le Second, Frangipon le Second, Califourchet le Troisième, Frangipon le Dernier, Remue-Algue le Fin, Artichaude Première, Artichaude Dernière, Le Roi Sans Nom, Tonnerre Second, Fuligulle Martinouet Troisième, Cuisse-Preste le Veule, Jeanjambon l'Encore Plus Veule, Fuligulle Martinouet le Dernier, Gonzibad le Chauve, Tranchipuce l´Éternel, Califourchet Quatrième, Lèche-Patate le Bref, Califourchet Cinquième, Tournibère le Premier, Jeanne Cocholle, Tournibère le Dernier, Charavin l'Unique et Califourchet Sixième.

Rien qu'en imaginant sa propre statue faire suite à celles-ci, Tasse-Dent sentait sa poitrine se contracter. Il mit la main à la poche et en sortit un des morceaux du magnifique rubis détruit par Prospère le dragon vert. Le prince s'était bien gardé d'annoncer à son père qu'il avait trouvé cette pierre, partagé entre la fierté de la quête accomplie et la honte d'avoir détruit un vestige familial séculaire. Tasse-Dent pensait devoir trouver quelque combine pour éviter d'en parler, noyé sous les questions de son père mais, en réalité, le roi ne lui avait pas donné l'occasion d'évoquer de son périple. Selon lui, il valait mieux tirer un trait sur le souvenir sans aucun doute pénible de sa captivité et des circonstances de son retour et commencer au plus vite à profiter de la vie princière en respectant la règle des trois « r » : repas, repos, repas.

Le fragment de rubis tenait tout juste dans la paume du jeune demi-homme. Si elle était orientée vers la lumière, de somptueux reflets vifs parcouraient la pierre précieuse. Désormais, Tasse-Dent se demandait s'il avait opté pour la meilleure solution. Il avait longtemps hésité : garder le rubis comme un trophée, un souvenir de son escapade, de sa liberté ? Ou alors, gagner un certain respect auprès de son père en dévoilant son butin ? Tasse-Dent pensait s'être mis sur la piste du rubis en apprenant qu'il s'agissait d'un bijou ancien pour le restituer au roi mais il avait finalement compris que ce n'avait qu'un prétexte pour prolonger son aventure. Avant d'arriver au Palais Royal, Tasse-Dent avait donné à chacun de ses trois amis, Alis, Yuyiyine et Tartisco, un des quatre fragments du rubis millénaire en souvenir de leur périple commun.

– Mon prince, je suis toute joie de vous voir céans.

Tasse-Dent se retourna et sourit à Vérosson Manique, son ancienne préceptrice, première lectrice du royaume. Grande et souriante, les cheveux courts et gris, elle ne prit pas la peine de se livrer à la courbette réglementaire face au prince : elle lui passa une main pleine d'affection dans les cheveux. Celui-ci aurait été prêt à l'enlacer, heureux de la revoir ainsi inopinément.

- Ça me fait très plaisir aussi, Vérosson.

- Vos géniteurs se faisaient un sang d'encre suite à votre disparition. J'ose espérer qu'il ne vous est rien arrivé de fâcheux.

- En fait, c'était plutôt sympa. Je sais que ça peut paraître bizarre mais y m'est arrivé plein d'aventures, j'ai rencontré des nouveaux gens. J'ai même vu un troll et un dragon.

- Voilà qui est effectivement passionnant. Je remarque aussi que votre prononciation s’est grandement améliorée. On vous disait prisonnier des geôles fromagères, dans quelque caverne clandestine, cela s'avère-t-il ?

- Oui, c'est vrai. On devait fabriquer des fromages, c'était horrible, cette odeur, mais finalement les types ont été d'accord que je mette au point une machine pour faire les fromages tout seul.

- C'est une manière de vivre sa captivité avec panache. Je reconnais bien là votre épatant esprit d’initiative.

- D'ailleurs, Vérosson Manique, j'aimerais beaucoup lire les ouvrages écrits par Mékaniklès. Est-ce-qu'on en a encore dans la grande bibliothèque royale ?

- Des grimoires rédigés par la main même de Mékaniklès ? J'ai peur d'être contrainte à vous répondre négativement. Nous en avions quelques exemplaires mais le Chevalier du Sanglier nous les a empruntés. Il cherchait des prototypes de machines volantes, à ce que j'ai pu observer grâce à ma finesse naturelle. Je crois qu'il a prolongé ces emprunts récemment, aussi il va certainement les garder encore quelques temps. À l'heure actuelle, seul le grand bibliothécaire de Solfami, Crâme-Neige, peut se targuer d'en proposer en prêt. Nous possédons toutefois une biographie romancée de ce génial inventeur, si un récit liant romance et dépassement de soi suscite un certain intérêt à vos yeux.

- Merci, mais non merci. Solfami vous dites ? C'est loin.

- Ne serait-ce que la distance ! Les bois qui furent ceux du Chevalier du Cerf, au cœur desquels fut érigée Solfami, sont emplis de chats-pards et d'onces. Un bien piètre écrin pour une si belle cité.

Ils entendirent un bruit de bottes, le pas rapide de Schnappi qui s'approchait. Tasse-Dent soupira et Vérosson Manique lui adressa un sourire, compatissante. Elle comprenait le jeune prince. Le garde du corps humain se mit au garde-à-vous derrière Tasse-Dent.

- Votre majesté ! Le roi se soucie de votre absence prolongée. Il m'a mandé de vérifier si tout allait bien pour vous aux latrines et de m'assurer que votre retourniez sans encombre à la grande salle à manger.

Tasse-Dent murmura « c'est pire que tout » et suivit Schnappi. Il avait sincèrement pensé que son père et ses suivants seraient épatés s'il mettait la main sur ce rubis et qu'il pourrait faire en sorte de sillonner le royaume dans d'autres aventures, mais à présent qu'il avait retrouvé la réalité de la vie au palais, le prince se rendait compte qu'il risquait plus d'effrayer tout le monde en racontant son histoire, de passer pour un irresponsable téméraire et de se faire gronder. Il suivit le garde du corps humain de son père et retrouva sa place à la grande table.

Lamkikoup était en train de raconter une bataille qu'il avait menée autrefois. L'homme-lézard mimait son combat, debout, la fourchette à la main, de manière très théâtrale. Ses compagnons l'écoutaient, passionnés ou polis. Califourchet lança un clin d'œil tendre à son fils. Tasse-Dent s'assit et prit la ferme décision de s'en aller du palais, le plus vite possible.

## Les orques sous la montagne

La puissante créature à la peau verte se tordait de douleur, couchée sur la terre. Ses camarades l'avaient emmenée dans la yourte du chaman-mycologue gobelin, mais celui-ci n'avait aucun moyen de soulager le guerrier. Son pouvoir sacré était de faire repousser les dents chues et ses connaissances en soins corporels s'arrêtaient aux massages par pierres chaudes. Les orques entouraient leur ami, qui hurlait tant il avait mal. Paulain, le chef de cette horde, entra dans la tente à son tour et constata l'état alarmant du peau-verte. Du regard, il s'enquit auprès du vieux gobelin champignonneur s'il y avait quelque chose qu'il pouvait faire. Celui-ci secoua la tête. Paulain s'accroupit auprès du guerrier, imité par l'humain en robe de bure élimée qui l'avait suivi jusqu'à la yourte.

- Keskiyatil kipeutédé ?

- Gétroma lovantr. Veuxassa raite.

Le chef posa une grosse main compatissante sur l'épaule du malade. À leur côté, Brudano d'Anno retroussa ses manches. L'humain ne comprenait pas bien la langue orque, mais les symptômes présentés ne lui étaient pas inconnus.

- Si vous me le permettez, je pense pouvoir tenter quelque chose.

L'orque au sol se releva un peu en s'appuyant sur ses coudes. En grimaçant, il dévisageait l'homme frêle.

- Téhunprai tre ? Tupeumsso vé ?

Paulain s'occupa de la traduction.

- Mon camarade orque qui se meurt douloureusement s'enquiert de votre profession et de vos capacités à le soulager de la douleur qui le terrasse.

- Je ne suis pas prêtre, je ne le suis plus. Écoutez, Paulain, c'est exactement ce que j'ai commencé à vous expliquer tout à l'heure dans votre yourte. Les créatures vivantes, les humains, les orques, les sangliers des marais, tous, fonctionnent comme des machines : à l'intérieur de nous, il y a une mécanique bien précise que l'on peut réparer. Ou arranger. Pas besoin de prière pour cela. Tout le monde pourrait l'apprendre. Je peux tenter de sauver votre camarade, grâce à ce postulat. Il y a une chance... Par contre, si on ne fait rien, il va mourir dans d'atroces souffrances.

Le chef orque se releva.

- Peu me chaut que vous soyez prêtre ou non. Vous engagez-vous à préserver l'existence de mon camarade en opérant un rangement certain à l'intérieur de son corps ?

- Il va falloir que je lui ouvre le ventre, en effet.

Paulain ordonna que l'on mette à disposition de Brudano d'Anno tout ce qui lui serait nécessaire pour tenter de sauver le malade. Ses subordonnés obéirent, très respectueux de ce chef sage, reconnu pour son charisme, son intelligence et sa succulente recette de terrine de mouches. Ils faisaient confiance à Paulain, à tel point qu'ils acceptèrent qu'un humain qu'ils ne connaissaient guère s'apprête à charcuter leur compagnon.

Paulain avait constitué il y a peu cette horde d'orques et de gobelins, qui grandissait de jour en jour. Le chef de guerre était allé les chercher un à un, tous ces peaux-vertes qui avaient été oubliés, dénigrés, déconsidérés. Tous ces individus costauds et durs à la tâche, qui étaient exploités un peu partout dans le royaume dans des conditions déplorables. Paulain les avait trouvés dans les mines, les docks, les forges, les chantiers, les guildes.

Il avait su redonner de l'espoir à tous ces orques asservis, ces gobelins moqués. Unie et solidaire, la horde de Paulain, nommée l'Egluteuz, voulait obtenir, par la force si nécessaire, ce dont les rois et les archipapes avaient privé ces peuples depuis trop longtemps : une vie digne et équitable. Des siècles durant, des demis-hommes s'étaient succédés sur le trône, les Chevaliers élus ainsi que les membres du clergé étaient toujours des humains[11]. Des concessions avaient été accordées aux félains, qui avaient leur souverain fantoche, en haut de leur arbre-à-chats ; aux hommes-rongeurs qui possédaient au su de tous une véritable nation, creusée sous les pieds des habitants du royaume ; aux elfes et aux nains, qui s'étaient vus attribuer

---

[11] À quelques rares exceptions près, tels que le prêtre-brasseur nain Hugotor-le-Chauve, le prêtre orque Gepetito ou le fameux novice gobelin Pekorinor. Nous vous conseillons d'ailleurs la lecture du fascinant journal intime de ce dernier, "J'ai passé ma vie à compter mes pustules".

des prérogatives relativement autonomes de la tutelle des Chevaliers. Mais rien, ni pour les orques, ni pour les gobelins. Alors Paulain avait décidé de changer les choses. Il allait faire en sorte que les peaux-vertes se voient attribuer un territoire où ils seraient libres d'appliquer leurs coutumes, de prier leurs divinités animistes et de concocter leurs plats préférés, désormais interdits car principalement à base de fromage.

Sur les directives de Brudano d'Anno, on endormit Buzarbal le souffrant en lui faisant ingurgiter plusieurs litres de liqueur de pommes de terre aromatisée. Puis il fut installé sur une table qui arrivait à la hauteur de la taille de l'érudit. Celui-ci se munit d'un couteau très fin et extrêmement bien aiguisé. S'il avait déjà pratiqué ce genre d'intervention sur des animaux de basse-cour ou des cadavres dans le cadre de ses études autodidactes d'anatomie, il n'avait jamais opéré un individu vivant. Brudano d'Anno aurait préféré mettre à exécution ses théories dans d'autres circonstances, mais il était sincèrement passionné par ses idées novatrices et confiant en leur réalisation.

L'érudit était certain de reconnaître les symptômes du mal qui rongeait cette créature. Sans plus attendre, il palpa le bas du ventre de l'orque. Il sentit sous ses doigts agiles ce qu'il cherchait. Alors, Brudano d'Anno planta sa lame à quelques centimètres du nombril de l'orque. Buzarbal était tellement musclé que l'érudit avait l'impression d'entailler une planche de bois recouverte d'une épaisse couche de lard. Après avoir pratiqué une incision nette et franche d'une quinzaine de centimètres, il plongea sa main droite dans le corps de l'orque. Brudano d'Anno gardait les yeux rivés sur son patient. Sinon, il aurait perçu les regards dégoûtés ou inquiets de la dizaine d'orques qui le regardaient faire sous cette yourte.

On entendit un claquement sec et, d'un geste brusque, l'érudit sortit sa main recouverte de sang. Il tenait une sorte de courte saucisse noire agitée de soubresauts qu'il jeta par terre. Brudano d'Anno se saisit du matériel de couture qu'il avait demandé au cordonnier de la horde et il recousit le ventre de l'orque. Paulain se baissa et ramassa, avec précaution, ce que l'humain avait extrait du malade. Ce qu'il tenait entre le pouce et l'index était gluant, s'agitait et n'avait ni yeux ni membre. Ce ver épais qui avait été arraché tentait désormais de mordre le chef de guerre avec sa petite bouche remplie de minuscules dents alignées en une demi-douzaine de rangées. Paulain, cultivé, savait exactement de quoi il s'agissait.

- Peste-ver...

Le chef orque lâcha le parasite et l'écrasa sous son pied démesuré.

- Si par bonheur mon camarade Buzarbal se réveille et s'il vit, il s'agirait à mon humble connaissance du premier individu atteint par ce que l'on appelle communément la peste-ver qui ne connaîtrait pas la mort.

- Ché Feusékoi ? Ilaré husy ?

- Célapesteuvér. Onvérabien.

Paulain posa sa main sur la frêle épaule de Brudano d'Anno. Il voulait le remercier mais il estima que ce serait peut-être prématuré tant que l'orque ne serait pas tiré d'affaire. Toutefois il savait reconnaître un esprit hors du commun lorsque l'un d'entre eux croisait son chemin. Les compagnons de Buzarbal le réveillaient, en le secouant de moins en moins doucement.

L'orque ouvrit les yeux, grimaça et toucha sa cicatrice. Il se releva lentement, se mit debout et constata que sa douleur avait complètement disparue. Il adressa un sourire terrifiant, rempli de crocs, à son supérieur hiérarchique.

- Est-ce que vous pouvez lui dire que le reste du ver sera expulsé tout seul lorsqu'il ira à selles ?

Paulain opina et lui transmis le message.

- Tavé unvairdenlebidmé ilvapartirkantufeura ducheval.

Puis le chef orque entraîna l'érudit hors de la yourte.

- Brudano d'Anno, votre nom figure désormais en lettres d’or dans le registre imaginaire des amis fidèles du peuple orque. Comme nous l’avions jadis convenu et sur votre requête, vous pourrez vous joindre à notre camarade champignonneur afin qu’il partage avec vous ses ancestrales connaissances mycologiques.

***

Quelques jours plus tard, la horde menée par Paulain avait atteint la frontière entre les Terres du Sanglier et celles du Loup. Les deux cents orques, leurs montures et Brudano d'Anno avaient atteint leur objectif sans encombre. Personne ne semblait s'être ému de constater la progression d'une troupe de peaux-vertes armés chevauchant des sangliers de combat. Aucun individu n'était venu réclamer auprès d'eux lorsqu'ils avaient planté leurs yourtes de peau de bête dans un pré ou un pâturage boisé. Paulain s'était étonné de la facilité de leur périple, mais il avait compris qu'en fait, personne n'avait imaginé que des orques aient pu se regrouper avec un dessein révolutionnaire et autonome.

On avait certainement dû penser qu'il s'agissait là d'une escouade de bâtisseurs, de maçons ou de tunneliers exploités par une guilde quelconque. Évidemment, moins la horde rencontrait de problèmes et d'ennemis en route et mieux cela valait. Ayant désormais atteint le lieu qu'il avait choisi, Paulain estimait qu'ils auraient du temps, quelques semaines, peut-être quelques mois, avant que leur présence et leurs activités soient remarquées, rapportées au Chevalier local ou même au roi. Ils seraient alors préparés, installés et il serait bien difficile de les déloger. La seule inconnue du plan du chef orque se trouvait au Nord : qui savait ce qui était vrai concernant le retour de la fille du Titan ? Si une nécromancienne régnait là-haut, il faudrait peut-être se préparer à affronter ses séides. Si ce n'était qu'une rumeur, une légende, et bien tant mieux. Il se garderait alors de révéler qu'il ne s'agissait que de fariboles : le reste du royaume tiendrait ses distances avec les anciennes terres du Loup tant que courrait le bruit que des cadavres exhumés y faisaient régner le chaos.

Sur son porc sauvage, Paulain contemplait la plaine enneigée. Face à lui se dressait la Montagne Foudroyée, un amas de pierres noires à la pointe tordue balayée par des vents charriant constamment de la neige et des grêlons. Il savait qu'à l'intérieur de la montagne des galeries avaient été creusées, autrefois, pour y extraire de la crèveroche. Le filon tari, les tunnels avaient été abandonnés. C'était parfait. Les orques s'y installeraient, érigeraient des défenses et ces anciennes mines, où des centaines, des milliers de leurs semblables avaient péri pour enrichir de vénales guildes dirigées par des humains, allaient devenir le cœur palpitant du futur territoire libre des peaux-vertes.

À ses côtés, Buzarbal attendait, un peu en retrait. Il ne souffrait plus d'aucune douleur alors même qu'il avait été l'hôte d'un peste-ver. L'ancien prêtre, l'érudit qui lui avait demandé de les accompagner au Nord, avait été d'un fier secours. Ayant vécu une épidémie de peste-ver qui avait sévit une dizaine d'années auparavant au sud des Terres de la Salamandre, Paulain savait que si Buzarbal avait succombé à son parasite, d'autres orques auraient été infectés par le peste-ver. Cette maudite créature qui vivait en dévorant les entrailles des orques et se reproduisait, une fois mature, en contaminant d'autres corps, pouvait faire des ravages parmi les peaux-vertes, les seules créatures qu'elle infectait. Aucun remède ne lui était, jusqu'alors, connu.

Paulain ne connaissait pas les raisons profondes de la volonté de Brudano d'Anno de se joindre à eux et d'accompagner leur champignonneur. Peut-être souhaitait-il se rendre au nord accompagné, peut-être désirait-il vivre quelques temps aux côtés d'orques, peut-être s'intéressait-il à la mycologie. Peut-être avait-il saisi la portée unique, historique et révolutionnaire du projet de Paulain. Quelles que fussent ses motivations, il lui faisait désormais confiance et aucun orque ne semblait plus se méfier de lui.

Au quotidien, Brudano d'Anno apprenait des autres autant qu'il leur apportait de nouvelles connaissances. Durant son séjour, il s'intéressa aux coutumes orques, à leurs nombreux jeux d'adresse ou de force, leurs chants paillards, leurs rituels, leurs doctrines éducatives, leur rapport à la religion ; une sorte de syncrétisme entre le culte de la Déesse, imposé par les rois, et leurs croyances païennes. Entre autres, Brudano d'Anno démontra au champignonneur et au shaman que certains onguents, mélanges de pistil de pétugnons et de cèpes de morillets, valaient mieux pour guérir des inflammations génitales que des saignées, il conçut un luth adapté aux doigts gourds et larges des orques et il eut l'idée de récolter le jus des nombreux cors aux pieds des femelles orques pour son exploitation cosmétique. Bref, il contribua à l'amélioration de la vie quotidienne des orques de Paulain lors des premières semaines de leur autonomie.

Les jours s'écoulant, les orques s'installaient et s'organisaient. La présence de Brudano d'Anno allait désormais de soi, alors qu'il détonnait dans cette assemblée encore clandestine de peaux-vertes. Et puis, un beau matin, à leur réveil, les orques découvrirent que Brudano d'Anno avait quitté les lieux, pendant la nuit, sans un mot.

Paulain constitua un petit groupe de volontaires qui suivirent ses empreintes, dans la neige fraîchement tombée, qui partaient vers le nord. Il n'avait aucune envie de le contraindre à rester, mais le chef de guerre orque voulait s'assurer de la sécurité de son ami érudit. Les orques remontèrent la piste de l'humain jusqu'à un feu de camp, où une bagarre semblait avoir eu lieu : les traces au sol le laissaient deviner. Suivant les taches de sang qui partaient des lieux, inquiets, les peaux-vertes découvrirent un cadavre en état de décomposition avancée. Il avait le ventre ouvert, ses entrailles pourrissant à l'air. Il avait été découpé avec précision, et certains organes semblaient avoir été mis de côté. Le groupe fit demi-tour après cette découverte, de fortes chutes de neige ayant commencé à tomber et à effacer les traces de l'érudit. Quand, à son retour, la patrouille expliqua tout cela à Paulain le chef de guerre, sagace, en conclut que Brudano d'Anno s'était mis à étudier l'anatomie des morts-vivants.

## La grande annonce

Alors que le roi partageait un repas avec ses invités de dernière minute, trop heureux d'avoir retrouvé son fiston, les Chevaliers qu'il avait conviés attendaient, plus ou moins patiemment, dans la salle de réunion. Plusieurs collations leur avaient été servies, mais le temps commençait à devenir long. Bernon était le plus mal à l'aise. Il ne bougeait pas, n'avait pas touché à la nourriture posée devant lui. Plusieurs discussions avaient été entamées entre Chevaliers, à propos de tout et n'importe quoi, lorsque Firud, le Chevalier du Rouge-Gorge, prolixe lorsque le roi n'était pas dans les parages, interpella le Chevalier du Sanglier d'un bout à l'autre de la table.

- Hey, Vertanor ! Le Chevalier-Prêtre ! Le prêtre de la mort ! Qu'est-ce que le Grand Temple pense de tout ça ? Qu'est-ce que l'archipape compte faire à propos de la Nécromancienne ?

L'imposant prêtre aux longs cheveux noirs et au teint très pâle leva la tête. Il planta son œil valide sur Firud.

- Le pape Hubertignac prend cette histoire très au sérieux. Il s'inquiète que le roi n'ait pas encore décidé d'agir contre celle qui forme une armée depuis le Château Perdu.

Guésan, après avoir ajusté ses lorgnons, prit la parole. Il avait joint ses deux mains de vieillard fines et sèches devant lui.

- Vertanor, d'après ce que nous avons cru comprendre, tu avais reçu de l'archipape la mission d'aller chercher la future dirigeante des terres du Corbeau, que tu as trouvée captive des geôles de la Nécromancienne…

Le Chevalier du Blaireau s'interrompit pour que son interlocuteur puisse confirmer ce qu'il lui disait.

- …C'est bien le cas.

- … Je connais ta valeur et ta dévotion, aussi excuse-moi d'évoquer cela mais puisque tu as côtoyé la Nécromancienne avant qu'elle soit défaite par les Trois-Lames, peux-tu confirmer qu'il s'agit réellement de la même sorcière ? Est-ce vrai qu'elle a usé de ses sombres sortilèges pour se constituer une armée de cadavres ambulants ?

- C'est la stricte vérité. J'ai vu son ancien corps, duquel elle était prisonnière. Enaxor a ensorcelé une jeune prêtresse qui m'accompagnait et qui possédait le pouvoir divin de ne jamais être blessée par une arme. J'ai également vu ses morts-vivants à l'œuvre. Chaque guerrier qu'ils tuent se relève pour agrandir l'armée d'Enaxor.

- C'est mignon que tu continues à l'appeler par son prénom. Nécromancienne ou Fille du Titan, ça t'écorche la bouche ?

Vertanor ne réagit pas à la provocation d'Articaulholt. Il savait que les Terres de la Loutre avaient payé un lourd tribut autrefois, de la faute de la dernière sorcière. Il comprenait que ce balourd d'Articaulholt réagisse ainsi.

– Aussi maladroit qu'il soit, je comprends ce que veut dire la Loutre et j'avoue que je partage son inquiétude. Vertanor, tu étais l'un des fidèles de la Nécromancienne, par hasard tu la retrouves au moment où elle redevient dangereuse… Tu comprends ce que j'insinue ?

Onésèphe Jarès, le Chevalier du Lynx avait parlé calmement, presque trop doucement pour que tout le monde puisse bien l'entendre. Nonchalamment étalé sur son siège, il regardait pourtant Vertanor droit dans l'œil.

– Je comprends votre inquiétude, Chevalier du Lynx. Sachez que si une armée part dans l'heure pour combattre la Nécromancienne, j'accompagnerai son général en première ligne.

Le Chevalier du Lynx ne semblait pas convaincu, mais il n'insista pas. Vertanor s'étonna qu'aucun Chevalier n'ose lui demander d'où lui venaient les horribles blessures qui le défiguraient.

On frappa à la grande porte de bois de la salle et tous les Chevalier se levèrent, mais ce n'était pas le roi qui faisait son entrée. Un petit humain, court sur pattes et un peu ventripotent, salua l'assemblée et alla s'asseoir. À chaque pas on entendait les lourdes plaques de son armure s'entrechoquer.

– Gattara, tu aurais mieux fait d'arriver trois heures plus tôt en pagne plutôt qu'en retard dans ta jolie armure.

Essoufflé, le Chevalier de la Grenouille se contenta de sourire, mal à l'aise. Il bredouillait :

– Mais le roi était au courant, je me suis excusé, et puis c'est dans la charte des chevaliers, il y a un alinéa qui dit qu'un Chevalier doit venir à chaque réunion demandée par le roi dans son armure de gala, c'est pas à cause de ça que je suis arrivé en retard, ça a rien à voir, y'a plein de problèmes dans les Marais de la Grenouille, une cheffe de meute serpoule a été tuée et depuis c'est le pétchi, les femelles font que se battre entre elles, moi j'ai fait aussi vite que j'ai pu, on a aussi su vraiment à la dernière minute qu'il faudrait venir, et puis je suis pas le seul à ne pas être là. Sa majesté aussi est en retard, à ce que je vois.

– Le roi s'est absenté quelques instants car son fils a réapparu au palais. Cette armure est resplendissante, dit Shouna sur un ton apaisant.

– Le prince est de retour ! Quelle bonne nouvelle. Merci pour le compliment, Chevalier du Hibou, elle est toute neuve. Enfin, elle est pas récente, mais elle a jamais servi. Enfin que pour des réunions ou de cocktails. Pas pour des bagarres, je voulais dire. Alors, vous avez parlé de quoi, qu'est-ce que j'ai manqué ?

– Et bien, en gros, Bernon ne sera pas condamné pour avoir saccagé les Terres de l'Ours et tué Krash, personne ne gère les Terres du Loup et personne ne s'occupe des Côtes du Renard. La Nécromancienne est bien de retour au Château Perdu mais ça ne semble pas être une priorité pour le roi d'aller l'occire. L'archipape semble plus sensible à ce problème.

- Ouais, Articaulholt, c'est assez bien résumé, conclut Amézan.

La porte de la salle de réunion s'ouvrit encore et cette fois-ci, Califourchet le Sixième entra. Les Chevaliers se levèrent, s'inclinèrent respectueusement et attendirent que leur souverain pose ses royales fesses de demi-homme sur son siège pour l'imiter.

- Messieurs les Chevaliers, veuillez m'excuser pour cette attente. Je me suis permis de passer quelques heures avec votre prince, mon fils, tant j'étais heureux de le retrouver. J'espère que vous me comprenez.

Les Chevaliers, par déférence plus que par conviction, acquiescèrent.

- La situation de mon héritier s'étant réglée, voilà un problème de moins. Concernant la mort de Lorde Ouragan et de Krash, j'ai une solution. Nous n'allons pas attendre que l'Oracle se détermine, cela prend trop de temps, on ne peut pas toujours attendre sur le Grand Temple. Durant ce repas, j'ai eu une brillante idée concernant ce problème : l'un d'entre vous va recevoir la charge des Côtes du Renard et des Terres du Loup.

Intéressés, curieux ou respectueux, tous l'écoutaient en silence. Le roi savourait l'effet qu'avait eu son annonce.

- Mais qui, votre majesté ? Avez-vous déjà arrêté votre choix ?

Impatient, Firud ne souciait plus du protocole.

- Je n'ai pas encore choisi. En fait, je ne vais pas le déterminer moi-même. Écoutez bien, je vais vous expliquer mon idée, c'est génial. Je vais profiter que vous soyez déjà tous réunis au Palais Royal : dans une semaine aura lieu un grand tournoi royal exceptionnel, qui ne verra s'affronter que des Chevaliers. Le vainqueur remportera les Côtes du Renard et les Terres du Loup ! Tasse-Dent va adorer cette surprise, j'ai pensé à un tournoi parce que mon fiston aime beaucoup ça. Et les matchs de schlagenballe.

Les Chevaliers les plus costauds et doués pour la joute sourirent. D'autres sollicitèrent la parole.

- Guésan, Chevalier du Blaireau, je vous écoute.

- Et bien votre Majesté, c'est une idée intéressante. Mais pourquoi ne pas privilégier un Chevalier au territoire partageant des frontières communes avec les terres du Renard ? Dans un souci de cohésion je pense que le Chevalier de la Loutre ou même votre fidèle...

- Hey vieillard ! Le roi a parlé ! Si tu te sens trop vieux pour une bonne joute, laisse tomber ! Ça t'arrangerait que le roi te file les Côtes du Renard, comme ça t'aurait quasiment toute la Mer Triste pour toi !

Herpied du Bœuf était un mordu de chasse et de pugilat, il raffolait des tournois, dans lesquels il excellait. Articaulholt, qui n'était pas non plus en reste n'ajouta rien, mais son sourire en disant long.

À son tour, Onésèphe Jarès obtint la parole.

- Majesté, malgré mon intérêt sincère pour ce tournoi, je crois que j'aurais des scrupules à entrer en lice dans la liesse alors que la menace de la Nécromancienne pèse sur le nord-ouest du royaume. Voire sur tout le royaume.

Bernon releva enfin la tête :

- Ouais, je suis bien d'accord.

- Voilà l'assassin qui parle ! Tu crois que le roi s'intéresse à ton avis ?

À bout de nerfs, Bernon se leva, prêt à se jeter sur Firud. Ce dernier l'imita sans attendre, satisfait d'avoir enfin fait perdre son calme à l'Ours.

Le roi les fit se taire et s'asseoir immédiatement. Il déclara la séance levée, envoya tout le monde se coucher dans leur chambre du palais. Ensuite, il ordonna à son colomboscribe d'envoyer des poigeons voyageurs aux quatre coins du royaume afin d'annoncer la tenue du tournoi, qu'il baptisa le Bigrement Inédit Tournoi Exceptionnel.

## La non-vie devant soi

Josk rôdait dans les plaines enneigées et rocailleuses des Terres de l'Ours. Depuis que la Nécromancienne avait émancipé son capitaine, le mort-vivant avait erré. Il s'était longtemps considéré banni, exclu par Enaxor, puis il en était venu à accepter l'idée que la sorcière lui avait offert la liberté, après lui avoir rendu la vie.

Enfin, une vie. Puisque ce n'était pas l'existence qu'il avait vécu jusqu'à son trépas, mais une seconde, immortelle, qu'il s'était imaginé passer auprès de la Nécromancienne pour l'éternité. Et maintenant qu'Enaxor lui avait ordonné de continuer son immortalité loin d'elle, l'ancien capitaine de l'ost des morts-vivants s'apprêtait à entamer une nouvelle non-vie. De quoi serait-elle remplie ? Il n'en avait pas la moindre idée. Son avenir lui semblait aussi vide que son passé : Josk n'avait quasiment aucun souvenir de sa précédente existence. Quelques réminiscences éparses, tout au plus.

Durant son errance, Josk avait croisé la route de quelques individus. Des bûcherons, au cœur de la forêt sombre proche de Géantiolette, des marchands ambulants, des voyageurs. Tous s'étaient enfuis à sa vue, paniqués. Seuls quelques elfes d'automne téméraires lui avaient tendu une embuscade, cherchant à détruire son cadavre mu par la magie noire. Josk s'était débarrassé des guerriers aux oreilles pointues sans heurt et sans passion. Lorsque la goule tuait encore sur les ordres d'Enaxor, lorsqu'elle se battait pour protéger le Château Perdu, elle ressentait quelque menu sentiment : une faible émotion que Josk estimait se rapprocher de la fierté, ou de l'honneur. Depuis que le mort-vivant s'était éloigné de la Nécromancienne, il n'éprouvait plus rien lorsque résonnait les cliquetis du fer que l'on croise ; pas même de lointains sentiments, dilués parmi les méandres de son âme malmenée.

La Nécromancienne avait offert à son fidèle capitaine, premier cadavre qu'elle avait relevé d'entre les morts depuis son retour, une arme enchantée : l'épée magique nommée Noiréchine. Selon les dires de la sorcière, un ennemi tué par cette lame devenait à son tour un mort-vivant, obéissant au doigt décharné et à l'œil vide de Josk, mais la goule n'avait jamais utilisé Noiréchine depuis son départ du Château Perdu. L'ancien capitaine de l'armée d'Enaxor ne voulait pas s'encombrer de séides subjugués par la magie noire : il considérait qu'il trouvait en lui-même une compagnie suffisante. Pour se défendre il préférait manier un sabre long, butin trouvé sur un quelconque aventurier croisé par hasard. Il l'avait nommé Mélancriste, inspiré par la profondeur du néant qui résonnait dans son crâne.

Josk le déterré avait tant erré qu'il s'était complètement perdu : à la fois dans ses pensées et dans la toundra des Terres de l'Ours. Il n'empruntait pas les sentiers, il évitait les endroits habités, il fuyait toute âme qui vive. Livrée à elle-même, sans espoir ni maître, la goule, émue, ne savait plus par quoi elle était mue.

Le mort-vivant s'était affranchi de tout : il avait éparpillé petit-à-petit tout ce qui recouvrait ses os. Son armure, ses bottes, les couleurs d'Enaxor, le crâne de cerf qui masquait son chef. Le mort-vivant n'avait gardé que Noiréchine et Mélancriste, passées dans sa vieille ceinture. Josk était un amas d'os en mouvement, un esprit prisonnier dépassé par la magie qui l'animait, qui le dotait des facultés de penser, d'utiliser ses sens. Tourmenté par la vacuité de sa non-vie, il aurait volontiers cessé d'exister mais il était immortel. S'il en avait eu la possibilité, Josk se serait laissé dissoudre dans le vent glacial pour apaiser ses tourments.

***

Ses pas guidés par le hasard, Josk s'aventura sur un lac gelé, bordé par une vilaine forêt. La glace grondait et renvoyait au mort-vivant son triste reflet lorsqu'il laissait son regard s'attarder à ses pieds. Il n'avait plus d'yeux à fermer pour s'épargner ce sombre spectacle. Le squelette ambulant avança jusqu'aux bois. À l'orée de ceux-ci, Josk ressentit l'étincelle de vie d'un être, certainement un humain. Il aperçut ensuite une faible lueur. Sans raison particulière, alors que Josk avait soigneusement évité tout contact avec autrui depuis des semaines, il s'approcha de la lumière. Elle émanait d'une cabane de bûcheron.

Sans un bruit, Josk progressa jusqu'à la fenêtre de la petite chaumière de rondins. À l'intérieur, il y avait une femme d'une soixantaine d'années, qui se trouvait assise devant un modeste feu de cheminée. Le mort-vivant observa l'humaine immobile, lasse. Elle était très maigre, blottie dans une couverture sale, sur une chaise à bascule posée au milieu d'une cabane presque vide. Ses longs cheveux gris et ondulés lui faisaient comme une capuche usée. Alors qu'il avait cru ses émotions disparues, son âme tarie, Josk ressentit de la pitié pour cette vieillarde.

La vieille femme, sans tourner la tête, s'adressa à Josk.

– Ne restez pas à l'extérieur par ce temps, vous allez attraper la crève.

Elle avait une voix étonnamment douce. Le mort-vivant ne bougea pas d'un pouce. Il était bien trop étonné.

– Vous êtes sourd ? Vous savez, je ne vais pas vous manger. Venez vous réchauffer près de mon petit feu.

Josk contourna la cabane et entra par la porte mal fichue. L'intérieur de l'endroit était aussi dépouillé qu'il se l'était figuré : il n'y avait guère là-dedans qu'une modeste cheminée, une vieille table, la chaise à bascule et une paillasse inconfortable installée à même le sol. La femme était restée assise devant la cheminée.

– Je n'ai pas grand-chose à vous offrir, à part mon hospitalité. J'ai dressé la table, ce soir c'est gruau de fougère. Ou si vous voulez vous reposer un peu… J'imagine que le soleil va bientôt se coucher.

Josk se tenait dans le dos de la vieillarde.

– Merci madame. Je… je ne vous fait pas peur ?

Sans un mouvement, elle sourit.

– Vous savez, j'ai vécu bien des choses. J'ai survécu à tant de malheurs, de deuils ! Je crois que je n'ai plus peur de rien, désormais. J'en ai bien assez vu. Bien trop, en réalité. C'est peut-être pour ça que je n'y vois plus.

Le mort-vivant s'approcha lentement de son interlocutrice. Il remarqua qu'elle était aveugle : la vieille femme n'avait aucune idée de la nature de son invité.

– Je suis désolé pour vous… Vous vivez seule ici ?

Elle tendit les mains vers les flammes, pour les réchauffer.

– Mon mari est parti chasser. J'attends son retour, mais il ne sera pas dérangé s'il vous trouve ici quand il reviendra.

Josk n'en était pas si certain.

– Si je peux me permettre, est-ce que vous allez bien, jeune homme ? Vous avez quelque chose dans la voix…

– Ha bon ? Quel genre de chose ?

La vieillarde grimaça.

– Votre voix est tellement grave… vous semblez si fatigué. Vous devriez vous reposer.

Le mort-vivant s'assit par terre, à côté de la femme aux longs cheveux gris. La lueur des flammes dansait sur le visage ridé de celle-ci.

- Je ne peux pas. Je ne me suis pas reposé depuis des années.

- Tant que ça ? Vous devez avoir un travail important.

- J'en avais un… Une mission qui accaparait tout mon esprit, qui dictait toutes mes actions. Mais… plus maintenant.

- Vous avez échoué ?

- Non, mon occupation a toujours donné satisfaction à mon employeur. Il ne voulait plus me garder auprès de lui, c'est tout.

La vieille femme se balançait un peu en parlant. Josk se rendait compte qu'elle était heureuse de pouvoir parler avec quelqu'un. Il lui demanda si son époux allait bientôt rentrer de la chasse. Elle éluda la question :

- Est-ce que vous avez des amis, de la famille ?

- Non. Je n'avais que mon employeur. Je lui étais totalement dévoué, vous comprenez ?

- Oui, j'imagine. Ce doit être une guilde très importante pour vous.

- Exactement.

- Mais vous avez bien eu des proches, avant de rejoindre cette guilde ?

Josk baissa le crâne. Il le sentait encore plus creux que d'habitude.

- Je ne me souviens de rien, rien qui précède mon entrée dans cette guilde.

- Rien du tout ?

- Rien de rien.

- Pas même des images, des noms ?

- Je ne crois pas, non.

Josk observa plus attentivement l'intérieur de la cabane. Il remarqua un détail qui lui avait jusqu'alors échappé : il n'y avait qu'un seul bol de gruau de fougère, une seule tasse ébréchée. Rien ne laissait supposer qu'une autre personne vivait ici, en compagnie de la vieille femme.

- Votre époux, il est parti chasser depuis combien de temps ?

Encore une fois, l'aveugle évita la question du mort-vivant.

- Comment est-ce que vous vous appelez ? Moi, je me nomme Ednigarde.

– Je m'appelle Josk.

– Ha ! Et ce nom, ce n'est tout de même pas votre employeur qui vous l'a donné ?

La goule était stupéfaite. Elle n'avait jamais réalisé cela. Mais maintenant que la vieillarde l'avait formulé, cela lui était évident : ce n'était pas la Nécromancienne qui l'avait baptisé ainsi. Il en avait la certitude : il portait déjà ce nom lorsqu'il était vivant.

– En fait, à dire vrai, je pense parfois à un village, près d'une forêt comme celle-ci, dans laquelle vous vivez. Et je pense aussi à une petite fille aux cheveux noirs. Mais je ne les ai jamais vus. C'est comme… des choses que j'aurais vu dans des rêves. Si je rêvais encore.

– Les guildes vont et viennent, les missions s'enchaînent. Ce n'est que du vent, des choses que l'on peut perdre. Vos rêves, ils comptent, eux.

Quelque chose qui était éteint dans l'âme du mort-vivant s'enflamma. Josk était touché par les paroles de la vieille femme. Au fond des ténèbres de son être, il y avait toujours eu une bougie éteinte, qu'elle venait d'allumer. Son immortalité pourrait avoir un sens.

Le mort-vivant se dirigea vers la fenêtre de la masure. La lune reflétait la lumière du soleil et éclairait désormais la forêt alentour. Josk remarqua alors le cadavre. Sans un bruit, il quitta la cabane et se dirigea vers la dépouille qu'il avait aperçue. À quelques dizaines de mètres seulement de la bicoque, reposait le squelette d'un homme. Les os avaient été nettoyé par la vermine, quelques uns avaient été emportés. Son arc et ses flèches se trouvaient encore près du mort. Josk connaissait désormais parfaitement les squelettes. Il remarqua l'entaille sévère qui déchirait la cage thoracique. Cette personne avait été mortellement blessée par une bête sauvage. La goule regagna la cabane de la vieille femme.

Très doucement, presque en murmurant, Josk se pencha vers la vieillarde. Il lui demanda si elle aimerait recouvrer l'usage de ses yeux.

## Flamme de rose

Latranne-Hisse l'alchimiste royale avait facilement identifié toutes les potions trouvées par Alis la jeune guerrière dans la cachette des soldats demi-hommes[12]. Mis à part l'une d'entre elle, une potion aux reflets bleutés. L'alchimiste avait été épatée par la parfaite conservation de ces décoctions et de leur composition : un savoir-faire unique et ancien. Elle avait patiemment expliqué à Alis quel usage elle pouvait faire de chacune des fioles et lui avait proposé d'en garder une pour elle, contre rémunération. Alis avait refusé, poliment, mais fermement. Elle tenait à garder tout son butin. Latranne-Hisse avait mis en garde la jeune femme contre une potion particulière, dont le peu de liquide restant, noir et gazeux, était si sombre qu'il reflétait aussi bien qu'un miroir. « Ceci, brave guerrière, est une potion de nougarol, une substance interdite et dangereuse. Il ne vous faudra la boire sous aucun prétexte. Le nougarol vous donnerait une force prodigieuse mais entraînerait des effets secondaires terribles et permanents ». Alis n'osa pas lui dire qu'elle avait déjà bu presque tout ce breuvage, juste avant d'affronter un gigantesque troll[13].

---

[12] Pour découvrir dans quelles circonstances Alis a mis la main sur ces rares décoctions, procurez-vous immédiatement "Les Deux Princes". Et lisez-le. Sauf si vous l'avez déjà, évidemment.

[13] Elle l'avait facilement vaincu, mais depuis l'ingestion de ladite potion, Alis était sujette à des crises de férocité furieuse dès qu'elle consommait un aliment ou une boisson trop sucrée.

Dès le premier matin de son séjour au Palais Royal, la jeune guerrière avait pris l'habitude de rejoindre Lamkikoup, au lever du jour dans la cour du château. Le sauromme lui donnait des leçons de bagarre, des cours d'escrime, de précieux enseignements concernant l'art de la lutte. Alis, passionnée et attentive, faisait rapidement d'impressionnants progrès. Très reconnaissant envers toutes les personnes qui avaient accompagné son fils jusqu'à lui, Califourchet avait accordé moult cadeaux et récompenses, selon les désirs des personnes.

Alis avait seulement demandé une nouvelle épée. Il lui avait été proposé plusieurs armures de belle facture, mais la jeune guerrière avait souhaité qu'on lui fabrique une arme qu'elle aurait elle-même dessiné. La lourde épée qu'elle avait récupérée, jadis, dans le repaire forestier d'une guilde de bandits de petits sentiers fut ainsi reforgée et un nouveau pommeau, sur lequel figurait un dragon représentant Prospère, avait été gravé. Alis avait finalement demandé au forgeron royal, le nain Pèse-Poivre, d'incruster sur la garde de son épée le fragment de rubis royal que lui avait offert Tasse-Dent. Lamkikoup avait commencé par lui imposer de la baptiser. Alis n'avait tout d'abord aucune idée du nom qu'elle lui donnerait mais Lamkikoup était intransigeant à ce propos : elle devait la nommer si elle voulait apprendre à la maîtriser.

Un soir où la jeune femme s'était rendue seule dans la cour du château pour entraîner ses passes d'armes et ses bottes secrètes, il lui sembla que de petites flammes rouge clair s'envolaient parfois de sa lame dans le prolongement de ses coups. La guerrière estima qu'elle devait être trop éreintée et que ses yeux fatigués lui jouaient des tours mais cette illusion l'inspira. Le lendemain matin, elle annonça à Lamkikoup que son épée se nommait « Flamme de Rose ».

Quand Alis apprit qu'un tournoi allait avoir lieu dans la capitale royale, elle y accorda un vif intérêt. Toutefois, elle déchanta rapidement lorsqu'on lui fit comprendre que seuls les Chevaliers pouvaient y participer. Elle fut tellement déçue de savoir qu'elle ne pourrait y prendre part qu'elle préféra ne même pas y assister : Alis était trop envieuse des concurrents du tournoi pour supporter de les voir concourir. Lamkikoup tenta de la consoler en lui expliquant qu'il existait d'autres Grands Tournois Royaux, régulièrement organisés, auxquelles elle pourrait prendre part, ainsi que des tournois moins officiels organisés par quelques guildes diverses. Son maître d'armes considérait même qu'il serait très didactique pour son apprentissage de l'art du combat qu'elle y participe.

***

Cette déception entraîna la décision d'Alis de s'éloigner du Palais Royal. Après s'être bien reposée et avoir papoté avec ses amis, elle avait décidé de repartir à l'aventure en accomplissant de nouvelles missions, tout en continuant sa formation auprès de Lamkikoup. C'est ce qu'elle préférait faire et ce pourquoi elle avait quitté sa famille. Quels que fussent les liens qu'elle avait tissés avec Yuyiyine et Tasse-Dent, Alis se réjouissait de commencer de nouvelles quêtes. Le prince l'aurait très volontiers accompagnée, mais son père lui interdisait formellement de quitter l'enceinte du palais et de s'éloigner de Schnappi, son garde du corps attitré. Alis savait pourtant, bien au fond de son cœur, qu'elle reverrait bientôt ses camarades.

Le jour de leur départ, le roi offrit à Alis et Lamkikoup un imposant baluchon de nourriture, un beau tonneau de bière De Chez Nous et un poney de guerre chacun, pour les remercier une dernière fois de lui avoir ramené son fiston sain et sauf.

Alis se mit en place sur la selle de sa monture. Elle était moins large et plus haute que le poney utilisé par son père pour travailler dans les champs, mais elle trouva rapidement ses marques. Le sauromme avait pesté qu'il eut préféré un rapteur véloce[14], comme ceux que sa race élevait autrefois, mais il avait remercié bien poliment le monarque pour son présent.

Tasse-Dent avait attendu près de la monture, souhaitant saluer le départ de son amie. Comme toujours depuis son retour, le maître d'armes Schnappi se trouvait à moins d'un mètre du prince.

- N'oubliez pas, jeune Alis, je vous recommande de rejoindre un groupe de mercenaires pour assurer votre apprentissage et des missions à ne plus savoir où s'aventurer. Par exemple, la Guilde Libre des Aventuriers

---

[14] Les rapteurs véloces étaient des créatures terribles, de grands lézards rusés et cruels traditionnellement utilisés comme montures par les courageux sauromnes, qui savaient murmurer à leurs tympans. Chasseur redoutable, le terrifiant rapteur véloce pouvait venir à bout de ses proies, notamment grâce à sa griffe rétractile de vingt centimètres, coupante comme un rasoir, sur le doigt du milieu. Les rapteurs véloces étaient craints et respectés par les individus avisés et considérés comme de grosses dindes par les ignares.

Cherchant Outrageusement des Nouveautés. Ou alors la Guilde des Aventuriers Libres Élégants Retors et Efficaces. Vous avez du talent, quelque chose d'unique.

– Merci Schnappi. Au revoir. Au revoir aussi, Tasse-Dent. J'adorerais que tu viennes faire l'aventure avec moi plutôt que tu restes ici pour toujours avec sans moi. On le pourrait faire de plein de quêtes ensemble.

– Au revoir Alis. J'ai bien aimé qu'on vienne jusqu'ici ensemble.

– Je l'ai bien aimé aussi de l'aventure, Tasse-Dent. En fait, je l'aime bien de toi, je crois.

Le prince n'ajouta rien. Il se contenta de sourire vaguement et d'agiter sa main. Alis s'approcha de lui pour lui donner un baiser et Tasse-Dent se pencha en avant pour faire pareil. Ainsi, ils s'embrassèrent rapidement, sur la bouche.

Ensuite, la jeune femme lui tourna le dos et se mit en selle. Alis et Lamkikoup conduisirent leurs poneys hors de l'enceinte du palais. Après qu'ils aient passé le pont-levis, ils entendirent Yuyu qui les appelait depuis les remparts.

– O'voir ayi ! O'voir kikikoup !

Ils lui rendirent son salut et s'en allèrent. Vérosson Manique, qui avait tout juste reçu la charge de préceptrice de la fillette sauvage, la corrigeait déjà sur sa prononciation et son découpage syllabique. Yuyu se mit à courir en riant, tout en faisant bien attention de ne pas malmener sa belle robe jaune toute neuve.

- Alors Alis, où penses-tu qu'on devrait aller ? Le royaume est à nous, mais tu sais ce qu'on dit : qui veut partir à point ménage sa monture.

- Je le sais pas trop, je pense j'aimerais aller à un endroit que je le connais pas encore.

Le sauromme sourit de tous ses crocs. Il avait roulé sa bosse, traversé le royaume des Terres du Hérisson au désert de glace du Lynx.

- Je connais de chouettes endroits où trouver l'aventure. Il parait que ça bouge bien du côté du nord maintenant qu'il n'y a plus de Chevalier pour surveiller les Terres du Loup. Mais je sais que tu en viens. Est-ce que tu as déjà entendu parler des Bois du Cerf ?

- Je l'aimerais d'une quête, d'une quête très super.

- Ce ne sont pas les missions qui manquent, on va se renseigner auprès de la guilde dédiée la plus proche. En route, mauvaise croupe !

Alis jeta un dernier regard au palais royal. Son cœur picotait un peu.

## Les deux princes

Juste après le départ d'Alis, Tasse-Dent rejoignit Tartisco devant la porte de la salle du trône. Les deux jeunes gens avaient été convoqués pour un entretien avec le roi.

- Salut. T'as bien dormi ?

- Ça va.

Tasse-Dent ne lui rendit pas la question. Il en connaissait déjà la réponse. Tartisco avait l'habitude de dormir tard le matin et tôt le soir.

- Bon bin on y va Tass-D' ? T'as pris ta pierre ?

- Bin oui.

Le prince demi-homme en voulait un peu à son ami félain : Tartisco avait raconté leur rencontre avec le dragon, menti effrontément en se déclarant vainqueur du monstre et trahi son secret en exhibant à la moindre occasion le morceau de rubis qu'il lui avait donné.

Le félain savait que Tasse-Dent voulait garder le silence sur cette aventure mais l'homme-chat, fier et fat, avait sauté sur la première occasion pour raconter leurs aventures à des palefrenières aux grosses fesses.

Les deux princes entrèrent dans la salle du trône, évidemment suivis de très près par Schnappi, le garde du corps de Tasse-Dent. Califourchet Haute-Couronne VI avait déroulé devant lui un long rouleau de papier, sur lequel il griffonnait entre deux coups de dents envoyés à un gros pâté en croûte recouvert de mousse au chocolat. Le reste de la table était recouvert de saucisses, de pâtés, de biscuits, de terrines, de pains au chocolat, de tartelettes aux abricots, de tartes aux noisettes recouvertes de mélasse, de tartes aux pommes tartinées de confiture à la fraise et de brochettes de lard grillé.

– Asseyez-vous, les jeunes ! J'ai presque terminé. J'ai choisi quels Chevaliers allaient s'affronter lors du tournoi de demain.

Plus qu'un jour avant les joutes ? Déjà ? Le temps avait filé bien vite pour Tasse-Dent. Le soir de son retour, il s'était imaginé s'en aller le plus rapidement possible, peut-être la nuit même, mais la surveillance ordonnée par son père l'avait empêché de mettre à bien son plan : Schnappi lui collait aux bottes à toute heure et en tous lieux. Une semaine s'était écoulée sans qu'il s'en rende compte.

Tartisco et Tasse-Dent prirent place face au roi. Ils boudaient. Le souverain ne s'en était pas rendu compte, tout heureux d'avoir mis au propre le plan du tournoi.

– Voilà ! C'est encore secret, mais voici ce que j'ai concocté pour demain.

Tasse-Dent se pencha pour lire le parchemin à l'envers.

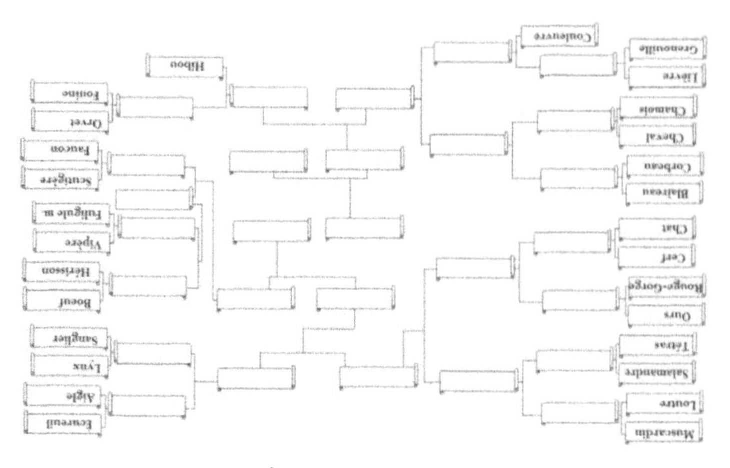


– Vingt-huit Chevaliers ? À part le Renard et le Loup qui sont morts, ils seront tous là ?

– Oui. En fait, non. Mais oui. J'ai inscrit le Chevalier du Chat et celui du Cerf, parce qu'officiellement, enfin selon le Grand Temple, ils doivent encore être en vie, puisqu'ils n'ont pas été remplacés. On ne sait jamais, si tout d'un coup ils se pointent, ils feraient la tronche s'ils étaient même pas prévus.

– Et ils vont tous se battre ?

– Oui, oui. Enfin non. Mais oui. En fait, certains seront là mais ne combattront pas eux-mêmes. J'ai autorisé que des vavassaux ou des mercenaires se battent à la place des Chevaliers, si ceux-là en avaient envie.

– Ha bon ?

– Ça t'étonne, mon fils ? Mais, tu sais, Guésan ou Maudais ne sont plus tous jeunes. Comme ça, personne ne risque de se blesser et il y a plus de participants. De toute façon les Chevaliers n'ont pas le droit de revêtir leur armure sainte, ni d'utiliser leurs capacités spéciales. Ils doivent se battre sans les avantages des Chevaliers. Tu imagines les dégâts, sinon ? Dis-moi, tu te réjouis, mon fils ?

Tasse-Dent savait très bien pourquoi son père avait organisé avec enthousiasme et en toute hâte ce tournoi. Il y avait bien sûr la raison officielle : remettre les terres du Renard et du Loup à un autre Chevalier. Mais le prince avait compris que le roi avait surtout eut envie de lui faire plaisir. Aussi, Tasse-Dent hésitait entre mentir à son père ou lui faire de la peine.

- Oui, c'est chouette.

Il se dit surtout qu'Alis aurait pu participer au tournoi en qualité de mercenaire. Si elle avait su cela, la jeune guerrière n'aurait jamais quitté le palais.

- Moi, de toute façon, je préfère le schlagenballe plutôt que les joutes. Les combats ça va vite, on voit rien et le pire c'est quand on y participe, ça fait trop mal.

- Je crois que le roi s'en tamponne de ton avis, Tartisco.

- Ouais peut-être mais je le donne quand même.

Califourchet roula son parchemin et le tendit à Schnappi.

– Remettez ça à Viandet Jondru, mon troubadour. Il annoncera les combats demain.

Puis, il regarda son fils droit dans les yeux.

– Bon. Dis-moi ce qui ne va pas. Depuis que tu es rentré, tu es tout renfrogné. C'est à cause de ce qui t'es arrivé après ta capture ?

Tasse-Dent détourna le regard. Son père ne pourrait jamais le comprendre. Pour une fois que le roi s'intéressait à ce qu'il ressentait, il n'allait toutefois pas manquer une opportunité d'ouvrir son cœur.

– C'est pas du tout ça. Enfin, ça vient quand même de là... C'est compliqué. Si tu veux savoir, c'est qu'en fait, j'ai bien aimé toutes les aventures qui me sont arrivées. Je me suis bien amusé. J'aimerais repartir.

Le roi fit une petite moue de réflexion et bien vite, il répondit.

– Aucun problème. Où est-ce que tu veux aller ? Tu aimerais voir le Lac de lave super-chaud ? Tu aimerais traverser le Tunnel sous les Brumes ? Je sais : tu veux voir le nouveau stade de schlagenballe de Glace-Chaud ! Dès que le Tournoi des Chevaliers est terminé, tu pourras aller où tu veux !

– Mais non… J'ai envie de partir, mais pas avec une escorte, une cuisinière, une prêtresse et des soldats.

Le prince conclut sa phrase en poussant un long soupir.

- Ça, mon fils, c'est impossible. Je ne veux plus jamais prendre le moindre risque de te perdre.

- Bin voilà, j'en étais trop sûr.

- Ouais trop, c'est nul monsieur le roi.

- Tu vois papa, même Tartisco il est d'accord.

Califourchet Haute-Couronne VI se leva. Il contourna la table en parlant, désignant le félain du doigt.

- Parlons-en, de ton ami Tartisco ! Il a perdu un œil la dernière fois que vous vous êtes retrouvés seuls à l'extérieur, ça ne te suffit pas ?

- Ouais mais ça c'est pas grave monsieur le roi, il me reste des vies[15] et ça me fait un petit style, j'aime bien.

Le roi ignora le commentaire du félain.

---

[15] Plusieurs écoles de pensée s'affrontent au sujet du nombre de vies des hommes-chats. Selon certains, les félains avaient neuf vies, d'autres affirmaient qu'ils en possédaient sept. D'aucun prétendaient qu'ils n'en avaient qu'une mais qu'ils avaient le cuir solide, les os souples et une bonne constitution.

- Et qu'est-ce que c'est que cette histoire de dragon ? Schnappi a questionné mon charcutier qui a parlé à mon fauconnier de ce qu'un prêtre avait raconté à propos d'une palefrenière qui avait entendu dire que vous aviez combattu un dragon ?

- C'est pas vraiment ça… Je ne sais pas où commencer… En fait, voilà. Tout ce que j'ai fait, c'était pour te ramener cela.

Tasse-Dent posa le quart de rubis sur la table, magnifique malgré tout, juste à côté de l'assiette de pâtés en croûte. Le roi le contempla, ébahi.

- Mais, mon fiston… C'est un… C'est un fragment du rubis rutilant. Une des cinq gemmes légendaires !

Califourchet s'en saisit, lentement, avec respect et délicatesse, comme s'il s'agissait d'un objet fragile et séculaire[16].

- C'est incroyable. Cette pierre avait été confiée aux demi-hommes il y a fort belle lurette et elle fut perdue… En retrouver une partie c'est un miracle. Mon fils, c'est prodigieux. C'est génial !

Alors, le prince narra tout à son père, avec force détails. Il expliqua comment ils étaient tombés par hasard sur le coffret, puis il raconta la missive, la cachette secrète, le toboggan, le fort, la cheminée, la statue creuse, le rubis, la tanière du dragon. Et il ne mentit pas au roi : il avoua que

---

[16] Ce qui était le cas, en fait.

Prospère avait accepté de s'en aller en échange d'un placement bancaire mais qu'il avait été convenu de prétendre que Tartisco l'avait occis. Le roi avait écouté, attentif, sans interrompre son fils. Tasse-Dent s'était uniquement abstenu de mentionner l'épisode de la bibliothèque, lorsqu'il avait subtilisé son bijou à Perdreau-Lie[17]. Le prince, pour qui l'honnêteté représentait une valeur primordiale à respecter, sentait une sincère honte lui dévorer le ventre quand il se remémorait cet épisode peu glorieux de ses aventures.

– Si je t'ai bien compris, Prospère n'avait rien fait, et quelqu'un a donc détruit des villages puis il a fait croire que c'était le fait du dragon vert ? Pourquoi aurait-on fait cela ?

– Alors ça, je ne sais pas du tout. Je me dis que c'était peut-être parce qu'il voulait que quelqu'un se débarrasse du dragon. Peut-être pour récupérer sa grotte.

Tartisco se redressa un peu, avachi qu'il était sur son siège. Avec une grimace dubitative, il tenta :

– Peut-être que quelqu'un en voulait à cette bête mais n'était pas assez fort pour la vaincre. Bin moi je dis « bon courage » à ceux qui vont s'y frotter là où il est maintenant, parce que même Gobolino qui a pas eu les flopettes de s'attaquer à un troll des forêts, il a pas trop voulu s'en

---

[17] Il s'agissait d'un collier orné d'une pointe de griffe de dragon. Enchantée, celle-ci permettait de localiser un sanctuaire sauromme désaffecté.

approcher. Mais, moi, j'ai battu Gobolino. Alors en fait, je suis plus fort qu'un troll des forêts…

– Voilà, c'est ça, l'interrompit Tasse-Dent, excédé par la forte tendance à la frime du félain, mais surtout, tu vois papa, j'arrive bien à me débrouiller tout seul. Si j'ai rencontré un dragon et que je n'ai pas une seule égratignure, j'ai pas besoin de gardes du corps ou quoi que ce soit…

– Je t'arrête tout de suite, je vois où tu veux en venir fiston ! Tu n'étais de loin pas tout seul, tu étais, excuse-moi du peu, accompagné d'un maître d'armes, du prince des félains, d'un puissant homme-lézard, d'un gobelin et d'une guerrière…

Tasse-Dent ne corrigea pas le roi en mentionnant Yuyiyine, que son père avait omis de citer. Il avait espéré pendant quelques minutes que le roi comprendrait et reconnaîtrait sa valeur, mais il s'était trompé.

– … Non non non, je ne veux pas entendre sortir de ta petite bouche ce que je sens que tu vas me demander : j'avais des ennuis par-dessus la couronne et ils sont bientôt tous réglés. Je suis fatigué, tu ne rends pas compte comme ça été difficile après ton enlèvement. Je veux le moins possible de souci alors je ne souhaite rien savoir, c'est fini les aventures, les dragons, tout ça.

Le prince bouillonnait intérieurement. Il était outré par le culot de son père qui ne se rendait pas compte de ce que ça avait été pour lui, la victime de cet enlèvement, d'être emprisonné, enchaîné et contraint de travailler dans des effluves de fromages. Mais il ne dit rien. Il laissa son père continuer.

– Demain, le tournoi aura lieu, les Terres du Loup et les Côtes du Renard auront un nouveau souverain. Mes ninjas ont terminé leur mission et ils ont mis hors d'état de nuire tous les partisans de Napoléon Beaupépon. Et surtout, tu es de retour, pour de bon. Je n'ai plus aucun problème et j'espère que ça durera le plus longtemps possible.

Tasse-Dent avait envie de demander plus d'information sur son grand frère, Napoléon Beaupépon. Est-ce qu'il avait été mis "hors d'état de nuire" ? Est-ce qu'il avait été capturé ? Mais le prince était trop énervé et déçu par le discours de son père.

– Tu ne te rends pas compte ce que c'est qu'être un roi. Tout le travail que ça demande. Franchement, c'est une charge énorme, des journées sans fin et des responsabilités incroyables. Tu ne sais pas ce que c'est...

– Bien sûr que non, j'en sais rien, tu me parles jamais, tu me montres jamais ce que tu fais. Il ne faut pas t'étonner si j'ai envie de partir : j'ai passé ma vie à tourner en rond ici, tout seul.

– Tu n'es jamais tout seul, je fais attention à ce que tu sois toujours surveillé !

– Tu ne me comprendras jamais !

Le prince se leva et, tournant le dos à son père, il se dirigea vers la porte.

– Tasse-Dent Haute-Couronne ! Rasseyez-vous ! Je n'ai pas terminé !

– Et qu'est-ce que tu vas faire ? Me priver de sortie ? M'enfermer ? Me surveiller ? C'est déjà le cas, je te ferais remarquer.

Gardant son calme alors que son fils avait élevé la voix, Califourchet demanda simplement au prince :

– Tasse-Dent, est-ce que tu préfères régner sur le royaume tout entier ou partir à l'aventure avec ton copain félain ?

Sans l'ombre d'une hésitation, le prince répondit qu'il préférait s'amuser avec son ami. Ensuite, le prince quitta la pièce en trombe et Tartisco le suivit. Ils marchaient d'un pas rapide, dans les couloirs du palais. Connaissant les projets secrets d'évasion ourdis par son camarade, Tartisco lui demanda :

– Tasse-d', on se carapate maintenant ? On s'en va ?

– Nan, c'est impossible. Schnappi et mon père me surveillent trop. Mais on trouvera un moment propice, et on va quitter le palais. Pour toujours.

## Le retour du druide

Pour la première fois depuis que la charge de druide lui avait été transmise, Crâne-Lard pénétra dans l'arbre creux où vivait autrefois Léon, son prédécesseur. Accompagné de son ami Siffle-Abricot, il posa son bâton contre une armoire de son antre. Le bois vivant du meuble ne faisait qu'un avec l'arbre lui-même. Crâne-Lard enjoignit au troubadour qui l'accompagnait de s'installer où il le souhaitait pour se reposer, puis il se laissa tomber en soupirant sur le lit très moelleux. Son sanglier totem vint se blottir contre lui, alors que Siffle-Abricot s'affalait sur une chaise à bascule dont de petites racines sortaient pour plonger dans le sol de la cabane. Le druide nain renifla avec une grimace de dégoût les effluves persistants de son ancien occupant. Il avait jadis été amené vers ce vieil homme par des animaux de la forêt.

Il semblait à Crâne-Lard que cela faisait une éternité.

Techniquement, cela ne faisait que quelques mois que Crâne-Lard était un druide. Mais en réalité, le nain était venu ici... il y a près de vingt ans.

Au terme de la terrible bataille de Schnutzenpruf, Crâne-Lard s'était découvert le pouvoir de communiquer avec les animaux. Il ne percevait plus des cris, des aboiements ou des coassements mais entendait des phrases structurées, des discours, des déclarations d'amour. Réciproquement les bêtes, quelle que soit leur espèce, comprenaient automatiquement ses paroles. Nanti de ce pouvoir vagissant, le vieux druide Léon avait envoyé des animaux quérir Crâne-Lard et le mener à lui. Dans son arbre aménagé, le druide avait fait du nain son successeur, après une cérémonie sommaire. Lors de sa première mission, Crâne-Lard s'est rendu loin au nord, alerté par les bêtes locales d'une sinistre menace. Il avait ainsi rencontré le troubadour Siffle-Abricot et était entré en contact avec une importante quantité de sombresonge. Grisé par la puissance dudit mélange alchimique, le nain avait réalisé qu'il possédait la capacité de prendre la forme de n'importe quel animal, à condition qu'il l'ait déjà observé auparavant. Métamorphosé en un magnifique dragon doré, Crâne-Lard avait sauvé de nombreux enfants prisonniers de la nécromancienne Enaxor.

Une fois les jeunes captifs déposés à l'abri, loin du Château Perdu, le druide nain avait volé de toutes ses forces, ivre de sa puissance nouvelle. Crâne-Lard avait battu de ses puissantes ailes si vite, si fort, qu'il s'était déplacé plus fort que brille le soleil et quand le druide avait enfin interrompu sa course, il s'était retrouvé, majestueux, au sommet des Monts d'Or.

Depuis sa position, grâce à ses yeux affûtés de dragon d'or, Crâne-Lard avait pu contempler un champ de blé grillé au pied de la montagne. Au cœur de celui-ci, le druide repéra un enfant nain qui le regardait, émerveillé par sa splendeur. Il le reconnut immédiatement. C'était lui, vingt ans plus tôt. Crâne-Lard comprit alors que le rêve qui l'avait hanté depuis son enfance n'était pas un songe, mais un souvenir. Inconsciemment, le dragon avait volé jusqu'à la forteresse des Chili-Guerre, où Crâne-Lard avait vu le jour et passé ses premières années. Le nain avait voyagé si vite qu'il était remonté dans le temps. Enfant, il s'était vu lui-même sous la forme d'un dragon : la boucle était bouclée.

Au sommet des Monts d'Or, l'effet du sombresonge s'était brusquement estompé et Crâne-Lard avait retrouvé sa forme naine initiale. Conscient qu'il évoluait dans une époque où il n'était pas censé être, le nain avait vécu en ermite, profitant de son lien nouveau avec les animaux pour vivre en leur compagnie et apprendre, sur le tas, ses devoirs et fonctions de druide.

Crâne-Lard avait ainsi arpenté le royaume pendant vingt ans. Seul, marginal, le nain avait côtoyé des bouquetins sur les falaises du Faucon, soigné des marmottes dans les montagnes du Chamois, vécu avec des truites dans la Morte-Eau, passé des années durant lesquelles il communiquait uniquement avec des animaux. Bref, il avait consacré son temps à devenir un authentique druide, apprenant au contact des bêtes. Le nain fit tout pour éviter de croiser la route de l'autre Crâne-Lard, ou celle de Léon son prédécesseur, se gardant bien d'interagir avec le monde civilisé.

Il lui avait été impossible dans un premier temps de se transformer à nouveau. L'élixir concocté par l'alchimiste de la Nécromancienne avait décuplé ses pouvoirs et Crâne-Lard eut besoin de temps pour maîtriser à nouveau ce don. Après plusieurs mois, le nain fut tout d'abord capable de prendre l'apparence du sanglier, semblable à Touffe, l'animal totem qui l'accompagnait partout et tout le temps, invisible à tous. Puis le druide appréhenda d'autres formes animales, sans jamais toutefois réussir à incarner une bête plus massive qu'un veau. Il abandonna donc l'idée de repartir dans le temps en quelques battements d'aile, conscient que sa transformation en dragon était un exploit unique dû à l'absorption massive de sombresonge.

Durant toutes ces années, traversant ces épreuves solitaires, Crâne-Lard était devenu un autre nain : plus calme, plus serein, plus barbu. Jadis, il avait cherché son identité en tentant d'exacerber ce qu'il pensait être sa nature profonde, caricaturant par son comportement ce qu'il imaginait naïvement être l'attitude d'un nain. Dans la nature, il avait abandonné le masque qu'il s'était forcé de porter par-dessus son vrai visage. Il ne se définissait ni par sa race, ni par son origine, ni par son occupation. Il n'était pas un nain, il n'était pas un druide : il était Crâne-Lard.

Patiemment, le nain avait laissé les années s'écouler. Crâne-Lard savait qu'il reviendrait à l'endroit qu'il avait quitté, sans le vouloir, pour voyager dans le temps. Non seulement car il avait ainsi l'impression de retrouver sa place, mais également parce qu'il souhaitait retrouver Siffle-Abricot. Sans bien savoir ce qu'il cherchait dans ces retrouvailles, cette rencontre constituait un objectif, une ligne d'arrivée à sa longue errance solitaire. De plus Crâne-Lard, désormais druide expérimenté, était investi d'une mission très importante : depuis des mois, les animaux lui parlaient d'une menace longtemps invisible aux yeux de tous. Les rapaces, les oiseaux de proie, ceux qui volaient le plus haut dans le ciel lui avait tout d'abord mentionné ce céleste danger. Puis les chauves-souris, sensibles. Enfin, tous les animaux prirent conscience du péril venu des étoiles. Bientôt, toutes les créatures intelligentes peuplant le royaume pourraient constater la présence de l'inquiétante sphère bleu roquefort dans le ciel.

Et puis, quand il retrouva enfin l'époque qu'il avait quittée sous la forme d'un dragon, il retourna à l'endroit même où il avait laissé le barde Siffle-Abricot et les enfants. Crâne-Lard, habilement dissimulé aux yeux de tous, s'était observé parader sous sa forme de dragon puis disparaître dans le lointain. Son jumeau envolé, il regagna enfin sa place.

Le druide rejoignit, l'air de rien, son camarade Siffle-Abricot après vingt ans d'attente. Pour le ménestrel, son ami Crâne-Lard venait de s'en aller dans le ciel avant de rapidement réapparaître, différemment vêtu et doté d'une barbe plus fournie.

Ensemble, ils prirent la responsabilité de ramener chez eux, ou du moins dans un lieu sûr et familier, tous les enfants capturés par les séides de la Nécromancienne. Enthousiasmés par leur délivrance et leur chevauchée à dos de dragon, les anciens captifs au jeune âge acceptèrent bien volontiers d'être ainsi guidés par leurs deux libérateurs.

Crâne-Lard composa à l'aide de quelques écureuils aimables un petit frichti pour tout le monde et construisit de concert avec un couple de castors contestataires mais altruistes un abri de fortune pour les rescapés. Ensuite, Siffle-Abricot entonna une laborieuse berceuse qui poussa les enfants à rapidement trouver le sommeil. Après cela, les deux compères s'installèrent de manière aussi confortable que possible autour d'un petit feu de camp. Le druide entreprit de raconter au ménestrel ses péripéties temporelles, sans être certain de la pertinence de l'aveu de son secret. Il avait hésité durant des années à raconter ce qu'il avait vécu. Crâne-Lard avait finalement conclu que s'il y avait une personne capable de le croire, ce serait Siffle-Abricot. Après tout, le troubadour avait assisté à sa transformation initiale en dragon, il ne devait pas être incapable après cela de concevoir que le nain avait voyagé dans le temps.

Après l'agape à Alpédia[18] et alors que Crâne-Lard et Siffle-Abricot avaient improvisé un petit pique-nique au bord d'une plage des Côtes du Renard, le nain prit son courage à deux mains et expliqua son périple temporel à son camarade. Siffle-Abricot écouta, empathique et attentif, le druide et lui posa tout un tas de questions ; il ne douta pas une seule seconde de sa parole. Il s'était bien rendu compte, en un coup d'œil, que Crâne-Lard n'était plus le même depuis leur départ du Château Perdu. Les vingt années que le nain venait de vivre ne l'avaient pas épargné.

Ensuite, Siffle-Abricot confia à son tour un secret au druide : le barde avait constaté récemment que toutes les blessures qui lui étaient infligées guérissaient d'elles-mêmes en quelques instants. Il parla de son genou brisé qui s'était remis en place, de la perforation que lui avait fait subir cet étrange homme aux cheveux gris dans une crique. Pour prouver ses dires, Siffle-Abricot s'entailla le dessus du bras

---

[18] Narrée dans le chapitre "Le Chevalier du Corbeau".

avec la lame recourbée d'un couteau à vermiveilles. En quelques secondes, la coupure béante et douloureuse se referma sous leurs quatre yeux. Le ménestrel n'avait aucune explication à ce pouvoir qu'il ne se connaissait pas avant sa sortie de prison[19]. Crâne-Lard, qui possédait quelques notions de guérison, demanda à Siffle-Abricot si ce phénomène était accompagné d'autres symptômes. Le barde confessa souffrir de fréquents et très douloureux maux de tête.

Alors que les deux aventuriers discutaient depuis des heures, une martre vint mordiller l'oreille du druide. Toute paniquée, elle voulait le conduire immédiatement au cœur d'une forêt proche, où elle désirait lui montrer quelque chose de très important. Selon les dires du mammifère, cela concernait la menace venue des étoiles. Crâne-Lard se leva et suivit le rongeur. La martre le conduisit jusqu'à un cratère, encore fumant, creusé dans une clairière avoisinante. Il était aussi profond qu'un gobelin debout et aussi large qu'une barque de course. Selon la martre et d'autres témoins à quatre pattes dont elle transmettait le discours, une pierre en feu était tombée du ciel récemment. Elle ajouta que selon les rumeurs qui circulaient auprès des bêtes, il ne s'agissait là que de l'une des filles d'une pierre en feu beaucoup, beaucoup plus grosse qui s'apprêtait à

---

[19] Siffle-Abricot avait été détenu durant de longues années sur le bateau-prison baptisé "Hautvent" suite à une condamnation pour vol de canards royaux.

s'approcher de la surface du royaume et à y creuser un trou beaucoup, beaucoup plus profond.

## Le Bigrement Inédit Tournoi Exceptionnel

*(Première partie)*

Tous les habitants des terres royales et tous les nobles du reste du royaume avaient été conviés à assister au tournoi organisé par le roi pour célébrer le retour de son fils et, de surcroît, transmettre au vainqueur la souveraineté des Côtes du Renard et des Terres du Loup. Jamais un Tournoi Royal n'avait réuni exclusivement des Chevaliers de la Déesse. Près de six mille personnes avaient fait le déplacement pour le spectacle promis, pour l'événement historique ou pour les collations offertes durant toutes les festivités.

L'arène de combat Bonne-Jurdet était comble et l'ambiance était excellente, le public se réjouissait de voir s'affronter avec noblesse d'illustres vassaux en cette belle journée ensoleillée. Presque tous les spectateurs arboraient les couleurs de leur contrée d'origine, agitaient le drapeau représentant l'emblème de leur seigneur ou celui qu'ils trouvaient le plus chatoyant[20].

Le roi s'était installé sans plus de protocole au centre de l'estrade d'honneur, entouré de son fils et de son épouse, la reine Braise-Lune. Vêtu aux frais du roi de nouveaux et flamboyants vêtements, ainsi que d'un nouveau cache-œil en satin, Tartisco siégeait à la gauche de Tasse-Dent. Selon le protocole le félain aurait dû se trouver parmi les places d'honneur des gradins, et non pas parmi la famille royale,

[20] L'emblème, pas le seigneur.

mais les deux jeunes gens avaient longtemps boudé quand Califourchet leur avait dit qu'ils devraient être séparés et la reine avait fini par céder.

Lorsque le roi lui fit le signe convenu, le ménestrel Viandet Jondru piétina solennellement de ses chausses à grelots les petits cailloux de l'arène jusqu'à son centre. Là, s'assurant de l'attention des spectateurs, il proclama le début des joutes.

*– Oyez, oyez, amis qui venez de partout,*
*vous, fils de la Déesse et protégés du roi,*
*êtes privilégiés : voici que devant vous*
*vont s'affronter, emplis d'honneur et de foi,*
*les dames et messieurs les plus preux, vertueux*
*habiles, audacieux, résistants, véloces,*
*les plus forts en tous points et les plus courageux.*
*alors pleuvront les coups et pousseront les bosses*
*pour accomplir la volonté de la Déesse*
*en déterminant qui héritera tout à coup*
*des Côtes du Renard et toutes leurs richesses,*
*et de ce beau joyau nommé Terres du Loup.*
*Comme tous les tournois royaux de tous les temps*
*les combattants n'auront que des armes de bois*
*les combats prendront fin au souhait du perdant,*
*après trois touches ou quand le dira le roi.*
*Ah, que les joutes soient franches, nobles, loyales,*
*donnez-nous du spectacle ! Quand il sera passé,*
*comme vous l'attendez, lors d'un somptueux bal*
*nous verrons le meilleur alors récompensé.*

Le barde fut poliment applaudi, puis on acclama les premiers combattants à leur annonce : Articaulholt,

Chevalier de la Loutre, allait se mesurer à Ire-Timide Demi-Pif, Chevalier du Muscardin. Plus que la perspective d'une lutte entre deux Chevaliers dont le combat n'était pas le fort, les spectateurs goûtaient à la joie de voir le tournoi commencer.

Grand, légèrement enrobé et ses longs cheveux gras attachés dans la nuque, Articaulholt tenta de frimer en faisant déjà tourner son épée de bois alors qu'il entrait dans l'arène, depuis la loge des Chevaliers située sous les gradins. Ire-Timide le suivit, d'un pas tranquille, la tête basse. On aurait pu le croire nonchalant mais le Chevalier du Muscardin était surtout très concentré. Ses cheveux bruns en bataille atteignaient la pointe de son nez, qu'il avait décrit lui-même dans l'un de ses fameux poèmes comme un demi-cœur à l'envers. Il portait le même modèle d'épée que son adversaire, une arme courte, maniable d'une seule main.

- Tu crois c'est qui qui va gagner ?

- Je sais pas trop, Tart'. J'aime bien Ire-Timide, il est tout calme. Articaulholt, il parle toujours très fort et y raconte toujours les mêmes histoires.

- Ouais, mais je t'ai pas demandé qui tu aimais mieux, je voulais savoir si y'en avait un que tu pensais plus balèze que l'autre.

Le roi Califourchet s'invita à la discussion :

- Articaulholt, avant de devenir Chevalier, était un brillant détective. Il a vécu mille et une aventures, il a emprisonné des criminels de tout acabit, il a une toute autre expérience de la vie qu'Ire-Timide, qui a toujours été un artiste, partagé entre ses poèmes et ses peintures. Pour moi, l'issue du combat ne fait pas un doute.

– Par contre le Muscardin est vraiment mignon, ajouta la reine, ce qui acheva de convaincre Califourchet, envieux du compliment, qu'il allait intérieurement encourager le Chevalier de la Loutre.

Le début du combat fut annoncé par la Joyeuse Trompette de la Gloire et les Chevaliers se saluèrent en frappant leur épée l'une contre l'autre. Avec un grand sourire sur son visage bouffi, Articaulholt se mit à tourner à pas chassés autour du calme Ire-Timide. Il faisait passer son arme de bois d'une main à l'autre, agrémentant ses déplacements de petits cris sensés impressionner son adversaire. Ire-Timide le suivait du regard, sans bouger, se contentant de tourner lentement la tête de gauche à droite. Alors que le Chevalier de la Loutre hésitait à s'élancer, cherchant à tromper la vigilance qui semblait toute relative de son adversaire, Ire-Timide, sans crier gare, à la surprise de tous, bondit sur Articaulholt avec une vitesse surprenante et lui asséna un puissant coup d'épée, tenue des deux mains, en pleine tempe.

Surpris, sonné, Articaulholt chancela puis s'écroula bien vite sur le dos. Il était évanoui. Pour faire le compte, le Chevalier du Muscardin lui tapota encore deux fois le ventre de son épée : trois coups avaient fait mouche et Ire-Timide du Muscardin fut déclaré vainqueur.

Le Chevalier poète salua le roi en s'inclinant respectueusement, alors que les gens du Chevalier de la Loutre venaient à son chevet. Après l'avoir remis sur pieds, ils l'aidèrent à quitter l'arène.

- Purée de patates, c'est allé super vite. Il l'a eu par surprise, hein, dis, Tasse-d' ?

- Nous aussi y nous a bien surpris en tout cas.

Sans plus attendre, les deux Chevaliers suivants entrèrent en piste.

Il s'agissait d'Amézan, Chevalier de la Salamandre, opposé à Beauvin Cent-Os, Chevalier du Tétras. Pour tous les spectateurs avertis, l'issue du combat ne faisait aucun doute : Beauvin Cent-Os était un homme costaud, assidu à la chasse, rompu à combattre les monstres issus des Brumes qui entouraient les Terres du Tétras. Amézan, pour sa part, passait ses journées à s'entraîner auprès de prestigieux maîtres d'armes mais n'avait jamais goûté à un véritable affrontement, de ceux durant lesquels les adversaires mettent leur vie en jeu.

Dès que les armes de bois furent entrechoquées pour signifier le début du duel, Beauvin Cent-Os se jeta sur son adversaire. Il lui asséna une série de violents coups verticaux, qu'Amézan para tant bien que mal, tenant son épée de bois par les deux bouts afin d'encaisser le choc des frappes. Beauvin Cent-Os, sans aucune finesse, profitait de sa grande taille et de sa force pour frapper de plus en plus violemment. Plus il s'acharnait et plus le Chevalier de la

Salamandre se baissait. Le Tétras frappa tout à coup de sa botte son adversaire en plein ventre. Amézan s'écroula sur le dos.

Le Chevalier du Tétras fit un pas en avant pour abattre son arme mais Amézan, avec une étonnante agilité, se retrouva sur ses deux pieds après une roulade arrière très propre. La Salamandre profita de la surprise de son adversaire pour passer dans son dos et tenter de le frapper, toutefois Beauvin Cent-Os, à qui on ne la faisait pas si facilement, para le coup sans peine.

– La Salamandre est vachement rapide.

– Ouais c'est ce que tu crois, mais ça va trop pas suffire. Beauvin Cent-Os est trop fort, Gobolino m'en avait parlé une fois qu'on s'entraînait. Il parait qu'il a battu un des Cent-Un Fantômes.

Tasse-Dent se tourna sur son siège moelleux pour voir son garde du corps et maître d'armes, Schnappi. Debout, il assistait, passionné, aux combats tout en surveillant d'un œil les jeunes princes.

– Schnapp', c'est vrai ça ?

– Ce que je sais, votre majesté, c'est que le Chevalier du Tétras possède une tête de chimerve empaillée qu'il a placée au-dessus de son trône, dans sa salle à manger.

– Wahou, y devient trop mon préféré alors.

– Ouais trop, moi aussi.

Pendant ce temps, le combat s'était déjà terminé. Beauvin Cent-Os l'avait logiquement emporté, frappant deux fois Amézan aux épaules et une fois dans le dos. Le Chevalier de la Salamandre s'était vaillamment défendu, sans réussir pour autant à mettre une seule fois en danger son adversaire. Les deux vassaux du roi se serrèrent la main à l'issue du duel.

L'affrontement suivant opposa Bernon, Chevalier de l'Ours, au puissant mercenaire engagé par Firud, Chevalier du Rouge-Gorge, pour se battre à sa place : Balaison Gros-Fiffre. Les deux hommes partageaient le même type de carrure imposante et la même maîtrise du combat. Leurs échanges, puissants et fougueux, éclaboussaient l'air de sueurs et de halètements virils. Les spectateurs vibraient et encourageaient avec ardeur leur favori. Au vu de la piètre réputation de Bernon après l'invasion des Terres du Loup et le charisme de son opposant, l'aventurier Balaison Gros-Fiffre à la barbe extrêmement fournie, les faveurs de la foule allaient plus volontiers au mercenaire engagé par le Chevalier du Rouge-Gorge.

Califourchet lui aussi s'enthousiasmait franchement. Tasse-Dent, Tartisco et Schnappi commentaient les bottes et les passes d'armes de chacun. Le maître d'armes se montrait plus curieux qu'impressionné : à l'entendre, quelqu'un d'empathique aurait pu comprendre qu'il n'avait qu'une envie, se mesurer lui-même à ces combattants et éprouver ses propres capacités. Globalement, il considérait les deux adversaires égaux, trop lents et trop lourds.

Tartisco avait cherché depuis l'estrade à voir si, par hasard, la belle Hydranna à la longue chevelure n'était pas venue assister au tournoi. Il repéra Yuyiyine, accompagnée de Vérosson Manique, mais aucune trace de celle qui faisait palpiter son petit cœur d'homme-chat. Il était conscient que c'eut été un miracle que la jeune femme blonde se trouve dans le public. Tartisco remarqua ensuite que Tasse-Dent faisait la moue, peu emballé.

– Hey, t'aimes pas ce combat non plus ? C'est trop long, hein ?

Avant que Tasse-Dent ne puisse répondre, le roi réagit :

– Comment ça, fiston, tu t'ennuies ? C'est pas vrai, tu sais que c'est pour toi qu'ils se battent, en ton honneur ?

Califourchet Haute-Couronne VI, tout maladroit qu'il était dans ses rapports avec son fils, n'aspirait de tout son cœur qu'à son bonheur. Mais il était trop gauche lorsqu'il s'agissait de parler au prince.

– Non mais, papa… En fait, j'ai réfléchi et j'aime pas trop que les Chevaliers puissent payer quelqu'un d'autre pour se battre à leur place, finalement ça veut dire qu'on risque que ce soit le Chevalier le plus riche, celui qui pourra se payer le meilleur mercenaire qui va gagner. Et ça, c'est pas juste.

– Ha ouais, mais trop, t'as trop raison Tasse-D'.

Schnappi osa se pencher en avant pour donner son avis.

- Pas forcément. Regardez bien, votre majesté.

Et comme le maître d'armes pointait du doigt les combattants, Bernon plaça une botte de désarmement particulièrement habile, qui fit voler l'épée de bois de son adversaire à une dizaine de mètres de lui. Hors d'haleine, épuisé par le long duel, le mercenaire leva les bras et s'avoua vaincu.

- Je pense qu'il va renoncer à sa prime, commenta encore le garde du corps royal, un poil moqueur.

Le combat qui suivit opposait le Chevalier du Blaireau, un vieil homme presque bossu, et celui du Corbeau, une jeune fille plutôt frêle.

Pour représenter Guésan du Blaireau, entra dans l'arène un ancien capitaine de l'armée du Loup désormais dissoute, récemment devenu mercenaire par la force des choses : Sciefer Furyl. Ce guerrier longiligne mais aguerri, jeune mais expérimenté portait une souple armure de cuir noir et les cheveux courts. De l'autre côté, la ravissante guerrière Raie-Menton, mercenaire engagée par Marika le Chevalier du Corbeau, avait pris place dans l'arène sans armure ni protection. Elle misait sur sa vitesse et ses talents d'acrobate pour l'emporter. Soutenue par le public, surtout par la gent masculine globalement sensible à ses charmes, la jeune femme aux longs cheveux auburn bouclés s'inclina toutefois face à la remarquable maîtrise martiale de Sciefer

Furyl. Son allonge exceptionnelle lui permit de porter sans difficulté trois coups à Raie-Menton, du plat de l'épée pour ne pas la blesser. Ensuite, le mercenaire se montra galant avec son adversaire du jour au moment de quitter l'arène, l'aidant humblement à se remettre sur ses pieds et lui offrant son mouchoir brodé afin qu'elle se débarbouille sommairement le visage.

Après les victoires du Muscardin, de l'Ours, du Tétras et du Blaireau, Avouarée du Cheval allait affronter Chlimazel du Chamois.

La présence à ces joutes d'Avouarée en avait étonné plus d'un. Non pas car elle était l'une des deux femmes désignées à la fonction de Chevalier mais parce que la régente des plaines du Cheval était très discrète, solitaire et, guérie de l'envie de chercher du plaisir dans la société, elle ne quittait pour ainsi dire jamais son haras de Rive-Basse. Cette femme d'une trentaine d'années, pâle et toute vêtue de noir, entra dans l'arène sans un regard pour les spectateurs ni pour l'estrade d'honneur. Deux mèches de cheveux châtains s'étaient échappées de son chignon. Elle rejoignit Chlimazel, Chevalier du Chamois, pour livrer le cinquième combat de la journée. Avouarée prit une position stable, les pieds écartés pour correspondre à la largeur de son buste, légèrement décalés l'un de l'autre. Elle mit sa main gauche dans le dos et tenait son épée droite, devant elle, comme une rapière.

Tartisco reconnut cette position immédiatement. Instinctivement, il chercha de son demi-regard feu son maître d'armes, puis il interpella son ami Tasse-Dent.

- Regarde ! Comment elle se tient, c'est sa posture ! C'est la posture de Gobolino ! C'est pile la même que quand il avait tué le type à l'auberge ! J'en suis sûr !

Schnappi intervint humblement pour confirmer au prince des félains que Gobolino, exceptionnellement, avait accepté la demande d'Avouarée qui souhaitait prendre des cours d'escrime avec lui, il y a quelques années.

Tartisco suivit le duel avec une attention particulière, ses sentiments partagés entre la colère qu'il éprouvait encore contre son garde du corps félain félon et l'émotion de voir cette jolie femme qui imitait son ancien compagnon d'aventure, le meilleur bretteur de tous les hommes-chats.

De son côté, Chlimazel avait apparemment pris à la légère le combat qui l'opposait à une femme. Peu concentré, il avait concédé deux touches coup sur coup, assenées par un Chevalier du Cheval appliqué et précis. Acculé, le Chamois s'était alors décidé à se battre sérieusement.

Chlimazel frappa deux fois son adversaire sur les côtés du mollet, usant de la même technique : il se projeta en avant comme pour porter un coup à hauteur d'épaule mais, au dernier moment, il se baissa, fit un pas de côté et tapa derrière la jambe d'Avouarée. Exercée à affronter un adversaire digne, elle n'avait pas l'expérience nécessaire pour éviter ce genre de feinte peu orthodoxe. Les deux adversaires avaient chacun concédé deux touches à leur opposant : le prochain à être frappé serait vaincu.

Lorsque le Chamois tenta d'utiliser la même fourberie une troisième fois, Avouarée recula d'un bond pour éviter le coup sournois et lui asséna une frappe puissante et rapide, d'estoc, en plein nez. Le craquement sonore du cartilage, qui retentit jusqu'aux gradins, sonna la victoire du Chevalier du Cheval. Latranne-Hisse fut envoyée pour appliquer une potion sur le visage de Chlimazel, dont le nez prenait déjà une teinte violacée.

De sombres nuages s'étaient regroupés au-dessus de l'arène, laissant redouter une averse prochaine alors qu'il restait quatre duels avant la première pause repas de la journée.

Le fier et hautain Fesse-Auge, Chevalier du Lièvre, s'amusa aux dépens de Gattara, Chevalier de la Grenouille, lors de leur affrontement. Vif et athlétique, le premier se moqua ouvertement de son adversaire, petit et rondouillard, empêtré dans son armure de gala mal ajustée. Dès les premières secondes du duel, Fesse-Auge fit vivre un calvaire à son adversaire : il envoya au sol Gattara en le déséquilibrant d'un coup de pied et lui tourna autour en le ridiculisant, plaisantant sur sa ressemblance certaine avec une grenouille. Coincé sur le dos, agitant ses membres trop courts pour se remettre sur pied, Gattara partageait bien des points communs avec le batracien dont il avait le titre. Lorsqu'il réussit à se tourner pour se mettre à quatre pattes, Fesse-Auge le frappa à nouveau, en riant, d'un coup de pied aux fesses.

Le Chevalier du Lièvre aurait pu très rapidement mettre fin à ce simulacre de duel en frappant trois fois

Gattara de son épée, mais il était évident que Fesse-Auge prenait du plaisir à humilier son homologue. Courageux, le Chevalier de la Grenouille ne s'avouait pas vaincu, mais il était évident qu'il ne pouvait rien faire face au véloce et agile Chevalier du Lièvre.

Sous les éclats de rire d'une grande partie du public, Gattara se retenait de pleurer alors que Fesse-Auge allait et venait dans l'arène. Le lièvre s'étendait au sol, mimait qu'il s'était endormi. Lorsque Gattara réussissait à se relever et, téméraire, fonçait sur lui, Fesse-Auge l'évitait en riant et le faisait tomber au sol d'une chiquenaude. Lassé par ce triste spectacle, redoutant que le Chevalier du Lièvre franchisse un pas de trop dans l'humiliation, Califourchet, magnanime, se leva et proclama la fin du combat.

Puis, lors d'un échange plus rapide mais tout aussi unilatéral, le Chevalier de l'Écureuil, Gottöka, s'inclina face au mercenaire engagé par Maudais, le Chevalier de l'Aigle. Ce combattant expérimenté, un homme vif et adroit nommé Lenorok, ne laissa aucune chance à son adversaire. Tasse-Dent ne manqua pas de faire remarquer une nouvelle fois à son père que le recours au mercenariat dénaturait à ses yeux la valeur du tournoi.

Ensuite débuta le combat que tous attendaient avec impatience : Onésèphe Jarès, le beau et mystérieux Chevalier du Lynx aux yeux noirs, ses longs cheveux attachés à l'arrière de son crâne, recouvrant ses oreilles, affrontait Vertanor, le Chevalier du Sanglier, qui se surnommait lui-même le prêtre de la mort. Le fait que Vertanor cumulait les fonctions de Chevalier et de prêtre attisait la curiosité de tous : si les seules armes autorisées pour le tournoi étaient des épées de bois et si l'équipement sacré des Chevaliers était interdit, rien n'empêchait, en théorie, un prêtre d'utiliser son pouvoir durant la joute. Le don accordé par la Déesse à ceux qui dédiaient leur vie à sa gloire était unique, différent pour chacun de ses prêtres et de ses prêtresses. Parfois surpuissants, parfois anodins, ces pouvoirs attisaient la curiosité et les fantasmes de la plèbe.

Onésèphe et Vertanor, deux hommes aux silhouettes diamétralement opposées, l'un petit et nonchalant, l'autre grand et costaud, l'un beau et les traits fins, le second atrocement défiguré, frappèrent leurs épées de bois l'une contre l'autre et sous une acclamation générale des spectateurs, le duel commença.

Tout se passa très vite : Vertanor se fendit d'un coup rapide et brutal sur son adversaire. Onésèphe Jarès fit une acrobatique roue sans les mains sur le côté droit pour l'esquiver et, tout juste rétabli sur ses deux pieds mais encore accroupi, il frappa en tenant son arme des deux mains le Chevalier du Sanglier à l'arrière des genoux. Vertanor, sous le choc, s'affaissa. Le Lynx tournoya autour de son adversaire et frappa immédiatement, et avec une force surprenante, la main droite de son rival, lui faisant lâcher son arme. Avant qu'il ne lui assène un troisième coup, Vertanor abandonna le combat en levant les bras au ciel. Le public, frustré et étonné, ne réagit pas tout de suite. Bon vainqueur, Onésèphe Jarès aida son adversaire à se relever en lui tendant une main que Vertanor refusa.

Le Chevalier du Lynx salua la foule, fut acclamé et présenta ses hommages aux différentes majestés.

Tasse-Dent et Tartisco assistèrent au dernier combat de la matinée, durant lequel Herpied du Bœuf l'emporta facilement face à Ekicokuac du Hérisson, sans vraiment y prêter attention. Ils avaient tous les deux l'esprit ailleurs : ils devaient se concentrer car, dès la fin de la pause, ils allaient mettre à exécution leur plan et fuir les Terres Royales.

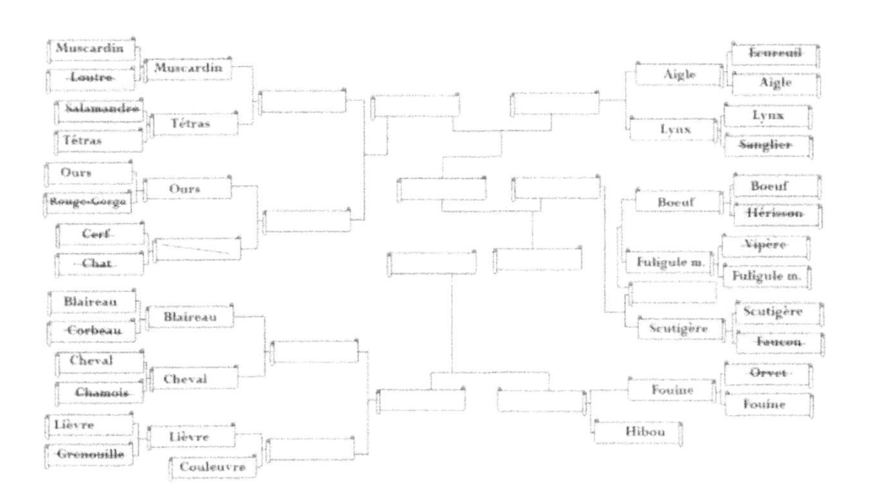

## Lendemain de cuite

Alis se réveilla en sursaut. La jeune guerrière n'avait aucune idée d'où elle se trouvait, ne voyait rien et avait extrêmement mal à la tête. Elle pensa dans un premier temps que la petite fourmi qui trottait autrefois dans son crâne était de retour et avait invité des centaines d'amies, car ses tempes semblaient battre la mesure et son front était comme martelé de l'intérieur ; mais la fourmi n'avait rien à voir avec cela.

Alis se releva et ajusta ses lunettes en les poussant sur l'arête de son nez. Toutefois, elle ne distinguait pas pour autant mieux ce qui l'entourait. Apparemment elle devait être dans un endroit très sombre. Elle tendit l'oreille et perçut un bruit sourd et régulier. En tâtonnant, juste à côté d'elle, Alis mit d'abord la main sur son épée, Flamme de Rose. Elle s'en saisit et continua de palper à l'aveuglette. Alis trouva du bout des doigts le corps froid et écailleux de Lamkikoup étendu sur le sol de terre humide. La guerrière posa une main sur le ventre rugueux de l'homme-lézard et constata qu'il ronflait. Elle le réveilla doucement. Comme elle, Lamkikoup avait très mal au crâne et ne savait guère où ils se trouvaient.

Les deux compères constatèrent qu'ils ne se souvenaient plus de la soirée de la veille. Alis avait l'impression que les mots « porcelet » et « tourmenté » résonnaient en elle, tandis que Lamkikoup croyait se rappeler d'un nain à califourchon sur quelque chose. Ils se levèrent et entreprirent d'examiner les lieux où ils se trouvaient. L'homme-lézard récupéra au sol une providentielle torche, qu'il alluma en crachant dessus. Alis, qui ne savait pas du tout que les saurommes pouvaient produire des petites glaires enflammées, fut très enthousiasmée par ce pouvoir. Ainsi éclairés, ils constatèrent qu'ils se trouvaient dans une grotte et qu'un cadavre gisait sur le sol, à quelques mètres d'eux. Ils s'en approchèrent : c'était un homme, moustachu, portant une tunique rose. Sur celle-ci, un petit emblème en tissu avait été mal cousu, à la hauteur de la poitrine. Il représentait un pouce levé, sur fond vert clair. Le macchabée avait reçu un puissant coup d'épée qui l'avait ouvert de l'épaule droite au sommet de la cuisse gauche. La dépouille dévoilait ses entrailles et ses organes.

L'homme-lézard s'approcha du corps, l'inspecta et le fouilla. Il n'avait rien sur lui, à part une épée de qualité médiocre.

- Tu l'as pas raté, celui-ci, Alis. En plein dans le millet.

- Quoi ? Mais je l'ai pas battu du tout de lui. Je le rappelle vraiment pas d'une bagarre avec le monsieur à moustache.

- Je n'en ai aucun souvenir non plus, mais je sais reconnaître un cadavre récent, et regarde la lame de ton épée : elle est justement couverte de sang frais. Mes armes sont immaculées, pas besoin de réfléchir plus. La déduction, ça ne mange pas de foin, cocotte.

À ces mots, quelques souvenirs épars jaillirent dans la tête, particulièrement douloureuse, de la jeune guerrière.

Elle se voyait, parcourant des ruines avec Lamkikoup en pleine nuit, progressant à la lueur de la lune, cherchant avec difficulté un moyen d'accéder à un endroit souterrain. Ensuite, le sauromme avait disparu d'une seconde à l'autre : il était tombé dans un trou, happé par l'issue qu'ils s'échinaient à dénicher.

Alis lui avait emboité le pas aussi précautionneusement que possible. Il lui revenait enfin des images brèves de l'affrontement qui avait suivi, mené contre ce moustachu maladroit, qui tremblait de peur et avait appelé sa maman durant sa courte agonie. Et rien d'autre.

La jeune femme partagea les miettes de sa mémoire avec son compère, puis ils entreprirent d'explorer la grotte pour en trouver la sortie.

Trois chemins s'offrirent à eux : le premier conduisit les deux guerriers à des escaliers, qui menaient à une sorte de bloc de pierre polie. Celui-ci semblait condamner le passage. Malgré tous leurs efforts en ce sens, Alis et Lamkikoup furent incapables de le faire bouger : ils tentèrent de le pousser, de le faire coulisser, de foncer contre, de le frapper. Rien n'y fit.

Alis et Lamkikoup empruntèrent donc le deuxième chemin, toujours en progressant sans bruit et l'oreille attentive. En atteignant par un couloir creusé dans la roche une caverne identique à celle qu'ils venaient de quitter, les deux aventuriers découvrirent une femme, humaine et à moitié nue. Un morceau de tissu sale lui barrait l'œil gauche. Inconsciente, elle avait les deux poignets entravés au-dessus de sa tête. Au vu de ses nombreuses blessures, la femme semblait avoir été torturée. À ses pieds traînaient un fouet, un poinçon, un tison et divers autres instruments de torture. Elle tremblait, demandant à boire d'une voix exténuée. Le sauromme ramassa un seau d'eau brunâtre, estima qu'elle était potable et abreuva la détenue, qui se désaltéra goulûment. Alors qu'Alis allait défaire les liens de la femme, Lamkikoup l'interrompit d'un geste de sa patte griffue et écailleuse.

– Qui êtes-vous ? Et qu'est-ce que vous faites là ? On n'entrave pas une prisonnière pour rien : il n'y a pas de fumée sans printemps.

Faible, la femme aux cheveux ras répondit en bafouillant. Sous son bandeau de fortune, du sang et du pus mêlés suintaient.

– Je suis Pernicia. Je suis venue ici... pour la mission.

– Vous l'êtes une voleuse ? Vous l'étiez avec de nous ? On ne se souvient plus de rien.

– Oui, voilà, c'est ça. Je suis venue avec vous et je me suis fait attraper.

– Mais pourquoi tu l'étais déjà ici et nous pas si on l'est venus ensemble ?

– Tu ne t'en souviens pas ? Je… je suis venue un peu avant vous. Qu'est-ce qui vous est arrivé ? Pourquoi vous avez fait si long ?

– Bin nous on l'a été assommés, juste à côté, et je l'ai coupé d'un monsieur. Mais maintenant je le rappelle plus.

Lamkikoup constata que Pernicia n'était pas armée : à vrai dire, elle n'avait rien sur le corps mis-à-part un vilain pagne et son bandeau dégoulinant. Le sauromme fit signe à Alis qu'elle pouvait la libérer. La voleuse, éreintée, se couvrit la poitrine d'un bras :

– Nous étions ensemble au Porcelet Tourmenté. Ça ne vous dit rien ?

Les yeux de l'homme-lézard et de la jeune guerrière s'illuminèrent. En même temps, ils se remémorèrent la soirée de la veille, en cinq points importants :

1 : Ils avaient fait halte pour la nuit à l'auberge du Porcelet Tourmenté, un estaminet rempli de gredins ivres et de criminels festoyant, où Lamkikoup avait souhaité initier son élève à la dégustation de sa bière favorite, la Sainte-Vérolée. Les deux compères avaient ensuite rencontré un mystérieux recruteur.

2 : Alis et Lamkikoup avaient accepté une mission consistant à récupérer une fiole d'un mystérieux onguent dans un repaire secret de la Guilde des Alchimistes Revanchards Carrément Obligés d'être Noctambules.

3 : Conscients que de viles oreilles avaient sans doute ouï les dires du donneur de quête, les deux aventuriers avaient décidé de ne pas attendre plus longtemps et s'étaient immédiatement lancés à l'aventure : moins d'une

heure plus tard, ils erraient dans les ruines du Fort Madjio, à la recherche d'une entrée cachée menant à l'une des planques de la guilde précitée.

4 : Ils avaient erré de longues minutes avant de choir, l'une plus volontairement que l'autre, directement dans la grotte-repaire à travers une crevasse.

5 : Lamkikoup avait perdu connaissance suite à sa chute alors qu'Alis, victime de son candide abus de bière, s'était endormie après avoir combattu un garde apeuré.

Soulagés et souriants, Lamkikoup et Alis estimèrent légitimement que leur amnésie passagère était due aux nombreuses chopines vidées la veille. Alis n'avait pas aimé le goût du breuvage mais, grisée par la haute teneur en alcool de la Sainte Vérolée, la jeune guerrière n'avait pas su s'arrêter à temps. Au vu de la puissance de sa migraine, elle jura qu'elle ne toucherait plus jamais une bière. Ni Alis ni Lamkikoup ne se souvenaient de leur rencontre avec Pernicia mais la jeune guerrière était certaine de l'avoir déjà vue à l'auberge du Porcelet Tourmenté. Comme Lamkikoup ne semblait pas méfiant, Alis laissa s'éteindre dans sa tête la petite flamme de la suspicion.

- Dame Pernicia, auriez-vous la négligence de me rappeler le nom du remède qu'on devait trouver ? La mémoire me fait des faux.

- Ha... Heu... Non, j'ai oublié. Ça doit être à cause des coups que j'ai reçus.

– Et toi, tu t'en souviens Alis ?

– Platroginal.

– Mais oui, bien vu ! C'est ça, joli.

Alis n'avait aucune idée de comment lui était revenu ce nom.

– On n'a plus qu'à explorer cette grotte de profond en comble et trouver le Platroginal.

Ils explorèrent tous les trois la grotte humide et sombre jusqu'à trouver une porte de planches un peu vermoulues. Elle était dotée d'une grosse serrure métallique noire, mais ne semblait pas verrouillée. On voyait bien que le pêne n'était pas engagé mais, alors qu'Alis allait ouvrir la porte, la femme borgne lui retint fermement le poignet. La jeune guerrière fut très étonnée de la force déployée par cette quadragénaire toute maigrelette. Celle-ci relâcha presque instantanément son étreinte.

– Regardez, le truc vert là, juste sous le trou.

Malgré ses lunettes qui lui procuraient une vue parfaite, Alis distinguait tout juste une sorte de petite bille sombre. À l'intérieur, il coulait comme quelques gouttes d'un épais sirop de menthe. Elle ne comprenait pas ce que c'était mais n'avait aucune envie d'y goûter.

– Poussez-vous les deux costauds, je vais vous montrer ; c'est un piège.

En prenant bien garde de ne pas rester devant la serrure, Pernicia ouvrit la porte : un liquide épais jaillit violemment et traversa le couloir. Là où il avait giclé, contre la paroi de la grotte, l'étrange fluide verdâtre avait creusé un trou fumant.

- C'est une bille-poisie. Un piège assez basique qui se déclenche si quelqu'un ouvre une porte sans la clef idoine.

Pernicia semblait particulièrement docte au sujet des serrures et des manières de les piéger. Elle esquissa un sourire à l'attention d'Alis mais un spasme de douleur la transperça. Il était clair que la blessure mal cachée par son bandeau de fortune la faisait souffrir.

- Je peux l'ouvrir de la porte maintenant ?

- Ouais, c'est sans danger. Les billes-poisies doivent être changées après chaque effraction.

- Je suis sûr que c'est pas si dangereux : je suis rapide comme l'eau de source, je mettrais ma langue à fourcher que cette bille ne m'aurait même pas chatouillée.

- Tu peux tenter le coup si d'autres portes nous barrent le passage, lézard.

Alis avait déjà ouvert, doucement et prudemment, ladite porte. Flamme de Rose à la main, attentive et prête à se battre dès que possible, elle progressa sans bruit, concentrée, le long du nouveau couloir qui s'offrait à elle. Lamkikoup s'engagea directement derrière elle, laissant

Pernicia là où elle était. Le sauromme fit quelques pas, avant de se retourner et chuchoter à la borgne.

- Qu'est-ce que tu fais ? Viens !

- Je ne me sens pas très bien, je vous laisse chercher la sortie, je vous suivrai plus tard.

Lamkikoup n'avait pas du tout aimé que la borgne le traite de lézard mais il avait préféré ne pas réagir : il ne manquait pas de sang-froid. Alis avait presque déjà atteint le bout du couloir et elle appuyait l'oreille sur la porte suivante, alors l'homme-lézard la rejoignit rapidement, le plus discrètement possible.

- Je l'entends des gens qui papotent, murmura la jeune guerrière. Ils parlent de la viande, d'une poule et de ses œufs, je crois. Il le faut que l'on les batte, je pense.

- Je pense aussi. On n'a pas d'autre endroit où aller. On doit passer cette porte, coûte que vaille.

- Tu l'es prêt ?

Le sauromme acquiesça d'un rapide mouvement de la gueule. Alis ouvrit la porte brusquement pour découvrir trois hommes attablés, en train de jouer à la crapette. Ils ne s'attendaient aucunement à l'intrusion de qui que ce soit. Tous avaient brodé sur leur torse le même symbole que celui découvert sur le précédent macchabée. Leurs épées mal aiguisées étaient négligemment posées derrière eux, hors de portée, appuyées contre un tonneau de vin de piètre qualité.

Alis et Lamkikoup déboulèrent en criant et avant que le plus preste des trois gaillards ait réussi à se munir de son arme, ils furent tous occis.

L'un d'entre eux eut le temps d'implorer la pitié des intrus, bafouillant avant de périr quelque chose comme « misère-non-ne-faites-pas-ça-on-n'est-pas-payés-pour-devoir-argh-ouille-raaaaaa ».

–Ça l'était d'une bagarre très rapide. On l'aurait peut-être dû d'attendre qu'ils prennent leurs épées.

Lamkikoup et Alis, toujours intéressés par les belles lames, jetèrent un œil aux armes des défunts. Las, ils constatèrent que les épées de ces hommes ne valaient pas un clou. Des attributs virils avaient grossièrement été taillés sur la garde de chacune. Si c'était là la marque d'un forgeron en particulier, ils se garderaient bien de lui acheter quoi que ce soit s'ils en avaient l'occasion à l'avenir. Lamkikoup remarqua qu'Alis était déçue. Il commençait à la connaître assez pour savoir que ce n'était pas la qualité des armes qui la désappointait. La jeune guerrière n'avait pas aimé passer par le fil de son épée des hommes désarmés.

- Tu sais, c'est des gardes, c'est leur métier de se faire tuer par des gens. Ils sont payés pour ça. On ne peut pas non plus avoir le lait et la croûte du fromage. Ces types, ils avaient choisi de faire ça et c'était certainement de mauvais bougres.

- C'est pas vrai. Personne l'est payé pour se faire tuer.

Ils ne trouvèrent rien de très intéressant dans cette pièce, si ce n'est des verres de piquette et quelques morceaux de rat rôti froid. Depuis cette salle de garde de fortune, trois portes donnaient accès à d'autres endroits :

• La porte nord cachait des lieux d'aisance improvisés, où une cavité naturelle dans la roche faisait office de latrines. Quelques parchemins à sensations y traînaient négligemment. Ni Alis ni Lamkikoup n'étaient intéressés par les jolies illustrations exclusives comparant les épouses de joueurs de schlagenballe les plus célèbres.

• La porte située au sud était verrouillée et munie d'une serrure imposante et compliquée.

• La dernière issue, qui faisait face au couloir par lequel ils étaient arrivés, donnait sur un escalier de pierre qui montait jusqu'à une trappe, qui débouchait sans aucun doute à la surface.

– On s'en va avec sans de le Platroginal ou bien on continue de le chercher ?

– Tu rigoles ? C'est clair comme de l'eau de soupe : on s'en va pas d'ici sans ce truc.

Arrivée jusqu'à eux sans un bruit, Pernicia constata le décès des gardes sans que la moindre expression ne se lise sur son visage usé.

– Bon, bin, j'vous souhaite du courage et de la réussite. Merci de m'avoir délivrée. Moi, j'me casse.

Elle se dirigea vers les escaliers qui menaient à l'air libre.

- Au revoir madame, répondit simplement Alis.

Lamkikoup trouvait étrange l'attitude de Pernicia et craignit soudain que la borgne s'en aille avec l'onguent. De son regard affûté de reptile, il la scruta de pied en cap. Lesdits pieds étaient nus, les mains vides et elle ne pouvait rien cacher sous ses vêtements, vu ce qui lui en restait. Le sauromme sentait que cette femme leur cachait quelque chose, mais il ne comprenait pas quoi. Sans un mot, il l'accompagna de ses fines pupilles alors qu'elle s'en allait.

- Ah ! Attends, madame !

Pernicia s'arrêta alors qu'elle allait entamer l'ascension des escaliers.

- Tu peux l'ouvrir de nous la grosse serrure là ? S'il le plaît.

La borgne hésita quelques secondes, jeta un œil à la porte sud, puis sourit.

- Aucun problème.

Cette porte-là n'était protégée par aucun piège. Pernicia la crocheta habilement grâce à une sorte de double épingle de métal qu'elle avait cachée dans sa bouche. Sans difficulté et avec un cliquetis satisfaisant, elle ouvrit la serrure. « Amusez-vous bien », dit encore la voleuse, avant de s'éclipser.

Une série d'escaliers qui descendaient se dévoila à Alis et Lamkikoup. Sur les murs adjacents brûlait la lumière vert clair d'étranges torches. Les deux aventuriers descendirent prudemment. Aux pieds des marches, ils atteignirent la porte de l'atelier secret de Mycostère, selon le petit écriteau cloué contre celle-ci :

*Atelier secret de Mycostère*

*Prière de ne pas déranger*

*Merci de respecter le travail harassant de l'alchimiste*

*Pour les réclamations frapper trois coups*

Alis regarda bien s'il n'y avait pas de bille-poisie près de la serrure, là où Pernicia lui avait montré, puis tenta d'entrebâiller doucement celle-ci. La porte n'était pas verrouillée. La jeune guerrière l'ouvrit complètement. Elle découvrit une grande pièce, bardée d'étagères remplies de flacons, de bouteilles et de potions de toutes les couleurs. Certains liquides entreposés faisaient des bulles, d'autres fumaient. Là où il n'y avait pas de fioles se trouvaient des grimoires et des parchemins. Un gigantesque alambic de verre et de métal courait tout autour de la pièce. Au centre de celle-ci, tournant le dos aux deux aventuriers, il y avait un homme aux longs cheveux blonds, vêtu d'une ample robe verte. Sans se retourner, l'alchimiste lança à l'adresse des deux visiteurs :

– Messieurs les gardes, si vous dérogez à l'une de ces règles que j'ai eu l'audace d'édicter et pénétrez en mon antre sans prendre le soin de frapper le huis, j'ose humblement espérer que vous vous êtes affranchis de cette prière personnelle pour un motif d'urgence ou en sachant que votre venue serait pour moi une source de grande joie ! Chassez ce triste nuage qui assombrit ma vie et apprenez-moi que cette pie a expulsé ce qu'elle m'a volé.

Alis et Lamkikoup pénétrèrent dans le laboratoire. La jeune guerrière avait repéré le drôle de bâton, posé contre le mur, presque à portée de l'alchimiste en robe. L'extrémité de cet étrange bâton, sculptée pour former une sorte d'entrelacs compliqué, était brisée. Alis estima que si l'alchimiste faisait mine de tenter de s'en emparer, elle l'atteindrait avant qu'il ait le temps de s'en munir.

- En fait, on l'est pas des gardes. On l'est même pas des messieurs. Enfin pas tous les deux.

L'alchimiste se retourna lentement, le sourcil gauche arqué. Il était sans aucun doute surpris de cette intrusion, mais s'il se trouvait apeuré, le savant n'en montra rien.

- Décidément, on foule du pied mon repaire avec une effarante simplicité. Qu'a-t-il encore de secret ? Tristes personnages, j'estime que vous êtes de mèche avec la cambrioleuse qui vous a précédés en ces lieux ? Ma turquoise m'ayant été de manière vile dérobée, qu'est-ce que vous pourriez bien vouloir soustraire à ma possession ?

- On pourrait faire d'une pierre deux chandelles, te tuer et tout te voler.

- On le cherche tes dicaments de Platroginal.

Alis et Lamkikoup avaient répondu exactement en même temps.

L'alchimiste croisa les bras et prit un air amusé et intrigué à la fois. Ses traits fins et sa petite barbiche bien taillée le faisaient ressembler, aux yeux de la jeune guerrière, à une grande fouine sympathique.

- À voir le sang qui oint vos lames respectives, je n'oserais supposer que vous hésiteriez à m'occire. Mais qu'est-ce que vous y gagneriez, hardis mercenaires ? Tout ce qui m'entoure n'a de valeur que pour un érudit, un confrère ou un revendeur de verroterie. À ce que je vois, mademoiselle n'est guère souffrante, vous avez donc été mandatés par une tierce personne pour lui procurer du Platroginal. Quelqu'un d'assez riche pour se permettre de louer les services de deux aventuriers relativement costauds et quelqu'un d'assez important pour que la nécessité de ce remède soit secrète. Par exemple si l'épouse d'un noble s'était montrée libertine... Je comprends surtout que vous prétendez n'avoir rien à faire avec la femme qui a détruit mon sceptre chéri. Ainsi, voici ce que je vous propose : rangez vos lames dans leurs étuis respectifs et je vous désignerai lequel, parmi tous ces flacons, contient l'antidote à la vagiplatrie.

Alis avait arrêté d'écouter Mycostère après qu'il ait utilisé le verbe "occire". Elle regardait les différentes fioles, curieuse. Lamkikoup s'était avancé en direction de l'alchimiste, son poignard courbe à la patte.

- La femme dont tu parles a déjà pris la poudre d'escalope. Tu pourrais nous montrer le platrotruc maintenant ou je te tue et je ramasse tout ton bazar même si je dois faire dix-huit voyages.

- Je n'en doute pas, fieffé sauromme. Vu que ma prisonnière s'est échappée, je crois, sans prétendre avoir appris à vous connaître en quelques secondes, que vous ne serez pas insensible à la proposition que je suis sur le point de vous faire. Écoutez plutôt…

- Si tu veux juste gagner du temps pour que tes gardes viennent te protéger, c'est cause perdue, petit porteur de jupe. On les a tous fait passer d'âmes à très peu.

- Ce n'était pas du tout mon intention. J'avais osé le déduire, et je pensais vous l'avoir fait comprendre, lorsque je me suis permis une remarque à propos des traces sur vos armes. Si je regrette la mort de ces individus, surtout celle de Gustavon, qui était un brave homme[21], je ne nourris

---

[21] Gustavon était effectivement un chic type. Dernier-né d'une famille de pécores des Terres du Loup, il avait perdu très tôt ses parents, dévorés par un gobelynx. Courageusement, Gustavon avait rejoint la glorieuse cité de Libre-Ville malgré son jeune âge. Il avait travaillé dur, et bien, économisant la moindre pièce qu'il gagnait. Une fois un pécule suffisant amassé, le jeune homme fonda sa propre guilde : la Confrérie Humaniste Impartiale des Pauvres Sympathiques. Son objectif était de venir en aide aux nécessiteux : il embauchait des individus en détresse financière pour accomplir des travaux qui ne demandaient pas de qualifications particulières. Sa guilde, arborant un pouce levé, permit ainsi de replacer sur le marché du travail des centaines d'indigents. Dénué de toute motivation vénale, Gustavon partageait les revenus de la Confrérie Humaniste Impartiale des Pauvres Sympathiques entre tous ses membres. Il avait pour habitude d'accompagner ses employés sur le terrain, montrant ainsi l'exemple à suivre pour quitter la précarité.

aucun espoir de ce côté-là. Je pense pouvoir influer sur mon destin grâce à votre supposée mais néanmoins certaine avarice : j'ai une offre à vous faire, une mission urgente et importante à vous confier, pour laquelle je suis prêt à engager, au nom de ma guilde, une somme d'or qui dépasse vos espérances.

- J'ai déjà une mission importante, je dois former la meilleure guerrière que le royaume n'ait jamais vu. Et aussi ramener le plastrogisco. Je ne vais pas courir trois fièvres à la fois.

- Moi je l'aime beaucoup des quêtes. J'aimerais au moins savoir ce que vous l'avez comme mission.

- Ce que je vous propose, une fois le Platroginal livré à votre mandataire, c'est que vous retrouviez la femme qui, quelques heures auparavant, s'est introduite jusqu'ici, dans mon atelier, pour me dérober l'âme de mon sceptre.

- Tu le veux dire Pernicia ? La fille borgne ?

- Elle a effectivement indiqué s'appeler ainsi. Connaissant un certain vice qui m'afflige, cette dernière est parvenue à s'introduire jusqu'ici pour que je me glisse en elle, ou inversement, dans un objectif de repos et de détente. Mais la vile vilaine avait comme unique dessein ma perte et ma tristesse : profitant d'un moment d'inattention coupable mais agréable de ma part, elle a ôté la pierre précieuse qui sertissait mon bâton, preuve de mon rang au sein de la Guilde des Alchimistes Revanchards Carrément Obligés d'être Noctambules. Les hommes de la Confrérie

Humaniste Impartiale des Pauvres Sympathiques sont immédiatement intervenus lorsque j'ai repris mes esprits mais cette sournoise personne avait déjà réussi à dissimuler le fruit de sa rapine quelque part. J'ai demandé aux hommes de la fouiller du mieux qu'ils le pouvaient, je leur ai préparé une décoction laxative afin de m'assurer qu'elle ne l'avait ingurgitée. En vain. Elle s'est sans le moindre doute enfuie avec la pierre de mon bâton. Je vous promets mille pièces d'or, pour vous deux, si vous me ramenez cette voleuse. Ou si vous me ramenez la turquoise.

Les yeux du sauromme, jusque-là plutôt ternes, se mirent à scintiller. Mille pièces d'or, c'était une véritable fortune. Avec cela, il pourrait définitivement raccrocher son khkr et mener une petite vie oisive, dans une ferme, avec un potager où des légumes pousseraient doucement et avec une marmite derrière laquelle une sauremme ferait mijoter quelque chose de copieux et délicieux. Il accrocherait son arme au mur, au-dessus de la table où il mangerait. Comme ça, les éventuels visiteurs seraient intrigués et Lamkikoup pourrait raconter ses exploits passés. Son épouse aurait pondu quelques œufs et parfois, il délaisserait son potager et ses petits travaux sans importance pour emmener les petits à la pêche ou pour les prendre sur ses épaules. Il leur raconterait ses aventures en prenant bien garde à ce qu'aucun de ses enfants ne s'engage sur la voie qu'il avait lui-même empruntée.

L'homme-lézard avait déjà frôlé du bout des griffes cet idéal, économisant une coquette somme, juste avant de rejoindre l'équipe de Nasfila, sa précédente employeuse prêtro-druidesque, mais un vieil ennemi avait ressurgi des limbes de son cœur et lui avait fait perdre jusqu'au dernier piastre : le jeu. Lamkikoup avait perdu tout ce qu'il avait en pariant sur d'une rencontre de schlagenballe opposant les Dynamiques de Bielsko et les Citoyens de Mange-Esther. Ruiné, il était reparti de zéro et pensait devoir accumuler des années de mercenariat avant d'avoir les moyens de prendre sa retraite. Lamkikoup avait suivi son instinct en choisissant d'accompagner la jeune guerrière qui avait par hasard croisé son chemin. Son sixième sens ne l'avait pas trompé : la richesse était désormais à sa portée.

Le sauromme résuma la situation à Alis, qui n'avait pas bien suivi : la femme qu'ils avaient rencontré leur avait menti, elle n'était pas venue pour trouver du plastrogipsy avec eux, mais les avait précédés et dérobé une pierre précieuse à l'alchimiste. Ils venaient de trouver leur prochaine mission : retrouver Pernicia et le joyau de Mycostère. Alis accepta sans hésiter la quête ainsi reformulée.

Alors que la nuit venait de tomber sur la plaine, Alis, Lamkikoup et Mycostère sortirent du repaire secret de l'alchimiste. Ensemble, ils se rendirent à la taverne du Porcelet Tourmenté, où une soirée spéciale était organisée. Un ogre endimanché triait les clients à l'entrée de l'établissement. Il laissa entrer les deux hommes mais signifia à Alis qu'elle ne pouvait pas participer aux réjouissances. Le sauromme revint alors sur ses pas, murmura quelque chose à l'oreille du physionomiste qui s'excusa et laissa entrer Alis, en lui souhaitant de bien profiter de la fête. Celle-ci battait son plein lorsqu'ils entrèrent dans la taverne : un homme-poisson extrêmement musclé, le corps huileux, dansait lascivement sur une table. Il ne portait qu'un court pagne d'algues brunes et une couronne de dents de requin. Autour de lui, une trentaine d'individus peu vêtus buvaient, s'embrassaient ou dansaient, mais moins lascivement que le professionnel. Deux ménestrels frappaient frénétiquement un rythme obsédant et saccadé sur de gros tambours. Les percussions étaient si fortes qu'il était difficile de se faire comprendre.

-Ça l'est quoi comme fête ? C'est le niversaire du gens avec de les dents pointues ?

En se penchant vers l'oreille d'Alis, Mycostère tenta de lui expliquer la situation le plus pédagogiquement possible.

- Il s'agit d'une soirée dansante pour individus célibataires. Ils cherchent l'âme sœur en dansant et en s'enivrant.

- La dernière fois que quand je me suis s'enivrée, je m'ai endormie dans la grotte. Ils boivent de la bière ?

- Ils consomment surtout divers types de champignons fermentés.

- On va pas traîner ici, ça me tape sur les conduits auditifs. Je vais chercher notre recruteur mystérieux et on lève le champ.

Lamkikoup fendit la foule pour se diriger vers le comptoir, à la recherche du nain qui les avait mandatés pour trouver du Platroginal. Mycostère profita avec un œil curieux du spectacle qui s'offrait à lui, impressionné par la musculature du danseur.

– J'ai toujours privilégié l'érudition à la culture physique et je ne regrette rien. Toutefois, je me demande si chaque individu possède les mêmes muscles que cet éphèbe, endormis ou recouverts de gras. Qu'en pensez-vous, jeune Alis ? Vous-même jouissez d'une charpente osseuse très propice au développement de…

L'alchimiste s'interrompit quand, se retournant vers son interlocutrice, il constata qu'elle avait quitté sa bavarde compagnie pour se mettre à danser, sans pudeur.

## Le livre des monstres

Le Palais Royal était presque complètement vide, le tournoi ayant repris après une première pause repas. Pernicia avançait tout de même avec précaution, discrètement et l'œil attentif aux éventuels pièges qui pouvaient avoir été disposés dans les appartements royaux. La voleuse avait facilement atteint le dernier étage du château royal. Elle entendait, dehors, les lointaines clameurs de la foule amassée dans l'arène, hurlant leurs encouragements aux Chevaliers de la Vipère et du Fuligule morillon qui s'affrontaient. Pernicia aimait bien le style nonchalant et l'allure débonnaire d'Ardexlan et aurait volontiers assisté à son combat, mais la voleuse avait bien plus important à faire.

Pernicia avait depuis longtemps apporté à la Reine de sa Guilde l'équivalent de son poids en pierres précieuses. Elle avait ainsi atteint, à un âge précoce, le rang estimé de Martin-Pêcheur. D'habitude, les Colibris mettaient de longues années à accumuler le trésor nécessaire à ce grade. Avec le titre de Martin-Pêcheur, Pernicia n'était plus une voleuse parmi les autres, c'était une hors-la-loi distinguée, avec des Colibris à ses ordres. Beaucoup de tire-laines auraient profité de cette situation confortable, mais pas Pernicia, qui rêvait d'égaler la légendaire Pie de Luxe. Aussi vite qu'elle avait gravi les échelons précédents, elle voulait continuer son ascension. Ainsi, elle avait ourdi un plan audacieux afin d'accomplir au plus vite son « acte magistral excellent de rapine », un vol unique et retentissant qui, s'il était reconnu comme tel par la Reine, lui ouvrirait les portes du statut de Corneille. Il fallait pour cela dérober un objet spécifique et de très grande valeur. Seul une dizaine de membres de la Guilde avaient atteint ce rang.

Après avoir mis le pied dans les Terres Royales sous prétexte d'assister au Bigrement Inédit Tournoi Exceptionnel, Pernicia avait profité de la manifestation pour s'introduire dans le palais désert. La voleuse borgne avait recueilli des informations capitales sur l'organisation de la surveillance et l'agencement du palais auprès d'un capitaine éméché. Ayant soigneusement préparé son intrusion, Pernicia savait exactement où aller et comment y parvenir sans se faire repérer par les quelques gardes encore en faction dans le bâtiment royal. Elle pénétra ainsi en toute discrétion dans la grande salle du trésor. C'est là qu'étaient entreposés les plus belles armures, les plus somptueux vêtements, les plus magnifiques bijoux royaux. La porte de cette salle hors norme était bien évidemment verrouillée et peu de privilégiés en avaient la clef. Là encore, Pernicia avait anticipé ce problème et y avait pallié en dérobant sans effort l'exemplaire de la clef appartenant au lieutenant Alphonsus pendant que celui-ci jouait à un jeu de société avec un autre subordonné du roi, la veille au soir. Parmi tous ces trésors, Pernicia n'en déroberait qu'un seul, un objet réputé pour être impossible à voler.

Il y avait dans cette salle les Grandes Armures des Chevaliers, déposées par leur propriétaire en ces lieux pour la durée du tournoi. Pernicia, malgré son peu d'intérêt pour les protections métalliques et leurs usages, resta bouche bée devant la beauté de la Grande Armure du Blaireau et la magnificence de la Grande Armure du Loup. Celles-ci ne devaient être portées que pour défendre la Déesse, le roi ou l'archipape et depuis la fin de la Troisième Guerre des Monstres, aucune d'entre elles n'avait été endossée. Aux murs étaient accrochées des œuvres d'art de valeur inestimable : des aquarelles de Claudine Fibre-Cil, des natures mortes de Béréwich Biscottesceau, une gigan-tesque toile représentant un repas gargantuesque et appétissant signé par le maître-peintre Gorgonze Mouliette. Et puis, il y avait des dizaines de couverts finement gravés, des serviettes tissées de fils d'or, des rince-doigts ornés de pierres précieuses. Pernicia aurait pu avoir l'embarras du choix, si elle ne s'était fixé un objectif précis.

La hors-la-loi aurait pu s'imaginer pénétrant dans le bureau de la Reine de sa Guilde avec la couronne d'Albertourte "Forte-Cuisse" le Foutriquet, ou avec son sceptre orné d'un pâté imputrescible et éternel, ou encore avec la légendaire hallebarde de Longe-Minus. La Reine aurait posé son sempiternel tricot, l'aurait félicitée et peut-être aurait-elle reçu une promotion, mais Pernicia voulait plus que ça. Pernicia souhaitait que la Reine soit surprise à s'en décrocher la mâchoire, que son garde du corps fasse quelques pas en arrière, ébahi. Elle rêvait d'entrer dans la légende de la Guilde, être réputée dans Alpédia, chantée dans tout le royaume.

Soudain, la porte qu'elle avait soigneusement et sans bruit refermée derrière elle s'ouvrit avec fracas. Un jeune demi-homme portant une fausse moustache et un déguisement de garde de la Guilde Armée Royale Centralisée Économe ainsi qu'un félain faisant semblant d'être bossu, la tête sous la capuche de son ample cape vert foncé, entrèrent dans la salle du trésor. Leur travestissement était plutôt élaboré, toutefois l'œil de Pernicia, unique mais avisé, ne pouvait pas être trompé si facilement : elle avait immédiatement reconnu le prince Tasse-Dent et l'héritier des Bois-Mort du chat. Pernicia s'était dissimulée derrière un rideau protégeant des rayons du soleil une statue en papier mâché représentant un homme-lapin géant et les deux jeunes gens n'avaient aucune idée de sa présence dans la salle des trésors.

– Wahou, le butin de ton père, il est vachement mieux que celui du mien. Et y'a plus d'armes et de trucs classes aussi.

– C'est une salle des trésors, pas des butins… Tu as vu, Tart', y'a un cadeau de ton papa, ici. Regarde.

Tasse-Dent désigna une sorte de pelote de laine dorée, posée sur un guéridon. Tartisco se prosterna dès qu'il la remarqua et murmura automatiquement une prière :

*– Que la Grande Pelote nous protège*
*Que son fil sans fin nous entraîne*
*À travers vents, pluies et neiges*
*À travers la joie comme la peine.*

Tartisco faisait preuve d'une dévotion à laquelle le prince demi-homme ne s'attendait pas, mais il ne fit aucun commentaire et se dirigea vers le fond de la pièce, à l'opposé du rideau où était planquée la voleuse. Le félain se releva, ronronna en effleurant du bout des coussinets l'objet de culte de son peuple et rejoignit son ami.

- Alors c'est ça, Egamorf ?

- Ouais.

- Elle est encore plus belle que dans les contes.

Ils étaient plantés devant une magnifique épée, étincelante, à la garde minutieusement sculptée. Son foureau était orné d'une couronne et d'une saucisse. Tasse-Dent fit quelques pas en direction de la somptueuse arme, puis il se ravisa.

- Qu'est-ce qu'il y a Tass-D' ? Y'a un piège ?

Le prince hésitait, le cœur gros. Il regardait ses pieds, évitait le regard de son camarade félain.

- Je suis pas sûr de pouvoir faire ça. C'est du vol.

- Mais arrête, c'est comme si elle était à toi, de toute façon. Quand tu seras le roi, tout ça sera à toi. Tu peux pas te voler toi-même.

Tasse-Dent s'était introduit en ces lieux afin de s'emparer de la plus belle épée de son père avant de prendre la poudre d'escampette. Lorsque Tartisco lui avait suggéré cela, il trouvait cette idée légitime mais maintenant qu'il se trouvait dans la salle des trésors royaux, le prince n'était plus certain de la pertinence de ce chapardage. Avant cette intrusion, les deux princes s'étaient rendus dans la chambre à coucher royale. Tasse-Dent avait laissé son fragment d'hexakis octaèdre sur la table de nuit de son père, ainsi qu'une lettre qui lui expliquait son départ.

- En plus, je sais pas très bien me battre.

- Tasse-D', Schnappi va bientôt penser qu'on fait drôlement long aux toilettes, il va aller voir ce qu'on fabrique et il va remarquer qu'on s'est carapatés, alors faut te dépêcher ! Prends le truc qui a le plus de valeur et on se taille !

- Tu sais, c'est pas l'épée légendaire Egamorf l'objet le plus précieux ici...

- Ha bon, et c'est quoi alors le truc qui vaut le plus cher ici ?

Le prince désigna un vieil ouvrage qui prenait la poussière, isolé sur un piédestal. C'était un épais grimoire de cuir gris, aux pages noires. Un entrelacs de centaines de serpents était gravé sur sa couverture et une dizaine de chaînes de métal enveloppait l'ouvrage, liées par un lourd cadenas. Il n'y avait toutefois aucune serrure pour l'ouvrir, seule une petite cavité ovale était creusée à la surface du verrou.

- Sans le moindre doute, c'est ça : le Livre des Monstres.

Tartisco s'approcha de l'ancien manuscrit, dubitatif.

- C'est moche, et j'suis sûr qu'y a même pas d'illustrations à l'intérieur. C'est sûrement juste parce qu'il y est super vieux qu'il est vachement cher.

Derrière son rideau, Pernicia aurait pu répondre à cet ignare que le Livre des Monstres avait une valeur inestimable à cause de ce qu'il contenait. Pour peu qu'on sache comment l'ouvrir, ce vieux grimoire offrait des pouvoirs incommensurables : la voleuse avait justement prévu d'offrir à la Reine de la Guilde le Livre des Monstres et ce qui faisait office de clef pour le déverrouiller. Tout ce qu'elle avait planifié, patiemment ourdi, ses innombrables recherches, les sacrifices auxquels elle avait consenti, tout cela devait lui permettre de dérober le légendaire Livre des Monstres. Elle n'allait pas laisser un félain, fût-il princier, se mettre en travers de son chemin. Il valait donc mieux pour lui qu'il ne décide pas de poser une seule griffe sur cet ouvrage.

- Tass-D', même s'il est nul faudrait trop qu'on emmène ce livre avec nous. On pourra le revendre et vivre peinards dans des auberges de luxe.

- Je sais pas trop, ma préceptrice m'a raconté pas mal de trucs qui font plutôt peur sur ce grimoire. Genre qu'il ne faut même pas le toucher.

- Occupe-toi de ton épée, moi je prends ça.

Avant même que Tartisco n'effleure le Livre des Monstres, Pernicia jaillit de sa cachette. Surpris, le félain n'eut que le temps de hérisser ses poils avant que la voleuse bondisse sur lui et le plaque au sol. Sans s'arrêter, Pernicia courut jusqu'au grimoire précieux, s'en empara et prit la direction de la porte d'entrée de la salle des trésors.

N'écoutant qu'un courage dont il s'ignorait capable, Tasse-Dent grimpa sur une armoire à chaussettes elfique[22], décrocha Egamorf de son présentoir et s'élança afin de s'interposer entre la voleuse et la porte, barrant ainsi le passage à Pernicia.

Tasse-Dent brandit l'épée Egamorf, une lame ancienne, forgée pour être maniée par des demi-hommes, parfaitement équilibrée et légère malgré son aspect imposant. Jaune clair du pommeau à la pointe, elle semblait avoir été taillée dans un seul bloc du même métal. Le prince tenait son arme des deux mains, et la dirigeait vers la voleuse. Pernicia fixa de son œil valide le blanc des yeux de Tasse-Dent, cherchant à déterminer si le prince était prêt à se battre pour l'empêcher de s'en aller. Elle tenait le grimoire sous le bras droit. Derrière elle, la voleuse entendait le félain qui se relevait.

- Laissez ce livre là où il se trouvait, vile voleuse !

- De ce que j'ai compris, tu es toi aussi en train de voler quelque chose. Laisse-moi me barrer, petit roi, et tout le monde sera content.

- Faites ce que dit mon pote, où je vous tue !

Pernicia quitta de l'œil un court instant le prince pour regarder rapidement le félain qui venait de lui parler. Tartisco était dans son dos, sa queue orientée vers elle. Au

[22] L'armoire pas les chaussettes.

bout de celle-ci, le félain avait fixé une petite arbalète à carreau unique[23].

La voleuse, coincée entre les deux princes menaçants, savait qu'elle n'avait plus le choix. Si elle voulait quitter les lieux avec le Livre des Monstres, elle devrait se battre. Il était hors de question d'abandonner son butin. Elle aurait préféré ne pas le faire ici même mais Pernicia, acculée, était prête à utiliser le grimoire.

- Ta majesté, je vais m'en aller, avec le Livre. Si tu ne me laisses pas passer, je l'ouvre.

Tasse-Dent, face à cette borgne désarmée, n'avait pas hésité à la menacer. Toutefois, la perspective de découvrir le contenu du Livre des Monstres le fit blêmir.

- Je constate à ta réaction que tu sais ce qu'on peut tirer de cet ouvrage…

Tartisco lui coupa la parole :

- Quoi, Tass-D', y'a quoi dans ce livre ?

- C'est que des légendes, c'est pas… De toute façon, personne ne peut plus l'ouvrir, il faut un truc magique pour déverrouiller le cadenas.

---

[23] Cette ingénieuse trouvaille, dénigrée par ses camarades aventuriers, avait sauvé la vie de l'homme-chat lors de sa confrontation avec le perfide Gobolino.

– Pas n'importe quel truc magique, petit prince, il faut une pierre d'âme monstrueuse.

D'un geste vif et sans hésiter, Pernicia arracha son bandeau, planta ses doigts dans l'orbite morte et en sortit la pierre qu'elle y avait caché, l'âme qu'elle avait dérobée à Mycostère la veille. La voleuse plaça le joyau dans la cavité du cadenas et celui-ci, ainsi que les nombreuses chaînes qui entouraient le livre, disparurent. Les milliers de serpents qui ornaient le grimoire se mirent à frétiller. Pernicia tendit les mains, ferma l'œil et ouvrit le Livre des Monstres face à Tasse-Dent. Un grondement terrible surgit de l'ouvrage.

Instinctivement, Tartisco décocha un carreau en direction de la voleuse. Alerte, Pernicia esquiva le projectile sans même se retourner. D'un bond, elle s'adossa contre l'un des murs de la pièce pour faire face à ses deux jeunes adversaires, le Livre des Monstres toujours brandi devant elle. Les pages qu'elle avait découvertes au hasard étaient illustrées, une terrifiante chauve-chimère y figurait. Le monstre d'encre hurlait et se débattait, comme s'il était vivant. La bête dessinée, comme prisonnière, cherchait à quitter les pages du grimoire.

– Tass'-D', c'est… C'est quoi ce livre ? Pourquoi y'a un dessin qui bouge dedans ?

– Le Livre des Monstres, c'est là-dedans que la Bienveillante Inquisition Fanatique Légiférant l'Existence a enfermé les…

Le prince héritier du royaume n'eut pas le temps de terminer sa phrase : l'effrayante chauve-chimère s'extirpa de l'ouvrage et en deux coups d'ailes elle fondit, les griffes en avant, sur le demi-homme. Conditionné par un long entraînement avec son maître d'armes Schnappi, Tasse-Dent eut le réflexe de contrer la charge du monstre en le frappant avec Egamorf, l'épée des rois. La chauve-chimère, surprise, reçut le coup en pleine caboche. Sa mâchoire saillante barrée d'une profonde lardasse, la créature grogna et dévoila ses longs crocs. Tasse-Dent recula, Egamorf dressée devant lui et appela son ami à l'aide.

- Tart', Tart' t'es là ? J'ai besoin de toi, mec.

Pernicia avait profité de la diversion offerte par l'assaut du monstre pour s'éclipser. Elle avait refermé le Livre des Monstres et s'était discrètement faufilée hors de la pièce aux trésors. Le prince faisait face à la chauve-chimère et ne faisait plus du tout attention à elle tandis que le félain, s'étant caché les fesses en l'air sous un guéridon Frangipon II, n'avait pas pu la repérer.

Aussi furtivement qu'elle avait pénétré dans le palais, Pernicia le quitta. Pour plus de discrétion, elle s'était vêtue d'une ample cape noire. Elle tenait le Livre des Monstres contre elle et la voleuse sentait le grimoire s'agiter, les serpents métalliques remuer.

## Le Bigrement Inédit Tournoi Exceptionnel

*(Deuxième partie)*

Après la victoire remportée de justesse par Yell, le Chevalier du Scutigère, sur Argus, le Chevalier du Faucon, puis l'épatant succès de Shouna, la Chevalier du Hibou, lors du spectaculaire combat à trois contre les Chevaliers de la Fouine et de l'Orvet, une pause bienvenue fut annoncée. Durant celle-ci, des collations succulentes et en grande quantité furent généreusement distribuées au public. Le goûter terminé, le second tour de la joute royale fut proclamé. Si l'absence de Tartisco resta inaperçue, bien des gens remarquèrent la disparition du prince Tasse-Dent.

Schnappi avait escorté les deux princes tout à l'heure jusqu'aux latrines où ils avaient prétendu devoir se rendre urgemment. Dans l'intimité des lieux d'aisance, Tasse-Dent et Tartisco avaient revêtu les déguisements préalablement dissimulés. Ensuite, ils s'étaient mêlés aux spectateurs qui profitaient de la pause pour se soulager et avaient pu s'en aller au nez et à la barbe du maître d'armes pour prendre la direction du palais (et de la salle des trésors). Schnappi était finalement allé ouvrir les cabinets pour constater que les princes s'étaient carapatés. Il resta de marbre, figé, se demandant sincèrement s'il allait avoir le courage d'annoncer à Califourchet Haute-Couronne VI que son fils venait de disparaître à nouveau, quelques jours seulement après son retour.

Califourchet et son épouse avaient bien évidemment remarqué l'absence de leur rejeton. Le roi imaginait de manière légitime que Schnappi le surveillait de près et que son fils était allé papoter avec les Chevaliers, ou alors qu'il était allé voir les combats depuis un autre endroit. La reine ne s'inquiéterait pas tant que le roi resterait tranquille. Elle réglait son ton sur celui de son mari, qui lui-même attendait que son épouse réagisse pour lui faire remarquer l'absence de leur fils. Le roi profita donc, l'esprit léger, de la chanson du troubadour qui annonçait la reprise du tournoi.

– *Que c'est un grand honneur, combattre au vu du roi,*
*De la reine, du prince et de fins connaisseurs !*
*Certains Chevaliers ont subi l'épée de bois*
*Et mis genou à terre au-devant de meilleurs*
*Avec l'honneur et sous les yeux de la Déesse*
*Qui veille toujours sur ses bien-aimés enfants,*
*Qui nous regarde tous avec même tendresse.*
*Chevaliers, reprenez vos joutes à présent.*
*Du Muscardin, ce Chevalier qui jusqu'alors*
*Cachait son jeu, sa vitesse et pugnacité,*
*Ou du Tétras, ce Chevalier dont la valeur*
*N'a pas d'égale hormis son efficacité*
*Qui va donc remporter le combat qui suivra ?*
*Ne me demandez guère, moi je ne le sais pas*
*Mais un conseil pour ceux qui savent deviner,*
*L'Aimable Guilde Autorisée des Parieurs*
*Endettés, elle, peut les rendre rieurs,*
*S'ils n'ont point tort, de voir leur argent fructifier.*

La reine se pencha vers son mari, étonnée par la conclusion de l'ode qu'elle venait d'entendre.

– Je le trouve un peu particulier ce ménestrel. Est-ce que nous l'avons déjà ouï ?

– Ça ne me dit rien, ma mie. C'est pourtant un barde de bon niveau, il vient des Trois-Déesses pour remplacer Golcoton Branche-Rance.

– Feu Golcoton Branche-Rance.

Les deux combattants vinrent se positionner au milieu de l'arène.

Ire-Timide, le Chevalier du Muscardin, se défendit aussi bien qu'il le pouvait face à un adversaire aussi talentueux que Beauvin Cent-Os le Chevalier du Tétras. Certains spectateurs estimaient que Beauvin Cent-Os faisait durer le combat pour rien, tant il était évident qu'il allait l'emporter, mais la vérité était que le Chevalier du Tétras respectait assez son adversaire pour le laisser tenter de lui porter quelques coups. Finalement, Ire-Timide fut désarmé d'une somptueuse botte à revers mi-caleçonnée et il abandonna le combat avant de se faire frapper par l'arme de bois du Tétras.

On savait déjà que Beauvin Cent-Os devrait ensuite combattre le Chevalier de l'Ours et tous se réjouissaient de cet impressionnant affrontement, qui verrait se mesurer la technique et la finesse de Beauvin Cent-Os à la puissance et la fougue de Bernon ; mais, dans l'immédiat, la joute suivante allait opposer Avouarée du Cheval et Sciefer Furyl, le mercenaire qui se battait pour le Chevalier du Blaireau.

La régente des Plaines du Cheval se tenait droite dans ses longues bottes qui montaient jusqu'à ses genoux. Son arme de bois dressée face à elle, touchant presque son délicat visage, Avouarée gardait les yeux rivés sur son adversaire barbu. Comme le lui avait enseigné Gobolino, elle ne portait aucune armure : ses seuls avantages face à un guerrier d'expérience comme le mercenaire ne pouvaient être que la vitesse et la technique. S'encombrer de protections lui aurait fait perdre le premier de ceux-ci. Contrairement à elle, Sciefer Furyl avait revêtu son imposante armure de plates. Il souriait en faisait tourner sur elle-même son épée dans sa main droite. Avouarée se sentait confiante : le mercenaire allait être gêné, ralenti par son armure. Elle ne comprenait pas pourquoi il se protégeait ainsi : que pouvait-il craindre d'une arme de bois ?

Le début du duel fut annoncé et Sciefer fonça sur sa rivale. Pendant sa courte course, il fit passer son arme de la main droite à la main gauche. Il arma un coup puissant, levant son bras au-dessus de sa tête. Avouarée se prépara à l'esquiver plutôt qu'à le parer et, comme elle l'avait scrupuleusement appris, se décala sur sa gauche. Sciefer Furyl avait anticipé la réaction du Chevalier du Cheval : son poing droit, ganté de fer, s'écrasa sur la joue d'Avouarée. Le choc fut si brutal et inattendu qu'elle tomba au sol.

Avouarée cracha du sang. Deux de ses dents tombèrent au sol. Elle se retourna sur le dos, s'appuya sur ses coudes sans lâcher son arme et recula. Avouarée voyait le mercenaire s'avancer vers elle. Elle comprit qu'il aurait le temps de la frapper à nouveau si elle se levait : elle devrait contre-attaquer en restant au sol. Accroupie, elle mit la main gauche au sol pour garder l'équilibre et décocha un vif coup de pied latéral dans la jambe de Sciefer Furyl. Elle avait visé avec précision le côté du genou gauche de son adversaire.

Un bruit sourd retentit dans toute l'arène et fit frissonner la plupart des spectateurs : lancée de toutes ses forces, la jambe du Chevalier du Cheval avait rencontré le lourd et froid métal de la genouillère du mercenaire. Sciefer Furyl n'avait même pas tremblé, il immobilisa le crâne de son adversaire en lui attrapant les cheveux et frappa de toutes ses forces le visage de la jeune femme avec son genou couvert de métal. Lorsqu'il lâcha son étreinte, Avouarée s'écroula au sol, face contre terre.

Sciefer Furyl se tourna alors en direction de Guésan, le Chevalier du Blaireau qui l'avait engagé. Levant les bras au ciel, il rugit. Le mercenaire savait que participer à ce tournoi royal était une excellente manière d'améliorer sa renommée et d'obtenir des contrats, des quêtes et des missions de la part des Chevaliers et dirigeants des plus prestigieuses guildes du royaume. Il avait notamment constaté la présence du roi de la Guilde Libre des Aventuriers Cherchant Outrageusement des Nouveautés, du président de la Guilde des Aventuriers Libres Élégants Retors et Efficaces et même de la maîtresse de la Guilde de l'Ombre Pourpre.

Le Chevalier du Blaireau semblait mal à l'aise. Il ne rendit pas le salut de son mercenaire, préférant regarder ailleurs. La raclée administrée à son homologue du Cheval ne semblait pas le satisfaire outre mesure. Alors que, triomphant, Sciefer dirigea son regard vers le roi, il entendit derrière lui un hoquètement. Étonné, il fit volte-face et découvrit Avouarée, le visage en sang. Elle tenait difficilement debout. Son nez était méchamment cassé, sa lèvre inférieure fendue et l'un de ses beaux yeux marron était clos, la paupière violacée. Sans quitter le mercenaire de l'œil elle se remit en position de duel, les bottes bien droites, l'épée de bois face à elle.

Irrité, Sciefer fonça à nouveau sur son adversaire, qui évita aisément son coup porté horizontalement. En rugissant, le mercenaire enchaîna plusieurs frappes brutales et puissantes, en avançant en direction de sa rivale. Avouarée se contentait d'éviter les coups, rapide malgré ses nombreuses blessures. Quand elle sentit que son adversaire prenait l'habitude de ses esquives, la Chevalier du Cheval para l'un des assauts.

Il n'était pas facile pour elle de contrer une frappe de cette puissance, mais elle avait misé sur le fait que les coups du mercenaire allaient perdre en force s'il en répétait trop à la suite. En tenant son arme des deux mains, elle réussit ainsi à contenir son adversaire. Dès que le geste de Sciefer Furyl fut interrompu, Avouarée se tourna sur elle-même et frappa son adversaire en pleine tempe.

La foule acclama le courage d'Avouarée et commença à scander son nom. Le troubadour profita de la liesse pour commencer à chanter :

*– Une touche pour le Cheval !*
*Sciefer n'a rien vu venir,*

*Même sans dents, faut le dire,*
*La dame mène le bal.*

Fortement courroucé par ce revers, Sciefer Furyl fondit sur Avouarée. Hurlant de rage, il arma son épée de bois au-dessus de sa tête. La Chevalier du Cheval se mit immédiatement en position de défense. Elle pensait faire mine de parer le coup puis reculer pour mieux contre-attaquer. Toutefois, arrivé à quelques pas de course de son adversaire, le mercenaire lâcha son arme et bondit sur elle. Surprise, Avouarée n'eut pas le temps d'éviter Sciefer. Celui-ci lui attrapa les hanches et la plaqua au sol. Ensuite, il écrasa les épaules de la jeune femme en plantant ses genoux dessus. Avecc son gant de fer gauche Furyl saisit fermement la gorge d'Avouarée. Il ferma son autre poing ganté et se prépara à l'abattre sur le visage immobilisé de sa rivale.

Avant que Sciefer Furyl ne la frappe, Avouarée eut le temps de frapper rapidement deux fois de suite le côté de l'armure du mercenaire avec son épée de bois.

Le troubadour annonça la victoire d'Avouarée mais Sciefer Furyl ne sembla pas l'entendre : il s'apprêtait à nouveau à la frapper en plein visage. Des gradins d'honneur, le Chevalier du Lynx Onésèphe Jarès bondit alors dans l'arène et il fonça avec une vitesse stupéfiante sur le mercenaire. Avant qu'il ait le temps d'atteindre Furyl, celui-ci s'immobilisa. Le mercenaire était pétrifié, son gantelet ensanglanté figé en l'air. L'archiprêtresse Izaamaribel s'était levée, non loin du roi, et avait tendu un index long fin en direction de Sciefer : son pouvoir divin empêchait le mercenaire de faire le moindre mouvement. Sans ménagement, Onésèphe le bouscula et prit délicatement Avouarée dans les bras. Déjà Latranne-Hisse se précipitait au chevet du Chevalier du Cheval pour lui appliquer des cataplasmes sur ses blessures. Une fois Avouarée hors de danger, Izaamaribel cessa sa prière et son pouvoir se dissipa. Sciefer Furyl, vaincu et à nouveau maître de ses mouvements, quitta les lieux. Malgré sa défaite, il savait qu'il venait de taper dans l'œil de nombreux recruteurs potentiels. Il sourit, conscient d'attiser ainsi la haine du public et l'intérêt de tous ceux qui cherchaient à louer des mercenaires intrépides.

# Le pacte

Les sentinelles orques de l'Egluteuz avaient averti Paulain de l'arrivée des guerriers nains dès que ces derniers étaient apparus à l'horizon. Ainsi, le chef des peaux-vertes s'était préparé à les accueillir à sa façon. Paulain avait depuis longtemps rejeté la violence et s'était juré de n'user de la force qu'en ultime recours, que ce soit la sienne ou celle de sa jeune et vigoureuse horde d'orques. Il savait que celui qui venait à sa rencontre n'était autre que le dirigeant de la Guilde du Rideau Ignifuge de Fer. On le nommait le Capitaine et il s'était récemment emparé de Sturmenbraz, l'ancien Château du Chevalier du Loup, au sommet duquel flottait désormais l'étendard des nains libres. L'ancien territoire de Krash, abandonné depuis la mort du Chevalier, se trouvait désormais divisé entre les terres hantées par les séides de la Nécromancienne, siégeant tout au nord dans le Château Perdu, le territoire occupé par les nains du Capitaine, au sud, et les Montagnes Foudroyées dans lesquelles Paulain et ses compagnons s'étaient installés, à la frontière des Terres du Sanglier.

Grâce aux longs-lorgnons inventés par leur chef dont ils étaient équipés, les éclaireurs orques avaient été en mesure de le renseigner très précisément : le Capitaine en personne faisait route vers les Montagnes Foudroyées. Il chevauchait son magistral bouc de combat, entouré d'une trentaine de marteliers de guerre et suivi par deux unités de catapulteurs mobiles.

Paulain était allé à sa rencontre. Le chef des orques libres était accompagné de son capitaine le plus imposant, Buzarbal, et de son chaman le plus inquiétant et ténébreux, Kreuztreuz. Une dizaine de mètres derrière le peau-verte, douze orques en armure noir ébène s'alignaient. Costauds et sombres, ceux-ci étaient disposés à cet endroit afin d'impressionner les nains qui s'approchaient.

Le dirigeant des peaux-vertes savait que le Capitaine pouvait voir d'un mauvais œil l'occupation orque des montagnes. Le chef des nains du Rideau Ignifuge de Fer se sentait peut-être à l'étroit, entre morts-vivants et peaux-vertes, ou alors imaginait-il que les montagnes recelaient encore des gisements de crèveroche que les nains pourraient exploiter. Peu importe : quels que soient les intérêts que le Capitaine venait défendre, Paulain trouverait une issue diplomatique à leur rencontre.

Les soldats du Capitaine firent halte à quelques dizaines de mètres des orques. Le chef nain fit avancer son bouc jusqu'aux émissaires peaux-vertes. Étonnament, seule une guerrière naine le suivait, portant une imposante pioche dans le dos. Lorsque le Capitaine s'arrêta, c'est la jeune femme aux cheveux tressés qui prit la parole.

– Paulain, souverain de l'Egultreuz, le Capitaine souhaite s'entretenir avec vous.

Kreuztreuz aboya aussi poliment que possible.

– C'est Egluteuz, pas Egultreuz !

La naine Pique-Broche était sincèrement confuse. Le Capitaine n'avait pas cillé, ses yeux surmontés d'épais sourcils bruns restaient plantés dans ceux, plus doux et plus clairs, de Paulain.

- Oh misère, je vous prie de m'excuser. Le Capitaine veut parler avec les orques sous la montagne.

- Capitaine, illustre dirigeant de la Guilde du Rideau Ignifuge de Fer, souverain de Sturmenbraz, vainqueur des troupes de Gaugain l'Homme-Baleine, dompteur des boucs sauvages de Rubis-Sur-l'Ongle, je me permets de vous faire savoir que c'est avec honneur et plaisir que je vous accorde une entrevue. Vous serez le bienvenu, Capitaine, dans la modeste mais confortable salle de réunion plénipotentiaire prévue à des fins y relatives.

Le Capitaine accepta la proposition de Paulain et signifia cela en descendant de son bouc, dont il confia les rennes à Pique-Broche. Désarmés, les deux dirigeants marchèrent côte-à-côte jusqu'à l'entrée principale de la montagne. Ni les soldats nains ni les orques n'étaient enthousiasmés par la perspective de voir leurs chefs s'isoler, mais ils respectaient leur décision.

La décoration de la salle de réunion était sommaire : une table ronde couverte de bières en bouteille et de nourriture (dont la hauteur avait été abaissée afin de mettre à l'aise l'hôte nain), deux fauteuils mous et des rideaux crochetés à l'unique fenêtre, ronde et traversée par le soleil de midi. Paulain offrit au nain de s'asseoir, mais celui-ci refusa.

- Je ne suis pas là pour manger des petits gâteaux ni pour boire de la bière orque. Je suis venu vous dire de dégager de mes montagnes.

- Capitaine, vous m'en voyez navré. J'ai eu l'outrecuidance d'estimer que ce menu menu, ces petits amuse-gueules et ces quelques breuvages nous permettraient d'opérer un rapprochement certain et d'apaiser les tensions sous-jacentes entre nos deux communautés, tensions que je me permets d'estimer malheureuses et infondées.

- Bon sang, par le marteau de Viande-Laine, je n'ai jamais entendu un orque parler comme toi ! Tu as reçu une encyclopédie en plein crâne quand tu étais un petit bébé tout vilain, ou quoi ?

- Que nenni, il s'avère que j'ai bénéficié de l'inestimable privilège de recevoir une éducation morale, philosophique et linguistique de la part d'un homme d'exception, qui a malheureusement trépassé, pour ma plus profonde tristesse.

Le Capitaine s'approcha de la table méticuleusement dressée et se remplit une chope de bière aux épinards. Il renifla dédaigneu-sement le breuvage, puis laissa tomber contenant et contenu au sol.

- Tu parles très bien, mais tu sais écouter, aussi ? La Dame Loup m'a cédé Sturmenbraz, les anciennes Terres du Loup sont donc à moi, et à moi seul.

- C'est un postulat qui ne peut être formulé que jusqu'à ce que le Grand Temple désigne un nouveau Chevalier, si je puis…

Le Capitaine interrompit Paulain en se jetant littéralement sur lui : le nain bondit contre l'orque, qui tomba à la renverse. À genoux sur le torse du peau-verte, le Capitaine saisit le col de son gilet des deux mains et le tira vers lui afin d'approcher leur visage.

- Tu crois que je te crains ? Tu crois que j'ai les chocottes de parler en tête-à-tête avec toi ? C'est toi qui devrais avoir peur qu'on soit rien que les deux dans une pièce ! Tu insultes mon intelligence en alignant sous mon nez des danseuses en contre-plaqué que tu fais passer pour des guerriers, et maintenant tu me parles du Grand Temple et des Chevaliers ? Aucun humain ne me délogera du Sturmenbraz ! Aucun Chevalier ne m'empêchera de régner, tu entends ?

Les deux chefs étaient si proches que les longues canines de la mâchoire prognathe de l'orque frôlaient les joues barbues du Capitaine.

- J'ouïs à la perfection vos paroles et je partage assurément vos différents points de vue. Si vous vouliez bien accepter de prendre la peine d'écouter mon discours, j'aimerais avoir l'occasion de vous…

Le nain relâcha Paulain et se dirigea vers la table. Il avala goulûment une dizaine de petits sourires abricot-pois chiches.

- C'est bon, je t'écoute… J'avais de toute façon envie de me coincer un biscuit sous la dent.

- Je ne me permettrais pas de remettre une seule seconde en question la légitimité de votre souveraineté sur Sturmenbraz. Pour ma part, sachez que j'ai légalement acheté la jouissance des Montagnes Foudroyées à leur précédent propriétaire, soit le dirigeant de la Guilde des Actionnaires Unis Frauduleusement pour Financer Réglementairement leurs Exactions. Mon unique objectif est d'offrir un lieu paisible où les peaux-vertes de tout le royaume puissent exercer leur droit inaliénable à la liberté et au bonheur. L'Egluteuz n'a aucune revendication sur la moindre parcelle de territoire hors des montagnes où nous avons, légitimement j'ose le rappeler, élu domicile. Nous nous sommes proclamés peuple libre et sans frontière. Malgré le fait que nos cœurs soient assoiffés de paix, nous savons que le roi, l'Archipape ou n'importe quel Chevalier pourrait décider de détruire notre fragile compagnie, puisque la création d'une communauté indépendante du joug royal est anticonstitutionnelle. Aussi, j'ai…

- C'est trop long et trop compliqué. Va droit au but, l'orque. Tu vas me proposer un arrangement, alors autant le faire tout de suite.

Paulain se contraint à sourire à son interlocuteur.

- Sturmenbraz et les Montagnes Foudroyées sont des voisines qu'aucune animosité n'éloigne. L'existence de l'Egluteuz et la présence de la Guilde du Rideau Ignifuge de Fer entre les murs de Sturmenbraz ne sont pas antinomiques. Nos deux clans ont la possibilité de cohabiter dans les anciennes Terres du Loup. Diantre, nous pouvons nous entraider ! Un jour, vous aurez besoin d'un allié et, mes peaux-vertes et moi, nous serons là pour vous épauler. Un jour, les soldats morts-vivants de l'affreuse Nécromancienne s'approcheront de votre château et nous viendrons vous aider à les repousser. En échange…

- En échange vous vous attendez à ce que mes nains vous portent secours.

- S'il le faut. Au lieu de mener entre nos deux peuples une guerre sans fondement, soutenons-nous mutuellement. Nous aurons suffisamment d'ennemis, et je gage que nous nous en trouverons d'autres dans un futur proche. Ne nous en créons pas aujourd'hui, noble Capitaine.

Paulain accompagna bien respectueusement le Capitaine jusqu'à son bouc. Buzarbal et Pique-Broche étaient en pleine discussion, conversant calmement de la crédibilité de la métempsychose dans le récit mythologique de la création. Le nain n'avait pas desserré les dents depuis qu'ils avaient quitté le salon plénipoten-tiaire. Il saisit les rennes de sa monture et grimpa sur son hircine monture.

- Je vous souhaite un voyage de retour jusqu'à Sturmenbraz agréable et sans encombre. La communauté orque que je représente humblement se réjouit de l'entente éternelle entre nos deux peuples. Que Viandelaine vous soit propice, collègue souverain.

Le Capitaine s'éloigna sans répondre. Pique-Broche salua rapidement l'état-major orque.

Kreuztreuz demanda à Paulain si le pacte était scellé, conformément à ce qu'il avait prévu. Le chef des peaux-vertes se contenta de hocher la tête pour acquiescer. Le capitaine et les orques en armure firent demi-tour pour retourner à l'abri des Montagnes Foudroyées. Paulain resta immobile, le regard vers l'horizon. Il suivait des yeux l'escouade naine qui s'éloignait dans la plaine enneigée. Le Capitaine disparaîtrait bientôt, au loin. Buzarbal s'approcha de son chef, ostensiblement sur les nerfs. Le chaman, empli de respect pour le dirigeant, faisait toujours de son mieux pour formuler des phrases dignes de Paulain, avec un niveau de langage plus soutenu que d'ordinaire.

- Seigneur Paulain, j'imagine qu'il n'était pas aisé de parlementer avec un nain de l'acabit de ce Capitaine. Je présume qu'il s'agit d'un individu retors, suis-je dans le vrai ?

- C'est un gros fils de pute.

## Celui qui n'avait pas été invité

La foule était encore en train de scander son nom lorsqu'Onésèphe Jarès regagna le couloir qui permettait de sortir de l'arène. Le Chevalier du Lynx remit ses cheveux en place (bien attachés au-dessus de la nuque et passés par-dessus ses oreilles), s'épousseta et essuya son visage. Onésèphe saignait un peu de la pommette gauche. Il venait de remporter son combat contre le mercenaire Lenorok, engagé par Maudais, Chevalier de l'Aigle.

- Un bien beau combat, mon ami.

Le Lynx sourit : il avait immédiatement reconnu la voix de Broche-Veine. Grand, très athlétique, le visage carré, le Chevalier du Vespertilion à Moustaches tendit une main amicale à Onésèphe. Celui-ci préféra lui donner l'accolade.

- Ce mercenaire s'est montré particulièrement retors, très bien entraîné.

- Peut-être, mais il gît tout de même encore au milieu de l'arène et si tu n'avais pas passé la moitié du duel à te recoiffer, tu aurais sans doute plié le combat bien plus vite.

Le Chevalier du Lynx accepta la moquerie sans broncher. Il était sincèrement ravi de retrouver son homologue. Broche-Veine était le seul Chevalier à ne pas avoir été convié au tournoi par sa majesté Califourchet. Officiellement, le petit carton d'invitation n'avait pas atteint la ville de Goût-d'Âme, capitale des Montagnes du Vespertilion à Moustaches, mais tout ceux qui gravitaient autour du roi savaient que ce dernier ne portait pas Broche-Veine dans son cœur et qu'il usait d'astuces et de subterfuges grossiers pour éviter sa présence. Le Chevalier du Vespertilion était systématiquement ostracisé lors des réunions ou des agapes sous de fallacieux prétextes imaginés par le roi.

- Tu sais, Broche, qu'officiellement tu devrais être en cure à Chic-Ruban ?

- Notre majesté a beaucoup d'imagination. C'est donc ce qu'il a prétendu ?

Les deux Chevaliers parcouraient côte à côte les couloirs qui menaient de l'arène à la tour des invités, adjacente au palais royal.

- C'est bien cela. Et c'est vraiment dommage, j'aurais beaucoup aimé te voir combattre contre certains de nos collègues.

- Onésèphe, tu me connais assez pour deviner ce que je pense de tout cela. Non seulement il est ridicule de nous faire combattre sans nos armures et avec des épées de bois, mais en plus, Califourchet risque de se mettre à dos l'archipape et tout le clergé. La désignation des nouveaux Chevaliers est de la compétence de l'Augure et ne dépend pas de la volonté du roi ou de l'agilité au combat. Je suis prêt à parier qu'Hubertignac n'apprécie pas du tout cette idée.

- Tu as certainement raison.

Broche-Veine et Onésèphe Jarès s'étaient éloignés de l'arène, d'où provenaient les clameurs d'un nouvel affrontement. Alors qu'ils s'apprêtaient à pénétrer dans la tour des invités par la porte de service, protégée par deux gardes demi-hommes, un étrange fumet dérangea leurs narines.

- Onésèphe ? Tu sens ça, toi aussi ?

- En effet. Tu penses que c'est ce que je crois ?

Au lieu d'entrer dans la tour, les deux Chevaliers contournè-rent l'édifice, suivant la désagréable odeur qui devenait, pas après pas, plus prégnante. Ils surprirent un grand échalas, adossé contre le mur, la pipe à la bouche.

- Yell ! Tu n'as pas honte ?

Lentement, le Chevalier du Scutigère tourna son visage osseux et baissa les yeux sur Broche-Veine, qu'il dépassait en taille d'une douzaine de centimètres. Il souffla un petit nuage de fumée jaunâtre en direction de ses camarades, sans provocation, par amusement. Onésèphe se mit à tousser.

- Kof… KOF… J'y crois pas, tu fumes de la couenne de fromage en cachette… Kof !

Gêné, Broche-Veine n'était toutefois pas aussi incommodé qu'Onésèphe.

– Yell du Scutigère ! Tu es un Chevalier de la Déesse ! Comment oses-tu consommer un produit illégal, qui plus est dans l'enceinte du Palais Royal ?

– Tu vas me dénoncer au roi, Broche ? Tu n'es pas censé être à l'autre bout du royaume en ce moment ? J'aimerais bien savoir ce qui t'amène par ici, c'est certainement pas la joie de voir tes petits potes combattre, est-ce que ça serait pas pour les beaux yeux de …

Le Chevalier du Lynx intervint, conscient que Yell était sur le point d'évoquer un sujet qui pouvait rendre Broche furieux. Il souhaitait calmer le jeu.

– Kof… Tu as pensé à ton prochain combat ? Comment tu vas faire pour te battre si tu es encore… Kof ! … sous l'influence de ta couenne ?

– Bah, t'inquiète pas pour ça, j'affronte Ardexlan, le Fuligule Morillon. Même avec une meule entière dans le ventre, j'aurais pas de peine à le vaincre.

Broche-Veine était outré par le comportement du Scutigère mais il jugea préférable de ne pas perdre plus de temps avec lui. Il retourna sur ses pas sans ajouter un mot et Onésèphe le suivit, après avoir souhaité bonne chance à Yell. Dès que les deux Chevaliers furent entrés dans la tour, le Vespertilion à Moustaches se planta devant son camarade et lui posa les mains sur les épaules.

– Ce tas d'os avait raison sur un point, je ne suis pas venu ici pour le plaisir d'assister au tournoi. Onésèphe, je suis là pour que nous sauvions le monde.

– Carrément ? Et comment ? Enfin, je veux dire, le sauver de quoi ?

Broche-Veine avait un air sombre, le regard tourné vers l'horizon, quoi que celui-ci était restreint par les murs alentours.

– Je ne suis pas convié aux réunions, mais ce n'est pas pour autant que j'ignore ce qui se trame dans notre royaume. Je sais que la Nécromancienne est de retour, je sais qu'elle s'est constitué une armée de morts-vivants menés par des goules, anciens champions transformés en monstres immortels. Je sais qu'elle possède la tête de Shubarte l'éternel, qui la guide et l'entraîne. Je sais qu'elle a tenté de faire tuer un dragon afin d'ensorceler sa dépouille et d'en faire une monture revenue d'entre les morts. Je sais que son objectif était de se rendre sur la Grande Meule avec ce dragon mort-vivant afin d'y récupérer quelque chose. Je sais que ce plan malveillant a échoué mais qu'elle n'a pas renoncé pour autant à rejoindre l'astre maudit. Je sais que Califourchet n'a pas l'intention d'envoyer ses Chevaliers pour terrasser Enaxor.

– Tu es bien renseigné, Broche, c'est épatant. Tu comptes sur moi pour aller tuer la Nécromancienne, si j'ai bien anticipé ce que tu vas dire ?

- On ne peut pas l'éliminer, elle a appris à transporter son âme d'un corps à l'autre. De plus, la prêtresse dans laquelle Enaxor s'est incarnée aurait reçu le pouvoir divin de ne jamais être blessée par une arme, mais nous pouvons tout de même contrecarrer ses plans, la vaincre, la contraindre d'une manière ou d'une autre. Tu as bien compris ce que je voulais de toi, Onésèphe. Notre devoir est de protéger le royaume. Si le roi ne réagit pas, c'est à nous de prendre les armes et de sauver le monde. Est-ce que tu es prêt à le faire, Chevalier du Lynx ?

- C'est le cas. Tu le sais bien. Je ne prends pas ma fonction à la légère. Est-ce que tu vas demander à d'autres Chevaliers la même chose…

Les deux Chevaliers entendirent un cri puissant, bestial, provenant de l'intérieur du palais. Broche-Veine et Onésèphe traversèrent la cour et s'engouffrèrent à toute vitesse dans l'aile privée de l'édifice. Ils rencontrèrent des gardes demi-hommes.

- Qu'est-ce qui se passe ?

- On sait pas c'qui s'passe, messires Chevaliers. On doit garder le couloir, c'est tout. C'est pas dans nos prérogatives d'aller voir c'est qui qui crie là-bas en haut dans les appartements royaux.

Les cris reprirent, plus forts qu'auparavant. Ils reconnurent la voix humaine qui appelait au secours. Schnappi demandait de l'aide, près de la chambre à coucher du roi. Quand ils y entrèrent, ils trouvèrent le maître d'armes en situation délicate face à une chauve-vouivre. Schnappi était acculé dans un angle de la pièce, l'épée au poing. Une profonde balafre barrait son front, tout un côté de son visage semblait brûlé, à vif, et il souffrait d'une terrible blessure à l'épaule gauche, de laquelle son humérus ressortait.

La chauve-vouivre voletait, au milieu de la chambre, au-dessus de la couche de Califourchet. Sa bave jaunâtre et acide coulait de son menton et tombait, goutte après goutte, sur le sol où elle creusait de petits trous fumants.

– Broche, va t'occuper de Schnappi ! Je me charge du monstre.

Le Chevalier du Lynx attira l'attention de la chauve-vouivre en fonçant droit sur elle. Il la frappa à mains nues en pleine mâchoire, non sans éviter soigneusement sa salive empoisonnée. La créature beugla, Onésèphe courut prestement hors de la pièce et le monstre le poursuivit en volant. Broche-Veine s'élança au chevet du maître d'armes mal en point. Il sortit de sa ceinture tactique une petite fiole remplie d'une décoction personnelle.

Le long des couloirs du palais, la chauve-vouivre volait aux trousses du Chevalier du Lynx. Celui-ci décampait en esquivant tant bien que mal les crachats acides lâchés par le monstre. Onésèphe avait affronté de nombreux monstres, dans les étendues sauvages des Plaines du Lynx dont il avait reçu la régence ; il savait donc qu'il n'avait aucune chance de l'emporter face à une chauve-vouivre de cette taille, sauf s'il pouvait acquérir un avantage décisif. Pour cela, Onésèphe avait une idée bien précise derrière la tête. Tout en évitant les attaques du monstre, il avait traversé le couloir menant de la chambre à coucher du roi jusqu'à la salle des trésors. Il pénétra à l'intérieur de celle-ci et referma aussitôt la porte derrière lui. Le Chevalier du Lynx savait que la créature en viendrait rapidement à bout pour le poursuivre, mais il n'avait besoin que de quelques secondes.

Lorsque la chauve-vouivre détruisit avec fracas la porte de bois, Onésèphe Jarès l'attendait. Il avait revêtu le plastron et les gantelets de son armure sacrée, qui trônait comme toutes les autres dans la salle des trésors. La cuirasse divine que le Lynx portait semblait avoir été taillée dans du topaze : la lumière de l'extérieur la faisait bien joliment briller d'éclats bronze orange pêche. Les gantelets étaient pourvus de longues griffes de métal doré. Onésèphe n'avait pas eu le temps de s'équiper du reste de son armure : spalières, casque et genouillères gisaient encore au sol.

La chauve-vouivre hurla puis chargea le Chevalier chatoyant mais, dès qu'elle se mut, elle perdit de vue son adversaire : Jarès semblait avoir disparu. Bénéficiant des effets de camouflage de son armure, Onésèphe fonça sur le côté du monstre et avant que celui-ci ne le remarque, repérant un bruit ou décelant une odeur, le Chevalier du Lynx avait planté ses griffes dans la gorge de la créature malfaisante. La chauve-vouivre était terrassée.

Broche-Veine rejoignit Onésèphe Jarès à l'intérieur de la salle des trésors, Schnappi clopinant derrière lui. Il avait à la main la lettre que Tasse-Dent avait laissée à son père, ainsi qu'un fragment rutilant du rubis royal.

- Le prince a pris la poudre d'escampette. Il a mentionné le fait qu'il laissait quelque chose à son père.

- Tu crois que c'est lui qui a lâché cette créature dans la chambre de son père ?

Schnappi, pâlot et encore sous le choc de son combat, intervint.

- Jamais de la vie Tasse-Dent n'aurait jamais fait ça ! C'est un attentat ! Certainement ourdi par les révolutionnaires beaupéponistes. Il faut trouver le coupable.

- Vous avez raison, maître d'armes. Nous avons du pain sur la planche.

Broche-Veine se dirigea vers son armure divine.

## Au Pangolin Sans Pancréas

Crâne-Lard et Siffle-Abricot firent une dernière halte à l'auberge du Pangolin Sans Pancréas, sur la route menant de Pipeau-Sous-Flutine à Belle-Colline. Ils avaient fait une belle trotte durant les trois derniers jours et avaient croisé des centaines de personnes qui s'étaient rendues à la capitale pour assister au tournoi : marchands ambulants, spectateurs, hors-la-loi, mercenaires, écuyers à la recherche d'une place d'apprentissage, parieurs[24], forgerons, prostituées, bateleurs, troubadours, montreurs de monstres, mendiants. Ils prirent place à une petite table vide de la taverne, Crâne-Lard ordonna à son sanglier de rester sagement sous la table et Siffle-Abricot commanda deux chopines de bière du Vieux Gorille Festif.

- Ouais bin j'aimerais déjà voir la couleur de vos pièces avant de vous servir, les deux gueux.

Siffle-Abricot, épuisé, s'étonna de la réaction de la serveuse taciturne qui avait coiffé ses cheveux moches en deux escargots. Sans rien dire, il ouvrit sa petite bourse pour lui montrer qu'il avait largement de quoi payer. Il n'avait

[24] Quelques bookmakers clandestins œuvraient en toute illégalité, mais la plupart des parieurs plaçaient leurs mises auprès des plus importantes guildes y relatives, telles que la Guilde Organisée Utile aux Joueurs Obsessifs Novices, la Guilde Aidant les Miseurs Balbutiants Aimant S'enrichir et la Guilde Obscure des Individus Thésaurisant les Revenus des Empotés.

presque pas touché à la récompense offerte par Gladys la Glaciale pour lui avoir ramené Marika.

– Ouais bin j'préfère être sûre, on n'est pas là pour arroser gratuit tous les clodos.

Le druide et le barde comprirent qu'ils avaient été jugés à leurs vêtements et au manque de propreté de Crâne-Lard. Le nain voyait en cela un mal nécessaire : pour lui, un druide se devait d'être habillé aux couleurs de la forêt et de sentir l'animal rance. Il avait ses propres techniques pour sentir la bête musquée. Le druide s'était si bien habitué à la solitude qu'il préférait désormais, de loin, la compagnie des bêtes à celles des créatures bipèdes. La seule exception, c'était Siffle-Abricot. Il se sentait bien avec lui.

Alors que le barde s'était rendu aux latrines et que Crâne-Lard commençait à siroter avec plaisir sa bière, un autre nain, longs cheveux tressés et barbe peignée ornée de rubans, s'assit en face de lui. Il portait de somptueux vêtements et le druide remarqua que deux gobelins, patibulaires et musclés, restés en plan à l'entrée du bouge, gardaient un œil sur eux. L'un d'entre eux avait la moitié du corps brûlé et rongé de vilaines cloques. Le second avait sa sale figure barrée d'une longue cicatrice.

– Bien le bonjour, camarade ! Serveuse ! Un tonnelet de bière De Chez Nous !

– Bonjour à vous, répondit Crâne-Lard.

- Ça me fait bien plaisir de m'asseoir à la table d'un cousin. Depuis que j'ai quitté les Monts d'Or pour prendre la route, je n'ai pas pu partager une bonne bière avec un nain ! Ça me manquait. Et tout ce qui était servi à ce tournoi, c'était du pinard... ou alors de la prétendue bière... pff, de la bière tellement coupée que le brasseur serait pendu par la barbe s'il servait ce genre de breuvage aux Monts d'Or ! Ha ! Tu as déjà bu de la Torcheuse ?

- C'est une bière brassée par la famille Courgeverge, c'est ça ?

- Oh ! Monsieur est connaisseur ? Ouais, soi-disant la meilleure bière du royaume, selon sa majesté Califourchet, bin moi je l'utiliserais pas pour me rincer les doigts. Tu étais aussi au tournoi ? T'as assisté à la nomination du remplaçant du Chevalier du Loup et du Renard ? Tu sors d'où, attifé comme ça ? T'es une sorte de rôdeur ?

- Non, en fait, je suis druide.

- Un nain druide ? Purée de pommes de terre, j'ai bien fait de m'arrêter par ici. Mais en fait, je papote et j'oublie tout des bonnes manières naines. Je suis Gornavel, fils de Erre-Pied-le-Vigoureux, ami du seigneur Chili-Guerre, honnête marchand parfois itinérant et digne patriarche d'une petite marmaille de nains bruyants et adorables.

Il tendit sa main droite au-dessus de la table. Le druide la saisit et ils se saluèrent fermement.

– Enchanté, Gornavel. Je suis Crâne-Lard. Excuse-moi de te demander ça, mais…

– Vas-y, hésite pas, demande-moi ce que tu veux, cousin.

– … les deux types à l'entrée, ils sont là pour te protéger ?

– Ha, ceux-là ? Mais ouais, c'est des gardes du corps, des mercenaires. Tu penses bien, avec le petit magot que je me trimballe, je me déplace toujours avec quelques gaillards nourris à la viande crue prêt à distribuer des baffes. Ils impressionnent les éventuels voleurs, ils découragent un peu les bandits. En fait, en partant des Monts d'Or j'avais à mes côtés trois frangins, des nains bien de chez nous, mais ces couillons sont restés à la capitale. J'ai engagé ce qu'il y avait de mieux sur place, enfin ceux qui proposaient le meilleur rapport qualité-prix je veux dire, tout est une affaire de commerce. En tout cas, il paraît que ceux-ci sont increvables. C'est pas que ces frères étaient de mauvais bougres, ils m'ont demandé l'autorisation de rompre le contrat avant de le faire. Ils se sont vus offrir de chouettes postes chez le nouveau Chevalier, alors j'allais pas leur barrer leur carrière, tu vois. En fait, j'étais sûr que t'allais plutôt me poser une question à propos de mon nom.

– Ha bon ?

Le tonnelet de bière leur fut servi, ils trinquèrent amicalement.

– Ouais, la plupart du temps, les gens sont sidérés de rencontrer un nain comme il faut, un nain de ma trempe, avec un nom elfique. Mais tu vois, mes parents savaient bien ce qu'ils faisaient en m'appelant comme ça. Notre sang est plus riche que ce qu'on veut nous faire croire. Ils croient pouvoir s'accaparer tous les noms anciens et historiques mais on ne leur doit rien. Si les peuples impurs nous volent nos noms, on peut bien prendre ceux des elfes. Tu comprends, mon frère ? Notre peuple est issu de la roche, nous sommes aussi anciens que les montagnes. Tout ce qui se trouve dans le royaume est légitimement à nous… Tu vois ce que je veux dire ?

Un peu gêné, ayant trop bien compris ce qu'avait voulu suggérer Gornavel, Crâne-Lard attendit un peu avant de prendre la parole et prit un air candide.

– Ouais, bon, tu sais, aujourd'hui les noms c'est plus tout-à-fait comme avant. Je veux dire, il y avait plein de gens qui ont des noms de nains, juste parce que c'était à la mode à une époque... Il suffit qu'un nain cartonne au schlagenballe pour que des humains, des demis-hommes ou, je sais pas, n'importe qui porte son nom.

– Haha, tu penses au prince Tasse-Dent quand tu dis ça.

– Non, c'est pas n'importe qui. Enfin, par exemple. Mais je trouve ça plutôt bien, finalement.

Pas convaincu, Gornavel termina son verre et se resservit immédiatement. Crâne-Lard relança la conversation.

- Juste avant, tu parlais d'un nouveau Chevaler du Loup et du Renard. C'est récent, ça, l'Oracle a désigné quelqu'un ?

Le marchand s'essuya la barbe du revers de la manche.

- Ha ouais, c'est vrai que t'as pas vu le tournoi royal ! Mon petit pote, tu as loupé quelque chose. Il me faut des saucisses et du porc, je vais commander à manger. Tu m'accompagnes ? Je vais dire aux deux gaillards de venir s'attabler aussi.

Crâne-Lard sentit que son sanglier s'énervait sous la table, réagissant à l'idée que du cochon soit mangé juste au-dessus de lui. Le druide le calma en lui flattant le fanon.

- C'est sympa mais je ne vais pas manger, en tout cas pas de ça, en fait, je ne mange pas de viande.

- Tu ne devrais pas faire de trucs de ce genre. On ne blague pas avec ce qui nous nourrit ou étanche notre soif. Cela fait partie du Code des Hommes Immortels de Pierre Sacrés. Tu le connais, au moins ?

- Je sais ce qu'il est écrit dedans. Plus ou moins. J'en ai entendu parler, par ci, par là. J'ai pas été élevé par des nains, j'ai grandi au nord des Terres du Loup, mon père était… un guerrier, un mercenaire, et il m'a vendu à une famille locale, des humains. J'ai longtemps cherché mon héritage culturel, mais je n'ai jamais trop eu l'occasion de côtoyer la société des nains.

Gornavel était sincèrement peiné pour le druide. Ses deux gardes du corps vinrent s'asseoir à côté de lui, après avoir très poliment salué Crâne-Lard.

- Mes refpects monfieur, fe m'appelle Tan, fe suis merfenaire.

- Falut, enfanté. Fe fuis Daf.

Les gobelins n'étaient pas plus grands que Crâne-Lard et Gornavel mais ils imposaient naturellement le respect, par leur dégaine et les cicatrices des nombreux combats qu'ils avaient menés. Le marchand nain commanda un repas complet pour les deux mercenaires, puis il reprit la parole.

Siffle-Abricot revint des commodités et se présenta en rimes aux trois inconnus qui s'étaient attablés. Malgré sa précédente diatribe, Gornavel ne réagit pas en constatant que le barde humain portait un nom nain. Affable, il partagea avec lui bières et saucisses.

- Avec tout ça, Crâne-Lard, je t'ai toujours pas raconté le tournoi ! Déjà, je sais pas si tu sais vu que tu viens de la campagne, mais c'était la première fois qu'un tournoi était organisé rien que pour les Chevaliers. En plus, là, le vainqueur allait remporter rien d'autre que la souveraineté sur les territoires du Renard et du Loup. Parce que les Chevaliers en question, Lorde Ouragan et Krash, sont morts. Il y a eu plein de combats, je les ai pas tous vus... Mais en bref, déjà, il y a eu un combat entre la Grenouille et le Lièvre, ça faisait trop pitié. Le Chevalier, là, Gattara, tout de suite il était par terre, incapable de se relever, et Fesse-Auge a fait méchamment durer le plaisir. Sinon, il y a pas eu trop de surprise... À part le Muscardin et le Cheval. Voilà, Ire-Timide a gagné son premier duel, alors qu'il est vraiment tout mou ce mec. Mais pour en venir à Avouarée, elle a remporté son premier combat, contre le Chamois, Chlimachin. Ensuite, elle a dû affronter un mercenaire engagé par le Blaireau, un ancien soldat du Loup, Sciefer Furyl.

- Un long type tout maigre ?

- Heu oui, c'est ça. Tu le connaissais ?

- Je vois qui c'est, oui. Quand il était dans l'armée du Loup, c'était un capitaine respecté en tout cas.

- Ouais, bin il s'est complètement lâché durant son combat contre Avouarée. Il lui a massacré la tronche, ce qui déjà était dommage parce qu'elle était vraiment jolie, appétissante et tout, enfin, pour une humaine. Malgré cela le Cheval a gagné, elle a touché trois fois Furyl. À partir de là, c'est devenu la coqueluche du public. Après, de tête hein, je suis plus certain, tu vois, plus le tournoi avançait et plus je buvais, mais ensuite le Tétras et l'Ours se sont battus, c'était un duel génial, très serré. C'est le Tétras qui a gagné, de justesse. Ensuite il a battu le Chevalier du Lynx, enfin il a pas gagné, c'est qu'Onésèphe Jarès ne s'est pas pointé au combat. En finale, le Tétras a affronté le Lièvre, qui avait battu le Hibou, un joli brin de fille, juste avant. La finale était vraiment moins emballante, le Lièvre a passé son temps à courir et tourner autour du Tétras pour l'épuiser. C'était vraiment long, mais c'est quand même Beauvin Cent-Os qui a gagné. Un moment, Fesse-Auge, à force de courir dans tous les sens, il a glissé ; et là, Cent-Os lui a bondit dessus et, d'un seul coup en pleine caboche, il a assommé le Lièvre.

– *Que voilà donc un piètre vainqueur*
*Et sans la moindre espèce d'honneur.*
*Un vil Chevalier a mis la main*
*sur de bonnes terres, c'est malsain.*

– Tu trouves ? Mieux vaux le Tétras que ce fourbe de Fesse-Auge ! Reprends donc une chopine, l'ami ménestrel !

Gornavel interrogea plusieurs fois le barde sur le but de leur voyage dans les terres royales mais Siffle-Abricot éluda à chaque fois le sujet. Il n'avait aucune envie d'expliquer au marchand bavard qu'ils allaient demander audience au roi.

Siffle-Abricot, les nains et les gobelins trinquèrent une fois, puis une autre, et une dizaine de fois encore. Crâne-Lard s'éclipsa bien vite pour aller dormir avec son sanglier, sous les étoiles.

***

Le lendemain matin, Crâne-Lard et Siffle-Abricot atteignirent les portes du palais royal pile à l'heure de l'inscription à la séance hebdomadaire de doléances. Le scribe au guichet nota leur nom, leur occupation et le motif de leur demande d'entretien avec le roi. Crâne-Lard souhaitait rester évasif à ce sujet et indiqua, après réflexion : « invasion de nuisibles dans tout le royaume ».

Ensuite, les deux compagnons furent conduits dans un couloir où ils étaient priés d'attendre leur tour, assis sur une confortable banquette. Touffe, le sanglier invisible du druide, se coucha docilement à ses pieds. Il y avait autour des deux compères une trentaine d'autres personnes qui avaient requis en cette matinée calme une entrevue avec Califourchet. En majorité des demi-hommes, quelques humains et un orque.

Une femme mûre et séduisante, les cheveux gris et courts, s'engagea dans le long couloir en compagnie d'une fillette aux cheveux bruns difficilement peignés, vêtue d'une magnifique robe jaune. La femme portait plusieurs grimoires et, malgré la distance, Crâne-Lard l'entendait réprimander sa disciple.

– Mademoiselle ! Combien de fois faudra-t-il vous dire de ne point colorier les illustrations de vos beaux grimoires de lecture ! Encore et encore, je me vois contrainte de vous confisquer vos outils scripteurs et pensez bien que j'en suis marrie. Vous constatez ce que vous me contraignez à faire, jeune péronnelle ?

Les grands yeux noisette de la fillette débordaient de larmes. La préceptrice n'accorda pas un regard aux personnes qui attendaient leur entrevue avec le roi lorsqu'elle les dépassa, mais Yuyiyine s'arrêta à la hauteur de Crâne-Lard et s'agenouilla.

- Il l'est beau ton sanglier, Crâne-Lard. Je l'aime beaucoup.

Elle caressa doucement l'animal entre les oreilles, puis s'en alla, lorsque Vérosson Manique l'enjoint verbalement à la suivre plus prestement.

Le druide n'avait pas reconnu Yuyu, tant elle était métamor-phosée depuis qu'il l'avait sauvée des griffes de la Nécromancienne. Il resta sans voix : personne n'avait jamais remarqué son animal totem. Même Léon, le druide malodorant qui lui avait rapidement transmis sa fonction, n'avait pas pu le voir. Le nain voulait en avoir le cœur net et rattraper Yuyiyine avant qu'elle ne s'éloigne trop, mais à l'instant où il se leva, la porte de la salle des quémandeurs s'ouvrit.

- Crâneur-Fard, druide et Slip-Artichaut, barde : c'est à vous.

Les deux compères n'osèrent pas corriger le garde demi-homme qui les avait appelés. Un peu effarouché par son imminente confrontation avec le souverain du royaume, Crâne-Lard souffla un bon coup. Crâne-Lard et Siffle-Abricot pénétrèrent dans la salle majestueuse.

Au fond de celle-ci, entouré de cinq gardes demi-hommes, Califourchet Haute-Couronne VI siégeait sur un trône magnifiquement travaillé. Des dizaines d'aliments y avaient été subtilement sculptés : saucisses, pâtés, légumes, autres pièces de charcuterie diverses. Même les meules de fromages ciselées à l'époque où les produits laitiers fermentés étaient légaux demeuraient gravés dans le wacapou clair du siège où reposait le roi. Un œil avisé aurait constaté que Schnappi, exceptionnellement, ne se trouvait pas à proximité immédiate du roi, mais ni Crâne-Lard ni Siffle-Abricot ne pouvaient le remarquer.

Un long tapis vert bordé de fils d'or, d'une vingtaine de mètres, menait jusqu'au souverain. On fit signe au druide et au ménestrel de s'y engager. Sur les côtés de la pièce, de longues tapisseries soigneusement brodées étaient accrochées. Un esprit friand de légendes pouvait reconnaître sur celles-ci les hauts faits de grands rois d'antan : ici la victoire de Califourchet Premier sur Gudulle, le Roi des Monstres Piquants, là le festin du couronnement de Frangipon Premier, là-bas la déclaration de guerre de Fuligulle Martinouet l'Aîné contre l'archipape Troubézir-le-Perdant, ou encore le déjeuner sans fin de la reine Jeanne Cocholle-Patte-Molle.

On ordonna aux demandeurs d'audience de s'arrêter aux pieds des quelques marches couvertes de moquette verte au-dessus desquelles se trouvait le roi. Le nain et le ménestrel se prosternèrent respectueusement. Le roi s'adressa au druide, d'un ton calme et posé.

– Parlez, Crâneur-Fard, votre souverain vous écoute.

Le druide prit une bonne inspiration et redressa le visage pour parler à Califourchet VI les yeux dans les yeux. Ils avaient plutôt prévu que le barde prenne la parole, en rimes et avec de jolis mots, mais il n'allait pas contrarier le roi et proposer que son camarade parle à sa place. En fin de compte, estima Crâne-Lard, il était plus logique, vu la nature de la menace, que ce soit lui qui alerte le roi du danger qui planait sur le royaume.

- Mon seigneur, j'exerce modestement les fonctions de druide, suite à la retraite de Léon.

- Léon Rodriphile n'exerce plus ? Je ne le savais pas. J'aimais bien ce bougre, malgré son… Sa... Comment dire ? Vous savez, son odeur particulière. Comme un relent de putois, ou de vieille belette. De moufette, peut-être ?

- Non, il n'exerce plus. Il m'a… il m'a transmis ses fonctions.

- Je n'avais pas connaissance de ces faits. Mais je vois que vous portez son vieux bâton, symbole de sa fonction et le maxiprêtre de ma Petite Équipe Nocturne Invisible de Surveillance m'a informé que vous vous déplaciez avec un animal totem, un glouton ou un gros sanglier. Aussi je vous crois. Et dites-moi, Crâneur-Fard, comment cela se passe ? C'est peut-être un peu indiscret, je le concède, mais je suis curieux, est-ce qu'il y a un rituel particulier, une cérémonie de passation ? Je suis très intéressé par toutes ces choses, vous voyez ce que je veux dire, ces pratiques à la limite du paganisme et de l'hérésie. Ça fait ancien, je trouve.

– Heu, en fait, il y a pas vraiment eu de rituel. Ça s'est fait un peu tout seul. Enfin, pour le totem, y'avait une épreuve à la Grotte Toute-Vieille, c'est tout. Sinon, pas grand-chose.

– Attendez, excusez-moi, je ne veux pas préjuger en mal de vos capacités, mais dans ce cas, n'importe qui peut devenir druide ? Je veux dire, il doit bien y avoir des compétences à éprouver lors d'une sorte d'examen initiatique, non ? Vous me comprenez, c'est pas contre vous, mais sinon, un druide peut un peu choisir le premier venu pour en faire son successeur ?

– Non. Oui. En fait, c'est plutôt les animaux qui m'ont choisi, je crois. Parce que je les comprends. Je peux leur parler, c'est pour ça.

– Ha oui, sérieusement ? Sans aucun artefact, vous communiquez avec les animaux ? J'avais bien évidemment entendu parler de la Couronne de Daragaston, qui permet de parler aux ongulés de moins de cents kilos, mais Léon ne m'avait jamais parlé de ce pouvoir là. Aucun prêtre n'est capable de faire ça, à ma connaissance... Je savais qu'il y avait un lien particulier entre les druides et les bêtes mais pas à ce point. Et tous les animaux parlent la même langue ? Il y en a qui ont un accent ?

Un superprêtre-scribe, reconnaissable à sa robe turquoise, se manifesta discrètement. Il avait jusqu'alors assisté incognito à l'entrevue, planqué derrière le trône avec son matériel d'écriture. Il fit quelques pas et glissa quelques mots à l'oreille royale en pointant du doigt le cadran solaire qu'il portait au poignet. Califourchet réagit immédiatement.

- Oui, oui, c'est vrai, vous vous égarez et je n'ai pas beaucoup de temps, d'autres citoyens réclament mon attention. Je vous remercie d'être venu vous présenter et de vous être recommandé à moi. Sachez bien que lorsque j'aurais besoin des conseils ou des remèdes d'un druide, je saurais me souvenir de vous et vous contacter. J'ai pris bonne note qu'il y avait un nouveau druide, encore toutes mes félicitations. Mes amitiés à votre barde.

Alors qu'il allait congédier Crâne-Lard et Siffle-Abricot, le roi ajouta :

- J'y pense, d'ailleurs, le chien d'une amie de ma femme ne mange que la nourriture qui se trouve au centre de sa gamelle, vous pourriez peut-être parler avec lui pour savoir ce qui lui prend ?

- Je suis gêné de vous dire cela, votre majesté, mais je ne suis pas seulement venu me présenter. En fait, je suis venu vous prévenir. Il y a une grande menace qui pèse sur tout le royaume.

L'expression du roi changea du tout au tout. Crâne-Lard crut voir des cernes apparaître soudain sous les yeux du monarque, son teint vira du rose au gris et il s'affaissa sur son siège. Un des cinq gardes tira rapidement sur une cordelette, qui fit tinter une clochette. Latranne-Hisse arriva en quelques instants. L'alchimiste rejoignit rapidement le roi et lui fit ingurgiter le contenu bleu ciel d'une petite fiole.

Le roi obtempéra sans un mot, visiblement rompu à cette médication. Il déglutit, les yeux fermés. Le breuvage ne semblait pas trop à son goût. Califourchet fit s'éloigner quelque peu la femme aux longs cheveux noirs, toussa, puis il s'adressa à Crâne-Lard.

– Une menace ? Vous êtes sorti de la forêt pour me parler de la Nécromancienne ? C'est bien ça ? Vous savez qu'une sorcière a pris possession du Château Perdu et vous venez m'en avertir ?

– Non. En fait, oui. Je veux dire : oui, je le sais, mais non, je ne suis pas venu pour ça. Les animaux me parlent depuis pas mal de temps d'autre chose, une menace qui gronde et s'amplifie depuis des semaines, des mois…

Crâne-Lard avait anticipé que le roi ne serait forcément pas très heureux d'apprendre, si ne le savait pas encore, qu'une invasion était imminente. Le nain, certain de ce qu'il lui annonçait, avait par-dessus tout peur de ne pas être pris au sérieux, comme cela avait été le cas durant toute son existence. Il continua :

– … les bêtes qui vivent ou qui passent du temps sous terre m'en ont très vite parlé, et puis, d'autres animaux m'ont confirmé cela. Avant de vous voir, pour être sûr de ce que j'allais vous dire, j'ai demandé à deux taupes de me montrer une galerie, et j'ai pu constater de mes yeux que c'était vrai. J'ai pu entrer dedans, c'était long, profond, et des comme ça, il y en a des dizaines, des centaines, un peu partout dans le royaume. Ils vont les utiliser pour venir à la surface.

Califourchet, serrant les doigts sur ses accoudoirs, se pencha en direction du druide.

– Mais de quoi est-ce que vous parlez ? Qui a creusé ces galeries ?

– Des hommes-rats, votre majesté. Des rameks. Selon les animaux, ils sont quasiment unanimes à ce propos, les rongeurs géants se préparent à envahir le royaume pour s'y installer. Ils ont parlé de la venue de la Grande Meule, et d'un grand filandreux. Je vous jure, ça peut paraître dingue…

D'un signe de la main, le monarque fit taire Crâne-Lard. Les yeux dans le vague, sans tourner la tête, Califourchet demanda à son scribe de convoquer immédiatement Vérosson Manique, l'érudite, dans son bureau privé, puis il remercia Crâne-Lard et le pria de le suivre immédiatement. Le roi ordonna que l'on demande à la reine de s'occuper des doléances suivantes.

Califourchet, suivi de deux de ses gardes demi-hommes, de Latranne-Hisse, de Crâne-Lard et de Siffle-Abricot, sortit de la salle par une petite porte, derrière le trône. Le roi marmonnait, rouspétait, grognait qu'il n'en pouvait plus, qu'il en avait par-dessus la couronne de tous ces problèmes, de tous ces gens, de tout. Le sextet cheminait à travers le palais, de portes dérobées en étroits couloirs. Latranne-Hisse profita de la courte balade pour discrètement échanger quelques mots avec Crâne-Lard et Siffle-Abricot.

– Monsieur le druide, monsieur le membre de la Guilde du Pipeau Élégant, j'aimerais insister sur le fait qu'il ne faut pas que ce que vous avez vu s'ébruite. Vous n'êtes pas trop censés avoir vu cela, je crois.

– Heu, madame l'alchimiste, vous parlez de quoi, au juste ?

– La potion de bonheur, celle que vous m'avez vu lui faire boire. Je ne devrais pas vous le dire, mais depuis la re-disparition de son fils, le roi est tellement déprimé et découragé qu'il ne peut pas bouger le petit doigt sans mes potions. C'est secret.

– Diantre ! Le prince a re-disparu ?

– Oui, en plein durant le Bigrement Inédit Tournoi Exceptionnel ; mais il ne faut pas que ça se sache trop, je ne dois pas en parler.

– Alors vos potions rendent son courage au roi, c'est ça ?

– Non, pas vraiment. Elles lui donnent l'air de quelqu'un qui en a. Je suis certainement la meilleure alchimiste en activité actuellement, mais même moi, je ne peux pas créer des potions qui influencent les émotions de quelqu'un. Je permets au roi de faire croire à ceux qui l'entourent qu'il se sent bien. Les véritables sentiments, ceux qui se cachent dans son cœur, personne ne les voit jamais, de toute façon. Les autres ne voient que ce que l'on leur montre. L'apparence, c'est ce qu'il y a de plus important. Il faut le comprendre, c'était un règne paisible depuis des années, et soudain, paf, son fils aîné se révolte, les Chevaliers s'entre-tuent, son fils cadet disparaît, une Nécromancienne se pointe, une comète apparaît, son fils cadet revient puis il disparaît à nouveau… Si votre histoire d'invasion ramek s'avère, ça sera vraiment la cerise empoisonnée sur le gâteau moisi.

- Elle s'avère. Je veux dire, elle est vraiment vraie. Je ne savais pas toutefois que le prince avait disparu. Il s'est encore fait enlever ?

- Non, apparemment, cette fois-ci, il s'est enlevé tout seul, mais ça ne doit pas du tout s'ébruiter, il nous est défendu d'en parler. On pensait tous que le roi allait mettre les bouchées doubles pour le retrouver, convoquer tous ses ninjas, la GARCE, les Chevaliers… Mais non. En fait, comme cette fois-ci le prince a décidé de s'en aller de lui-même, le roi a décidé de le laisser faire, mais en le gardant sous surveillance. Certains disent qu'il est inconscient, enfin ils lui disent ça poliment, mais Califourchet répond qu'il fait confiance à son fils. Franchement, il est abattu comme jamais, mais cette fois-ci il ne fera rien pour le ramener. À part que dès son retour au palais, il lui avait collé un ninja aux basques, qui épie ses moindres faits et gestes. Cet espion ne doit intervenir qu'en cas d'urgence vitale et doit transmettre au roi l'emplacement de son fils quotidiennement. Mais bon, ça aussi, c'est complètement secret. Officiellement, le prince est tranquille dans le palais, à étudier.

Latranne-Hisse se tut car ils allaient entrer dans la pièce où le roi lisait ses grimoires, consultait ses menus et exposait sa collection d'estampes de joueurs de schlagenballe. Les gardes se postèrent, bien droits, devant la porte. Califourchet invita Crâne-Lard, Siffle-Abricot et Latranne-Hisse à le suivre, puis il s'installa sur son fauteuil, derrière son bureau. Il n'avait aucun siège à offrir à ses hôtes. Le nain admira l'illustration avantageuse de Fingus Sous-Terre, fierté sportive de l'équipe de Mont-d'Or, splendide avec ses longs cheveux dorés. Le portrait de Bottine-Guerre n'était pas mal non plus. Vérosson Manique arriva prestement, Yuyiyine sur ses talons.

– Votre majesté, maître Latranne-Hisse, monsieur le druide, barde. J'ai fait aussi vite que possible. Que se passe-t-il donc ?

– Y pue un peu le sanglier du gens.

– Mademoiselle, je vous prie de tenir votre langue en présence de votre roi.

Yuyiyine saisit sa langue entre le pouce et l'index et cela ne sembla pas très agréable.

– Sage Vérosson, il faut absolument que vous entendiez ce que le druide, heu, Crâneur-Fard, vient de m'annoncer.

– Enchantée, maître druide, protecteur des forêts et des animaux qui y vivent, qui y ont vécu ou qui y font juste un passage, fils désigné de la Déesse, porteur du bâton des vérités, porte-parole des hommes-arbres et président à vie de l'association pour la préservation des petits animaux.

- Oui, voilà. Merci. Vérosson, écoutez, écoutez bien et vous donnerez votre avis. S'il vous plaît, maître druide.

Tout le monde dévisagea Crâne-Lard, qui ne s'était pas tout à fait attendu à ça. Les animaux l'avaient informé du terrifiant plan ourdi par les rameks, dont ils avaient compris les desseins, puis le druide avait enquêté, s'était renseigné : il avait voulu être certain de la véracité des faits. Ensuite, à contrecœur, il avait décidé qu'il devait en avertir Califourchet. Il lui en coûtait car il n'avait aucun goût ni pour le faste de la cour ni pour les relations hiérarchiques et sociales en général. Le druide s'était toujours senti mal à l'aise au contact des autres. Dans son village natal, durant ses premières années, il avait mis cela sur le compte du fait qu'il était le seul nain dans un hameau peuplé d'humains.

Depuis qui l'avait quitté, il s'était rendu compte que la difficulté qu'il avait à nouer des liens ou entretenir des relations venait de lui, et non pas de ceux qui l'entouraient. Il n'appréciait pas le contact des autres. Son ami d'enfance, Josk, avait été une exception, tout comme Siffle-Abricot. C'est notamment pour cela qu'il avait demandé au barde de l'accompagner. Crâne-Lard savait qu'il se sentirait plus à l'aise avec lui à ses côtés. Bien évidemment, il aurait certainement préféré que le roi donne la parole à Siffle-Abricot, mais jusqu'ici, son ami ménestrel n'avait pas ouvert la bouche. Malgré cela, le rôle du barde à ses côtés avait été déterminant. Sans lui, Crâne-Lard n'aurait jamais eu le courage de demander une audience au roi. Plus rien ne serait pareil pour le druide, quoi qu'il arrive désormais. Tout le monde s'était toujours moqué de lui et de ses rêves, mais aujourd'hui, le roi l'avait écouté attentivement. Il avait été pris au sérieux par l'autorité suprême du royaume.

- Voilà tout ce que je sais, votre majesté, mesdames : les hommes-rats ont creusé un nombre très, très important de galeries partout dans le royaume dans le but d'opérer une invasion massive. Ils seraient menés par l'un des leurs, un grand filandreux.

Tout le monde le regardait d'un air sévère. Sauf Yuyu, qui câlinait le sanglier invisible Touffe, tranquillement. Personne ne faisait attention à elle.

- Pouvez-vous, maître druide, m'expliquer exactement ce qui a vous amené à conclure à ces terribles informations ?

- Et bien, en fait, votre Majesté, c'est les taupes qui ont com-mencé à me raconter que les rameks remuaient beaucoup. Normalement, selon elles, ils vivent loin sous terre, dans des galeries profondes, heu, je crois que « tortueuses et labyrinthiques » c'est le terme qu'elles utilisent généralement. Et là, depuis quelques mois, ils creusent énormément de tunnels qui mènent jusqu'à la surface. Ça étonne plein d'animaux, parce qu'en général les hommes-rats ne font pas ça, ils veulent pas que quiconque ou quoi que ce soit puisse atteindre leurs galeries. Quand ils m'ont raconté ça, je leur ai dit « Les petits poilus, maintenant ouvrez bien vos esgourdes », et ils ont fait ce que je leur ai demandé : ils ont bien écouté. Ils ont entendu que les rameks disaient qu'ils bossaient dur, qu'il fallait que des milliers puissent prendre les tunnels, que le filandreux insistait que tout soit terminé pour le retour de la grande meule. Voilà.

- Misère, malheur. Votre majesté, vous n'êtes pas sans savoir que si le Grand Filandreux ourdit ce sombre dessein, c'est qu'elle n'est pas loin. C'est donc bien elle que les maxiprêtres ont pu observer.

- C'est ce qu'il m'a semblé, Vérosson, mais je voulais que vous me le confirmiez.

- Vous voulez bien me dire ce que c'est qu'un grand filandreux ? Et une grande meule ?

- Cher druide, le Grand Filandreux, c'est un ramek très grand, un rat géant-géant en fait. Certaines rumeurs prétendent qu'il règne sur un royaume sous-terrain, mais dans les faits il se contente de chapeauter sa bande de rongeurs dans des tunnels humides depuis… depuis très longtemps.

- Si je peux me permettre, votre majesté, il se dit que le Grand Filandreux dirige la communauté cavernicole des hommes-rats depuis la première épidémie de peste-ver, à l'aube du huitième siècle.

- Vous avez bien fait de vous permettre, chère Vérosson. Voilà, ça fait donc un bon bout de temps. Il n'avait jamais été menaçant envers le reste du royaume, même s'il a toujours prétendu être capable de lancer toutes sortes de terribles sortilèges. Quant à la Grande Meule, c'est une sorte d'étoile, selon les rameks. C'est ça, non ?

- Oui, et si vous me permettez une légère précision, la Grande Meule est la divinité principale des rameks. Pour faire court, il s'agit de la meule de fromage originelle qui a donné vie au peuple des hommes-rats. Elle revient régulièrement dans le ciel et chaque apparition constitue un signe aux rameks qu'ils doivent se répandre à la surface de la Sphère et tenter d'en prendre le contrôle. En réalité, ce que les rongeurs nomment stupidement « la Grande Meule » est une comète nommée Barketabouboulis, qui tourne autour de notre bon royaume. Sa forme ronde et sa couleur laide contribuent à la grossière erreur d'interprétation de ces incultes rongeurs. Le Grand Temple nous a informé avoir observé la comète, il y a peu.

- Donc, vous pensez que les rameks vont bientôt tenter d'envahir le royaume ?

- Cela ne fait désormais aucun doute… Le passage de la Grande Meule et la création de ces galeries ne peuvent pas être des coïncidences. Un malheur n'arrive malheureusement jamais seul. Une nécromancienne au Nord, bientôt le Grand Filandreux et ses bêtes un peu partout… La seule armée royale ne sera pas suffisante. Je vais avertir mes Chevaliers et les préparer à intervenir.

Califourchet prit un air résolu et fit mine de regarder au loin, pour ajouter à la dimension dramatique du moment. Crâne-Lard pensait que son rôle était terminé, sa tâche accomplie, maintenant qu'il avait averti le roi.

– Monsieur le druide, je ne saurais trop vous remercier de m'avoir informé de ces faits. Ces immondes hommes-rats vont voir de quel bois un roi se chauffe. Puisque je vous ai sous la main, je ne vais pas perdre de temps : j'exige que vous meniez une expédition furtive afin de capturer quelque hommes-rongeurs. Un de mes ninjas viendra avec vous et il les fera parler. Je veux tout savoir des plans immondes du Grand Filandreux.

## Requin-buisson, aventurier à louer

Tasse-Dent et Tartisco avaient atteint le village de Salkravach, isolé sur les collines des Terres du Hérisson. Les deux jeunes gens avaient mis le plus de distance possible entre eux et la capitale royale mais leur fuite semblait toucher à sa fin : ils avaient dépensé toutes leurs pièces d'or et de bronze au cours de cette escapade. Leur léger butin avait fondu comme un golem de neige sacré nageant dans le Grand Lac de Lave Bouillonnante : dilapidé dans des trajets en charrette, en diligence, dans des repas trop gourmands ou des nuits d'auberges de première qualité. Sans un sou en poche, ils imaginaient, déçus, que leur aventure allait rapidement prendre fin.

Les détectives, peut-être même les ninjas, que ne manquerait pas d'envoyer le roi allaient facilement les retrouver s'ils restaient trop longtemps au même endroit. Tasse-Dent avait rêvé d'atteindre Solfami, afin de visiter sa bibliothèque gigantesque et fournie, mais il savait qu'il lui désormais serait impossible de rejoindre cette destination. Assis devant la taverne de l'Écrevisse Disparue, les deux amis se partageaient un poulet grillé acheté avec leurs dernières piastres.

Alors qu'ils dégustaient la volaille, résignés et muets, un grand homme, barbu, vêtu d'un long manteau sombre au col relevé, se planta devant eux.

*– Hardis, très valeureux moussaillons !*
*Je crois pouvoir jurer sur mon nom*
*Que si, ce soir, ici je vous vois*
*Le hasard ne vous désigna l'endroit,*
*Mais à l'Écrevisse Disparue*
*Vous amena l'annonce parue !*

Tasse-Dent et Tartisco se dévisagèrent, surpris.

*– Je vois à vos traits surpris, béats*
*que, non, vous ne vous attendiez pas*
*à ce que je devine, sagace*
*que vous m'attendiez à cette place !*
*Mais je sais, jeunes aventuriers*
*juger ce que je peux observer*
*vos épées, vos cicatrices : sûr,*
*vous êtes fins prêts pour l'aventure !*

– Et bien, monsieur le barde, c'est que nous ne sommes pas certains d'avoir tout compris...

*– Hahaha, ne vous méprenez pas*
*il faut aborder ce sujet-là*
*votre paie n'était pas précisée*
*dans l'annonce qui fut diffusée,*
*mais en qualité de chef de mission*
*je peux le dire sans concession :*
*nous avons besoin d'un bagarreur*
*ainsi que d'un agile voleur.*
*Si à votre épée je peux me fier*
*demi-homme, vous êtes guerrier*
*et sans préjugés sur votre race,*
*les félains sont voleurs efficaces*

*Avec nous, jeunes aventuriers*
*Vous ne manquerez pas de deniers !*
*Dix pièces d'or, qui peut le nier ?*
*C'est un joli pécule, chacun,*
*si vous suivez notre chemin,*
*que vous pourrez avec nous gagner.*

Tasse-Dent n'hésita pas : ce quiproquo était l'opportunité idéale pour continuer leur aventure. Le prince demi-homme adressa un rapide regard à Tartisco, puis il se leva et tendit la main au troubadour.

– C'est avec plaisir que nous allons rejoindre votre équipe d'aventuriers. Je m'appelle Requin-Buisson et voici mon ami, Fifrelin. Nous sommes ici pour l'annonce, en effet.

Tartisco ne se posa pas plus de question et serra à son tour la main de l'humain. Les deux princes avaient conscience qu'ils prenaient la place de deux autres personnes, mais ils ne sentaient pas particulièrement le poids d'harassants scrupules peser sur leurs épaules.

*– Magnifique ! voilà donc, au complet, alors,*
*cette guilde des Héros Épiques Retors*
*Perspicaces Efficaces ainsi que Sensuels.*
*J'en suis chef : Abdonide, le joyeux ménestrel.*
*Ne bougez pas, attendez-moi, je vais quérir*
*mes bons amis, vos compagnons pour l'aventure*
*dans ma guilde, c'est sûr, vous reviendra le sourire :*
*missions, gloire et or, pour sûr je vous assure !*

Abdonide quitta les deux amis pour s'engouffrer dans la taverne.

- Alors comme ça, je suis un voleur et t'es un guerrier ? Pourquoi pas le contraire ?

- C'était mieux de pas le contredire, même s'il fallait pour ça alimenter les préjugés concernant les félains. Si on part en mission avec lui, il va se passer plein de trucs, on va gagner des pièces et continuer notre aventure. Je suis sûr que je peux être un guerrier : j'ai suivi plein de leçons d'escrime avec Schnappi, je porte Egamorf l'épée légendaire et surtout j'ai lu plein d'histoires avec de la castagne dedans. Je vais me débrouiller.

- Ouais, bin tu sais moi aussi je vais me débrouiller. On va bien se marrer. Tu sais ce qu'on va faire, en fait ?

- Pas du tout.

Le barde Abdonide, arborant un large sourire, revint auprès du demi-homme et du félain. Il était accompagné d'une prêtresse à la robe rose, d'un humain aux cheveux blonds à qui il manquait un bras ainsi que d'un nain vêtu d'une cape noire.

*- Les deux dernières recrues, les voilà engagées :*
*voici donc Fifrelin, grand maître ès cambriole,*
*et là, Requin-Buisson, demi-homme guerrier*
*Ils vont venir avec nous, désormais,*
*quêter diligemment cette Chausse Frivole.*
*Voici donc à présent notre groupe au complet*
*présentez-vous avant de prendre notre envol.*

La prêtresse s'approcha des deux compères pour les saluer.

– Bonjour à vous, que la Déesse vous bénisse. Je m'appelle Alphée et comme vous l'avez certainement remarqué, je suis une prêtresse. J'ai rejoint la guilde des Héros Épiques Retors il y a quelques mois et je me réjouis de partir à l'aventure avec vous.

Tartisco fut immédiatement charmé par la voix un peu cassée, les cheveux roux en désordre et les grands yeux verts de la jeune femme. Elle était un peu plus ronde et plus petite qu'Hydranna, mais les sentiments que le félain éprouvait pour la femme aux très longs cheveux blonds semblaient soudainement lointains.

– Moi aussi je me réjouis, madame la prêtresse. J'ai déjà fait plein d'aventures, vous avez vu, j'ai même perdu un œil dans un combat, et j'ai une arbalète secrète accrochée à la queue. Comme vous êtes une fille et que vous êtes en rose, je suis trop sûr que vous êtes la soigneuse du groupe.

Abdonide et Alphée éclatèrent de rire. Le nain leur jeta un regard mauvais. Le félain pensait qu'on se moquait de lui et se renfrogna aussitôt.

*– Messire, excusez donc cette hilarité ci*
*Vous n'êtes le premier à vous tromper ainsi.*
*Si Alphée est prêtresse, elle excelle en bagarre,*
*notre soigneur est Joséphyr à l'œil hagard*
*car cet homme de pierre, il faut bien l'avouer*
*a de vrais doigts de fée. Qu'est-ce qu'il est doué !*

Le nain, bougon, grommela qu'il saurait se souvenir de ceux qui se moquaient de lui quand viendrait l'heure de leur sauver la vie. Tartisco se sentait mal dans sa peau, ridiculisé aux yeux de la mignonne Alphée. Tasse-Dent salua Alphée, puis Joséphyr. Il formula à l'attention du soigneur nain de respectueuses formules de politesse dans la langue des hommes-de-pierre. Joséphyr sembla surpris et apprécia l'effort. Constatant que son ami félain n'était plus du tout à l'aise, le prince tenta de le réconforter.

- Moi aussi, je croyais que les prêtres vêtus en rose, c'était tous des soigneurs.

- Vous avez raison, Requin-Buisson. En fait, ma robe était rouge, mais à force de la laver, elle a un peu déteint et c'est toute une histoire pour se procurer une nouvelle robe, ça me saoule rien que d'y penser.

- Ha bin voilà pourquoi je me suis trompé, c'est parce que votre robe elle est pas de la bonne couleur, alors c'est pas ma faute. Si vous aviez été en rouge, j'aurais su tout de suite que vous étiez une prêtresse guerrière. Je connais super bien les couleurs de robes de prêtres et à quoi elles correspondent, en fait. Et je trouve vachement plus cool d'être une prêtresse guerrière qu'être une prêtresse soigneuse.

- Oui, moi aussi, je vous l'avoue. Vous qui êtes bien savant, vous savez pourquoi les prêtres guerriers portent une robe rouge ?

- Heu, je le savais mais je ne sais plus trop. Ou bien j'ai pas trop envie de le dire.

Alphée regarda Tartisco bien dans l'œil et lui donna la réponse.

- C'est pour qu'on ne voit pas les traces de sang qui nous maculent à la fin de chaque combat.

Les deux princes furent impressionnés, même s'ils doutaient un peu de la véracité des propos de la jeune femme. Pour détendre l'atmosphère, Abdonide ajouta :

*- Et c'est aussi pour ça, je vous dis, c'est certain,*
*que Joséphyr se vêt de beaux pantalons bruns !*

Tartisco ne comprit pas la plaisanterie assez vite pour accompagner Abdonide et Alphée qui rirent de bon cœur. Tasse-Dent trouvait cruel de se moquer encore du soigneur nain, alors il se retint de sourire. Il s'approcha enfin du dernier membre du groupe, le manchot aux cheveux blonds.

- Bonjour à vous, monsieur.

L'homme le regarda comme s'il voyait au travers de lui. Tasse-Dent craignit quelques instants que le manchot l'ait reconnu.

- Bonjour, Requin-Buisson. Je suis le dernier arrivé dans la guilde. Tu peux m'appeler Seize.

Abdonide releva le col de son manteau, ajusta son chapeau noir, lissa la plume dorée qui était glissée dessus et sortit de son sac à dos un petit oud. Il accorda son instrument, puis il se mit à déclamer l'ordre de marche.

*– Et de nouveau sommes opérationnels*
*après avoir perdu le tiers du personnel*
*ne nous laissons pas transpercer par de vils traits*
*tels nos amis Persil-Bedaine, Maximoré.*
*Or nous avons reçu la nouvelle mission*
*- que nous allons accomplir à la perfection –*
*de dénicher un vieux trésor des gobelins*
*la Chausse Frivole : ah ! d'ignobles gredins*
*l'ont volée à un vieux peaux-verte bien sage*
*qui en avait la garde et l'exclusif usage.*
*Ces très vils chapardeurs ne savent désormais*
*que faire du larcin, ce geste bien mauvais ;*
*nous allons donc quérir cette antique bottine*
*pour la restituer à la gent gobeline,*
*mais avant d'entamer cette belle mission*
*l'un de vous aurait-il la moindre question ?*

Tasse-Dent leva la main.

– Oui, je voulais juste savoir, vous avez dit qu'on faisait partie de la guilde des Héros Épiques Retors, c'est vrai ? Parce qu'en fait, avec mon ami Fifrelin, on a jamais trop fait partie d'une guilde.

– Ouais ou bien seulement des guildes vachement connues, genre...heu... des guildes connues. Alors que la guilde des Héros Épiques Retors, bin j'en ai jamais entendu parler.

*– Tout d'abord, aimable Requin-Buisson*
*il faut savoir qu'en nous accompagnant*
*vous acceptez d'office votre admission*
*dans notre guilde, est-ce trop astreignant ?*

*Je ne crois pas que cela puisse vous gêner*
*au contraire, il n'y a là qu'avantages.*
*Vous serez équitablement traités*
*quand le butin il faudra qu'on partage,*
*et des opportunités de carrière*
*nombreuses seront à votre portée ;*
*et si jamais, par un malheur divers*
*nous n'avions pas de quête à vous donner;*
*malgré, tout un pécule certain*
*vous échoirait tous les sept jours, sans faute.*
*Ainsi seront certains vos lendemains !*
*Oui, vous y gagnerez, prenez-en note.*
*Et vous, Fifrelin, sage individu,*
*certes, jeune félain à l'œil unique*
*ma guilde vous est encore inconnue*
*mais il s'agit d'un groupe fantastique,*
*l'équipe est honorable mais nouvelle :*
*tels sont les Héros Épiques Retors,*
*Perspicaces Efficaces et Sensuels,*
*leur réputation tôt vaudra de l'or.*

Les deux princes incognitos ne virent rien à ajouter à cela et, convaincus, emboîtèrent le pas à celui de leurs camarades de guilde. Abdonide savait exactement le chemin à prendre pour trouver le repaire des brigands qui avaient dérobé la Chausse Frivole à un vieillard gobelin. Le barde expliqua rapidement qu'un de ses contacts lui avait avoué, contre quelque menue monnaie, qu'il savait qu'un voleur de ses connaissances s'était vanté d'avoir détroussé un vieillard à la peau-verte et que dans son butin se trouvait, notamment, une ancienne pantoufle. Cet indicateur connaissait le refuge isolé de ce brigand et indiqua à Abdonide comment s'y rendre.

C'est pourquoi les six aventuriers s'engagèrent dans les sombres bois de Rance-Dessous, dans lesquelles se trouvaient le repaire dudit voleur un peu crâneur. Cette forêt avait été jadis luxuriante et remplie d'animaux aimables, mais elle fut ensuite envahie durant plusieurs décennies par les Brumes. Lorsque ce brouillard mortel s'était retiré, comme cela arrivait parfois, il avait laissé la place à un entrelacs de bouleaux pourris et cruellement tordus qui avaient poussé sur un sol mou et puant. On pouvait voir de gros vers suintants poindre de cette terre maudite, attirés par le bruit des pas de ses rares visiteurs.

Le manchot aux cheveux blonds fut envoyé plusieurs centaines de mètres en avant du reste du groupe, dès qu'ils eurent pénétré dans la forêt. Tasse-Dent interrogea Alphée sur la fonction de Seize dans le groupe.

- Ce mec, il sait tout reconnaître, il connaît tout, il est vraiment impressionnant. Et même s'il n'a plus qu'un bras, il se bat super bien. C'est juste qu'il est très réservé, il parle peu et il s'isole souvent. Dès qu'il le peut, en fait.

- Alors c'est genre un éclaireur ?

- C'est genre exactement ça, ouais. Mais un éclaireur super fort au combat.

Après quelques heures de marche, le groupe s'arrêta pour faire une rapide pause pique-nique. Joséphyr avait préparé de succulents sandwiches au fenouil. Abdonide chanta doucement une mélopée qui fit oublier à ses camarades, pour quelques agréables minutes, l'aspect lugubre de leur environnement. Grâce au chant du barde, dans l'esprit de chacun ressurgit le souvenir d'un endroit apprécié. Tartisco dégustait son goûter en se souvenant du confort du lit de coussins moelleux de l'arbre-à-chat, tandis que Tasse-Dent se rappelait du bonheur doux qu'il éprouvait, enfant, lorsqu'il faisait la sieste avec son père dans leur hamac en plumes de linotte.

Puis Abdonide rangea son instrument à cordes et ils reprirent tous les six leur chemin. Ils progressèrent deux petites heures, puis ils atteignirent l'entrée d'une caverne, une cavité béante au milieu de la forêt qui formait comme une bouche grande ouverte au sol. Il y avait une pente douce qui menait jusqu'à l'intérieur, où devait être planqué l'objet de leur quête, la Chausse Frivole.

*– Je veux que descendent en premier*
*le vif Seize et la puissante Alphée*
*suivra l'habile Fifrelin*
*pour agir au moindre pépin*
*s'il y a un piège à désamorcer*
*le félain peut tout crocheter.*
*Je suis en qualité de barde ;*
*Requin-Buisson monte la garde.*

Sans poser plus de question, les subordonnés du barde et président de la guilde obéirent et s'engouffrèrent dans la caverne. Tasse-Dent était pétri de frustration, laissé derrière le reste du groupe pour monter la garde. En pénétrant dans la caverne, Tartisco lui jeta un rapide sourire, amusé ou moqueur. Le prince demi-homme décida d'imaginer que son ami félain souhaitait ainsi le réconforter plutôt que l'accabler.

Tasse-Dent obéit néanmoins à l'ordre d'Abdonide et accomplit exactement ce qu'on lui avait demandé : il se mit à attendre, aux aguets. Le prince entendit les autres aventuriers parler à voix basse, sans toutefois comprendre leurs propos. Il y eut ensuite quelques longues secondes de silence, puis un cri de surprise. Après, Tasse-Dent entendit Tartisco feuler et des hurlements gutturaux : ses camarades devaient être en train de se battre. Il hésita à entrer dans la caverne. Le prince était partagé : s'il venait en aide à ses compagnons, il désobéissait à Abdonide. Mais s'il n'agissait pas, il aurait l'impression de les abandonner.

Le sol trembla sous les pieds du demi-homme. Quelque chose d'étrange se passait dans la caverne. Il entendit encore quelques cris et décida de s'engager dans les profondeurs de la grotte. L'épée à la main, Tasse-Dent n'atteignit pas la grotte : il ne fit que quelques pas avant de voir un grand homme qui courait dans sa direction. L'inconnu maintenait son chapeau brun sur la tête d'une main et tenait de l'autre une pantoufle en tissu vert. Tasse-Dent entendit Alphée hurler, derrière l'individu.

– Requin-Buisson ! Arrête-le ! Arrête-le !

Les jambes du prince se mirent à trembler. Il jeta un œil à sa bague de commandement, mais elle n'était toujours pas activable. Il serra des deux mains la garde d'Egamorf, l'épée des rois. L'homme chapeauté s'arrêta devant Tasse-Dent. Le demi-homme ne réagit pas. L'inconnu n'était pas armé. C'était un humain, un peu barbu, l'œil vif. Il semblait aimable, il était même souriant. Tasse-Dent n'avait pas très envie de se battre contre lui.

– Votre altesse, si vous voulez bien m'excuser.

Cette phrase coupa à Tasse-Dent tous ses moyens : il avait été reconnu ! L'homme profita de l'absence de réaction du demi-homme pour reprendre sa course et s'enfuir dans les bois. Avant que le prince ne se lance à sa poursuite, Seize sortit à son tour de la grotte.

– Où est-il passé ?

Tasse-Dent indiqua la direction de fuite de l'homme à la pantoufle. Le manchot fonça et le demi-homme lui emboîta le pas, aussi vite qu'il le pouvait, mais le guerrier blond était prodigieusement rapide. Lorsque Tasse-Dent rattrapa enfin Seize, celui-ci venait de mettre au sol le fuyard. Seize maintenait immobile l'inconnu en lui tordant habilement un bras dans le dos, le poignet retourné.

– La place de cette pantoufle est dans un musée ! Lâchez-moi ! Vous n'êtes que des mercenaires iconoclastes !

Seize lui arracha la Chausse Frivole de la main et relâcha le captif : il estimait que celui-ci ne constituait aucune menace. Tasse-Dent jeta un rapide regard à l'artefact ancien. Il s'agissait d'une simple pantoufle taillée dans un épais tissu vert, sur laquelle était cousu la gueule souriante d'un lapin blanc, ornée d'un petit pompon rouge.

- Est-ce que les copains sont blessés ? Il s'est passé quoi dans la caverne ?

- Non, les autres se sont coincés dans un piège que ce type avait tendu, mais ils vont bien, personne n'a rien. J'ai pu y échapper et courir derrière lui.

- Un piège que j'avais tendu ? Vous me faites bien rire ! C'est une ancienne tribu d'hommes-fruits qui l'avait installé, les solanastides, il y a des siècles, pour défendre leur sanctuaire.

- Notre chef a dit que c'était votre repaire de voleur, cette caverne.

- Ha ! N'importe quoi... je vous le dis, c'est un ancien lieu sacré... je m'y étais installé pour déchiffrer les runes fruitières qui y sont restées gravées, un vestige inestimable... C'est par hasard que j'ai constaté qu'un bandit y avait élu domicile et malhabilement dissimulé cette chausse de danse frivole. Enfin, je ne vais pas perdre mon temps à vous expliquer tout cela, vous n'avez certainement aucune idée de ce que fut la civilisation des hommes-fruits.

- Vuso en direevz sap pujuréegr sed conanasesis datu'rui.

En entendant ces mots, l'inconnu fut stupéfiant. L'expression de son visage changea alors du tout-au-tout.

- Vous parlez le langage des hommes-fruits ! Alors ça… c'est incroyable, vous êtes vraiment un manchot pas comme les autres. Je croyais connaître tous les érudits qui en étaient capables. Mais j'y pense, je ne me suis pas encore présenté, je suis le professeur Indigo Génisse, si vous êtes savant, vous avez forcément entendu parler de moi et de mes travaux.

Seize ne serra pas la main qu'Indigo Génisse lui tendait.

- Tout ce qui m'intéresse, c'est la chausse. Je l'ai, alors maintenant, dégagez.

Le manchot n'ajouta rien, tourna le dos et se dirigea vers la caverne. Tasse-Dent s'assura que Seize était assez éloigné pour parler au professeur sans être entendu.

- Professeur Génisse, je ne sais pas comment vous savez qui je suis, mais je vous en prie, ne dites rien à personne, je suis ici incognito, je veux vivre des aventures.

- Vous savez, moi-même je me suis très souvent affranchi de l'autorité paternelle afin de partir à l'aventure, je ne vous comprends que trop bien. Mais dites-moi, savez-vous d'où votre compagnon détient ces connaissances pointues sur la culture des hommes-fruits ?

- Je n'en ai aucune idée, je ne le connais pas depuis longtemps.

- Si je peux me permettre, votre majesté. Je vous en conjure : cette pantoufle est un artefact ancien et précieux. J'ignorais même qu'il en existait encore une dans cet état.

Surtout, ne le laissez pas tomber en de mauvaises mains. Sa valeur culturelle est immense mais son pouvoir, si jamais une paire telles de pantoufles était réunie…

Abdonide et le reste de la guilde des Héros Épiques Retors sortirent de la caverne. Seize remit la Chausse Frivole à son barde de chef et celui-ci se dirigea directement vers le professeur. Abdonide adressa un regard satisfait et rassuré à Tasse-Dent, puis il planta ses yeux abrités par de larges sourcils sur Génisse.

*– Quand vous étiez cerné, bougre de museum*
*pourquoi ne pas avoir aussitôt abdiqué*
*en épargnant ainsi tout dommage à mes hommes ?*
*Vous auriez pu à ce moment nous indiquer*
*quel était le vil piège qui s'abattrait sur nous*
*au lieu de nous sourire et nous amadouer*
*pour prendre prestement vos jambes à votre cou !*

Alphée rejoignit le barde en souriant.

– Allons, c'était de bonne guerre, il a tenté de se barrer, ça a pas marché, voilà. On aurait tous fait pareil. On a la Chausse, c'est l'essentiel. Et puis, si je peux me permettre, je crois pas que ce soit lui qui ait installé ce piège.

*– La question ne se pose pas,*
*noble prêtresse purpurale*
*car jamais je n'eus volé, moi*
*la moindre pantoufle ancestrale !*
*Joséphyr, Seize, amis civils*
*liez les mains de ce gredin*

*il viendra avec nous en ville*
*son sort dira le gobelin.*

Une fois le professeur Génisse entravé, la guilde fit demi-tour afin de rentrer et livrer à leur commanditaire la Chausse Frivole. Tasse-Dent craignait que Seize ne révèle à tout le groupe qu'il s'était montré couard et n'avait pas esquissé le moindre geste pour empêcher le professeur Génisse de s'enfuir, mais le manchot ne fit aucun commentaire à ce sujet.

En chemin, Tartisco raconta à Tasse-Dent ses exploits dans la grotte : il lui expliqua, à voix basse, qu'il avait sauvé la vie du reste du groupe en les prévenant du danger, qu'il avait été héroïque et qu'il pensait que l'humaine Alphée était tombée amoureuse de lui. L'oreille attentive, la prêtresse de bagarre le corrigea : elle n'était pas humaine, mais tiers-femme et elle dédiait tout son amour à la Déesse et à son culte.

Tasse-Dent se lassa bien vite du monologue de son ami félain. Il ne le jugeait pas et cherchait à le comprendre : Tartisco avait vécu un moment exaltant et il voulait en faire part à son ami ; mais, parfois, le ton hautain utilisé par son compagnon et son habitude de ne parler que de lui-même usaient la patience de Tasse-Dent. Le prince traîna le pas pour se retrouver aux côtés du professeur Génisse, qui fermait la marche, lié par les poignets à Joséphyr, quelques mètres plus en avant.

– Monsieur le professeur Génisse…

- Appelez-moi Indigo. D'ailleurs, comment dois-je vous appeler ?

- Je suis Requin-Buisson.

- C'est un excellent choix. Qu'y a-t-il ?

- Et bien, je crois que j'ai compris.

- Qu'est-ce que vous avez compris, Requin-Buisson ?

- Comment vous m'avez reconnu. C'est à cause de ma bague.

Le professeur Génisse arbora un sincère sourire.

- Vous êtes dégourdi. Pour tout vous dire, mon regard a tout d'abord été attiré par le fragment de griffe de dragon enchanté autour de votre cou, certainement un ancien quæretisseur sauromme. Par la suite, évidemment, j'ai reconnu la bague de commandement de votre père ; enfin, la moitié de sa pierre qu'il a fait sertir. Quel dommage qu'un si beau et antique caillou soit divisé !

- Mince... parce que si vous n'aimez pas trop les pierres anciennes qui ont été malencontreusement brisées, vous n'allez peut-être pas apprécier ce que je voulais vous montrer.

- Qu'est-ce donc ? Vous attisez ma curiosité, faites voir !

Tasse-Dent demanda à Tartisco de discrètement présenter à Indigo le morceau de rubis qu'il lui avait offert.

- Montrez-la moi, de plus près. Voilà un fragment d'une pierre qui devait être… Diantre ! Avez-vous admiré le rubis dans son ensemble ? Avait-il la forme d'un hexakis octaèdre ? Une sorte de sphère à cent-vingt côtés ?

- Et bien, pour tout vous dire... tout-à-fait.

- C'est exceptionnel ! Le Rubis Rutilant ! Tout le monde s'accordait à dire qu'il avait été perdu au cours de la guerre contre le félon Chêne-Val. Il faut que vous me racontiez dans les moindres détails dans quelles circonstances vous vous êtes porté acquéreur de ce fragment du Rubis Rutilant.

- En fait, je l'avais en entier, mais Prospère le dragon vert l'a détruit en essayant de me tuer. Il m'a frappé vers le cœur, et ça a détruit le rubis en plusieurs morceaux. J'en ai donné des bouts à mes meilleurs amis et à mon père.

- Et comment avez-vous triomphé de Prospère le dragon ? Votre bague de commandement était-elle assez puissante pour le contraindre ?

- Je n'ai pas pu l'utiliser, elle n'est plus brillante depuis… heu… depuis quelques semaines.

Tasse-Dent ne voulait pas évoquer sa dernière utilisation, lorsqu'il avait contraint l'érudite Jolilie à lui donner son collier précieux. Il détourna la conversation, souhaitant également profiter de cette rencontre avec un expert pour en apprendre davantage sur son trésor.

- Prof…hum, Indigo, vous pourriez m'expliquer l'histoire de cette pierre, le Rubis Rutilant ? J'aimerais beaucoup en savoir plus.

- Comme nous avons du temps devant nous, cela serait avec plaisir, jeune demi-homme. Selon une légende apocryphe, c'est-à-dire qu'elle ne figure pas dans le Livre Sacré de la Déesse, aux jeunes heures de notre monde, les peuples s'étaient unis pour contrer la menace du Titan et de son armée de monstruosités. Le fils de la Déesse tentait de s'emparer de la surface et pour le vaincre, pour le congédier à jamais au plus profond de la sphère, le roi demanda aux plus puissants magiciens du royaume de se réunir…

- Des magiciens ? Mais c'est interdit !

- À l'époque, le Temple et ses archipapes n'avaient pas encore mis à ban de notre royaume l'usage de la magie. Les prêtres n'avaient pas, comme aujourd'hui, le monopole des pouvoirs extraordinaires. Pour tout vous dire, votre maj... Jeune homme, les prêtres, à l'époque n'avaient aucune compétence surhumaine. Mais je m'égare. Les plus puissants magiciens du royaume, donc, s'étaient réunis : les sorciers humains, les enchanteurs elfes, les chamans gobelins, les fromagiciens rameks... Tous ceux qui étaient capables d'user de la magie avaient réunis leurs pouvoirs pour vaincre le Titan. Enfin, le vaincre... Le repousser. C'est ainsi que les utilisateurs de magie façonnèrent cinq sphères, des hexakis octaèdres, à l'intérieur desquelles leurs pouvoirs étaient en partie contenus. Un héros des temps anciens, Rushan, porteur de ces cinq artefacts, fit face au Titan et le combattit vaillamment. Ensuite... Vous comprenez l'elfique d'automne ? Non ? Alors je vais vous traduire le poème suivant au fur et à mesure, il est presque contemporain à la création de ces pierres :

*Le Titan a jamais enfermé au fond des limbes*
*Ses séides disparurent dans les catacombes*
*Les vainqueurs, satisfaits mais éreintés*
*par la puissance des pierres effrayés*
*décidèrent de les séparer pour toujours*
*pour éviter que le pouvoir soit réveillé un jour*
*ainsi on confia la première sphère*
*le magnifique saphir, aux elfes des mers*
*ils s'en furent à jamais sur leurs bateaux*
*promettant de vivre pour l'éternité sur l'eau*
*le rubis, pierre de feu, fut légué aux demi-hommes*
*et le roi jura que cette sphère resterait aux gnomes*
*les peaux-vertes reçurent la sphère émeraude*
*et pour ne pas être tentés la dissimulèrent...*

Hum, je ne sais pas traduire ce mot : aromér. C'est un mot elfique d'automne qui désigne un endroit cavernicole au taux d'humidité élevé. Bref, je continue.

*... L'améthyste fut remise entre les griffes*
*des hommes-rats qui l'emportèrent de leurs pas vifs*
*la dernière pierre fut confiée aux humains*
*et ce choix collégial déplut fortement au peuple nain*
*qui se voyaient excessivement courroucé*
*de ne rien s'être fait léguer*

*Ils promirent, vilaines paroles et mauvais ton*
*qu'un jour ils vengeraient cet affront.*

Le professeur Génisse avait terminé son exposé. Rien ne laissait croire que, mis-à-part Tasse-Dent, quiconque en ait profité.

- Wahou... merci professeur... Indigo. Je ne connaissais pas du tout cette histoire. Je souhaitais aller un jour consulter la bibliothèque de Solfami pour en apprendre plus. Je ne sais pas si je suis plutôt content d'avoir trouvé cette sphère ancienne ou plutôt déçu d'avoir provoqué sa destruction partielle.

- On ne revient jamais en arrière, Requin-Buisson. Si cela peut vous consoler, méditez ceci : toute recherche du passé entraîne sa destruction... Soyez aimable et racontez-moi exactement dans quelles circonstances vous avez mis la main sur le Rubis Rutilant.

Alors Tasse-Dent expliqua avec précision au professeur Indigo Génisse comment il avait découvert la cassette secrète qui l'avait mené à la cachette secrète qui l'avait mené à la cachette secrète qui l'avait mené à la cachette secrète où se trouvait le Rubis Rutilant.

Ils cheminaient au cœur des bois de Rance-Dessous lorsque Tasse-Dent remarqua que chacun de ses pas faisait surgir du sol des dizaines de vers blancs poilus, épais et larges comme un pouce. Le prince observa les chausses et pattes de ses camarades. Il constata alors que les répugnants gnocchis grouillaient tant qu'ils recouvraient de leur couleur claire le sol pourri de la forêt. Le demi-homme avait un mauvais pressentiment.

Au moment même où Tasse-Dent allait avertir ses compagnons, Joséphyr lâcha la corde qui retenait Génisse et se mit à crier :

– Ne restez pas sur place ! Bougez-vous ! Ne laissez pas ces trucs vous monter dessus !

Comme le soigneur nain était d'habitude placide et calme, tout le monde comprit immédiatement le sérieux de la situation. En courant, ils s'éloignèrent de la zone infestée de vers blancs. Abdonide et ses hommes trouvèrent tous refuge sur un haut bloc erratique, assez large pour les accueillir. Alphée et Tasse-Dent aidèrent le professeur Génisse, entravé, à se hisser sur la pierre.

*– Sage et précieux Joséphyr*
*dites-le nous sans mentir*
*que sont donc ces vers immondes,*
*souillure de notre monde,*
*et quelles...*

Joséphyr interrompit son chef d'un geste de la main. L'air grave, il intima à Tasse-Dent :

– Requin-Buisson ! Surtout, ne bougez pas d'un poil !

Tous les regards se portèrent bien évidemment sur le demi-homme. Le prince incognito, inquiet mais obéissant, restait immobile. Le soigneur s'approcha de lui, tendit sa main pleine de doigts épais en direction du visage du demi-homme. D'un geste sûr et précis, Joséphyr arracha un ver blanc qui rampait juste sous l'oreille de Tasse-Dent, prêt à entrer dans son conduit auditif. Le nain l'écrasa dans sa pogne, avec une grimace de dégoût.

– Ce sont des spragens, des cerviphages. Ces bestioles se nourrissent de nos cerveaux. Celui-ci, Requin-Buisson, allait pénétrer dans ton oreille pour te dévorer la tête de l'intérieur.

Tasse-Dent frissonna et jeta un œil à la nuée de cerviphages qui grouillait à leurs pieds.

– C'est horrible... Merci, Joséphyr.

– Ça me rappelle vaguement quelque chose, j'ai déjà dû en affronter !

*– Alphée, notre courageuse prêtresse,*
*existe-t-il dans le monde connu*
*une seule bête, une seule espèce*
*qu'au grand jamais tu n'aurais combattu ?*

– Mais comment on va faire pour partir ? Moi je veux pas me faire manger mon cerveau, Abdonide, dites-nous ce qu'il faut faire, je veux m'en aller, je veux pas mourir ! Et pis ce caillou, ils peuvent aussi le manger ?

– Fifrelin, garde ton calme, ça ne sert à rien de paniquer, tu vas seulement réussir à te casser la figure. On va trouver une solution : Joséphyr, est-ce que ces bêtes sont dangereuses même si elles ne peuvent pas entrer dans nos oreilles ?

Le nain n'eut même pas à réfléchir pour répondre à la guerrière tiers-femme.

- Non Alphée, le seul danger c'est qu'elles entrent à l'intérieur de ton visage, par l'un ou l'autre orifice.

- Bon, bin voilà, c'est réglé. Nos bouches, on sait tous les fermer. On n'a qu'à avancer en se protégeant les oreilles et le nez, ça vous semble possible ?

Les membres de la petite compagnie étaient songeurs, à moitié convaincus par l'idée de la prêtresse de bagarre.

- Excusez-moi, mais je vais avoir quelques peines à me protéger les oreilles si j'ai les mains ainsi entravées.

Le professeur Génisse montra ses poignets attachés pour illustrer son propos.

*– Vous avez une certaine valeur,*
*prisonnier, auprès de notre demandeur*
*mais pour rien au monde je n'oserais*
*laisser un cerveau se faire dévorer*
*libérez ce voleur de ses liens céans ;*
*et qu'il jure de n'agir en manant.*

Seize trancha les cordes qui entravaient Génisse. Alphée lui demanda comment il pensait se protéger les oreilles et le nez avec une seule main. Avant qu'il ne puisse répondre, la pierre sur laquelle les sept aventuriers se trouvaient se mit à trembler. Surprise, la prêtresse de combat perdit l'équilibre et tomba sur le dos, parmi les cerviphages. Rapides, ils commencèrent une gluante reptation sur la jeune femme.

Tous entendirent la terre pourrie de Rance-Dessous gronder et il semblait que toute la forêt frémissait, jusqu'aux cimes des bouleaux morts qui étaient agitées. Un véritable tremblement de terre secoua durant quelques secondes les bois et soudain, avec fracas, le roi des spragens, un gigantesque cerviphage d'une dizaine de mètres de haut, surgit des profondeurs du sol. Il se dressa de toute sa monstruosité velue et suintante devant les aventuriers et plongea sa gueule béante et gigantesque sur eux. Sa cavité buccale purulente était sertie de milliers de minuscules dents acérées. Abdonide, qui se trouvait au centre du bloc erratique, n'eut pas le temps de sauter de la pierre et le monstre engloutit le haut de son corps avant de refermer son ignoble bouche sur lui, le déchirant juste au-dessus des hanches. Tous les autres, Seize, Joséphyr, Génisse, Tartisco et Tasse-Dent avaient évité la morsure du cerviphage géant en sautant parmi les asticots qui semblaient désormais minuscules.

Alphée était à genoux, accaparée à ôter aussi vite que possible les immondes vers qui grimpaient sur elle par dizaines. Le professeur Génisse lui tendit la main pour l'aider à se relever.

– Venez, ma sœur, quittons cet immonde endroit !

Tous les aventuriers prenaient leurs jambes à leur coup mais la prêtresse repoussa assez vivement la main de l'archéologue.

- Non, jamais un serviteur de la Déesse ne prendra la fuite devant une engeance du Titan. Fuyez si vous le souhaitez, mais moi...

Le corps de la prêtresse de bagarre fut alors parcouru de spasmes violents, les muscles claquèrent sous sa peau, un bruit sourd résonna dans ses membres.

- … je vais tuer ce monstre.

Alors, le corps d'Alphée tout entier se mit à gonfler d'abord, puis à s'étirer : la prêtresse grandissait à vue d'œil. Ses muscles continuaient de grandir, ses os continuaient de s'étendre en grondant. La Déesse avait donné à son adepte le pouvoir de devenir une géante aux muscles démesurés. Sa taille et sa musculature augmentèrent, en quelques secondes, jusqu'à ce qu'elle rivalise avec celle du cerviphage géant. Les compagnons d'Alphée étaient ravis.

- C'est trop beau… Elle est au moins six fois plus grande qu'avant ! Par la Déesse…

- Oui, Requin-Buisson, c'est bien là une bénédiction divine.

Même s'il semblait connaître le pouvoir de sa camarade, Joséphyr, qui venait de répondre à Tasse-Dent, était malgré tout lui aussi très impressionné par la transformation d'Alphée. Instinctivement, les poils de Tartisco s'hérissèrent et il tendit ses oreilles vers l'arrière.

Alphée la géante avait passé ses énormes bras de bagarreuse autour du ver, réussissant de justesse à faire le tour de l'asticot gigantesque. Une fois sa prise assurée, elle se jeta au sol sur lui et le serra fort, si fort qu'elle le fit éclater. Les aventuriers se retrouvèrent alors recouvert d'un immonde liquide épais, gluant et nauséabond. Leur souverain occis, les innombrables cerviphages regagnèrent les profondeurs, effrayés. Alphée chancela sur ses jambes, s'écroula lourdement puis retrouva sa taille normale après s'être évanouie. Tandis que Tartisco vomissait de dégoût, Joséphyr se rendit au chevet de la prêtresse. Le professeur Génisse et Tasse-Dent s'inquiétèrent de la santé de la prêtresse mais le soigneur nain les rassura : Alphée perdait toujours connaissance quelques instants après avoir utilisé son pouvoir. Plus elle gagnait en taille et moins sa transformation physique durait.

- Bon, bin maintenant on s'en va. J'en ai trop marre de cette forêt, c'est nul cette aventure.

- Non, on n'en a pas fini, félain.

Joséphyr se releva, retroussa ses manches et, avec une mine de dégoût, commença à fouiller les restes du cerviphage géant, plongeant ses larges pognes dans les entrailles putrides du monstre.

- Ha mais c'est dégueulasse, qu'est-ce que tu fais ? C'est immonde !

- On est venus chercher une pantoufle, on va pas partir sans. Abdonide l'avait dans la main quand il s'est fait couper en deux puis avaler. Alors vous allez tous chercher, on partira d'ici quand on aura la Chausse Frivole. Professeur Génisse vous voulez bien surveiller la prêtresse ?

Tous obéirent, même si Tartisco bougonna.

– Si le chef est mort, je vois pas pourquoi ce serait toi que tu donnes des ordres.

La créature était si grande qu'elle avait disséminé ses entrailles sur une large surface, aussi les recherches furent longues. Finalement, le prince retrouva la Chausse Frivole, sous un boyau dégoulinant de pus. Il leva les yeux, remarqua que personne ne faisait attention à lui. Alors Tasse-Dent hésita. Le prince pouvait annoncer à ses nouveaux compagnons sa découverte et l'objet précieux serait rendu au gobelin qui les avait engagés. Ou alors, il pouvait tenter de la dissimuler sur lui et la donner plus tard, discrètement, au professeur Génisse. La Chausse Frivole serait alors certainement placée dans un musée, où tous les érudits, tous les amateurs de pantoufles anciennes pourraient l'admirer.

## Amitié et amertume

Alis et Lamkikoup étaient tous les deux assis sur la carcasse de l'hydre-menthe qu'ils venaient d'occire. Ils mastiquaient avec quelques difficultés la chair coriace du monstre. Autour de la créature, l'herbe fumait encore par endroits.

- Ouais, alors c'est vrai que j'aurais pu te le dire avant le combat, mais je me disais que si tu découvrais toi-même que les crachats de l'hydre-menthe étaient inflammables, tu t'en souviendrais toute ta vie. Tu sais ce qu'on dit : donne une flèche à un homme et il pêchera toute sa vie.

Du bout des doigts, Alis frôla le côté gauche de ses cheveux. Des gouttes de glaires enflammées lui avaient brûlé une bonne partie de sa tignasse, largement raccourcie. Elle ne dit rien et cracha par terre la chair qu'elle n'arrivait pas à grignoter. La jeune guerrière se leva et retira Flamme de Rose, sa grande épée, qu'elle avait plantée à travers la cuisse de l'hydre-menthe. Alis inspecta consciencieusement l'uniforme de la Guilde Libre des Aventuriers Cherchant Outrageusement des Nouveautés qu'elle portait. Il s'agissait tout au plus d'une fine cape blanche passée par-dessus une longue chemise de mailles, tenue à la taille par une large ceinture noire, mais Alis était très fière de la tenue que ses supérieurs lui avaient confiée. C'était sur les conseils du maître d'armes sauromme que la jeune femme s'était inscrite auprès de ladite guilde. Il s'agissait là d'un moyen efficace de s'assurer d'avoir de nombreuses quêtes à effectuer. En quelques semaines, Alis avait enchaîné les missions, avec un succès certain, toujours accompagnée de l'expérimenté Lamkikoup. L'homme-lézard refusait, par un principe moral personnel, de rejoindre une guilde ou une quelconque association. Il suivait toutefois Alis dans toutes ses pérégrinations, afin de l'aider à parfaire sa technique et ses connaissances en bagarre.

– Bon, maintenant qu'on l'a vaincue la nydremangue, il faut encore qu'on trouve de ses œufs. Tu le sais d'où ils sont ?

– Elle les garde dans son nid, il doit pas être loin. L'arbre ne tombe jamais très loin de ses fruits.

Alis chercha bien, comme le lui avait expliqué son mentor. Auparavant, elle ne savait pas du tout regarder comme il fallait, et il lui arrivait de manquer ce qui se trouvait juste sous ses yeux. Mais Lamkikoup avait bien montré à Alis comment chercher de manière systématique, endroit par endroit. La longue expérience de l'homme-lézard dans l'exploration de cavernes et de donjons en tous genres lui avait permis de devenir un véritable expert pour dénicher les objets cachés. Ainsi, Alis repéra le nid de l'hydre-menthe et son contenu. Elle s'en approcha et se prépara à s'emparer des œufs. Sa mission était de ramener une demi-douzaine d'œufs d'hydre-menthe pour la kermesse annuelle de la Guilde des Épatants Pâtissiers Étonnamment Tonitruants, Talentueux et Obséquieux, mais l'un d'entre eux était brisé, et la petite gueule d'un bébé hydre sortait de la coquille en poussant des petits cris, semblables à ceux d'un caniche poli.

Cette découverte plongea Alis dans une intense réflexion.

Si le combat contre le monstre, intense et difficile, avait plu à Alis, la jeune guerrière n'était pas certaine de la pertinence de celui-ci. Même si elle trouvait cette créature très moche, Alis regrettait de l'avoir tuée. Peut-être aurait-elle pu lui demander quelques œufs, ou les lui acheter ? Avec toutes les quêtes qu'elle avait déjà accomplies, sa bourse était très bien remplie. Lamkikoup avait insisté pour qu'elle affronte l'hydre-menthe, aussi Alis s'était fiée à lui, mais la mort du monstre pesait sur la conscience de la jeune femme. Après avoir remis en question la manière de mener à bien cette quête, le bébé hydre-menthe s'agitant au creux de sa main, Alis s'interrogea sur sa vocation elle-même. Son but avait toujours été d'accomplir le plus de quêtes possibles, aussi Alis les acceptait toutes sans réfléchir. Mais est-ce que cela en valait la peine ? Sa soif d'aventures justifiait-elle de massacrer une mère pour lui voler ses petits ?

Comprenant que son élève ressentait quelques scrupules, Lamkikoup tenta de la réconforter.

- On ne fait pas d'omelette sans feu, Alis. Tu voulais vivre des aventures et retourner vers ta famille couverte de cicatrices, c'est ce à quoi on travaille.

- C'est vrai, Lamkikoup, mais en fait, des fois, je me dis que c'est pas parce que je l'aime beaucoup de me battre qu'il faut que je le tue des monstres qui m'ont rien fait.

- Peut-être que quand tu auras gravi plusieurs échelles de ta guilde, tu pourras mieux sélectionner tes missions.

- Pourquoi ça ?

- Et bien, pour choisir des missions qui auraient plus de sens à tes yeux. Plus tu auras de cordes à ton chapeau, et plus tu auras ton mot à dire sur ce que tu accompliras.

- C'est pourquoi une mission qui aurait plus de sens ?

- Par exemple récupérer un bien de valeur qui a été dérobé, sauver quelqu'un de gentil qui est en danger.

- Si on retrouve Pernicia pour lui voler la pierre qu'elle avait volée à Mycostère, ça ce serait une mission qui l'aura plus de sens ?

- Heu... Oui, oui bien sûr. Notre copain alchimiste est bien embêté sans son caillou ; et cette bougresse de tire-laine nous a bien mystifiés ! Nous finirons par lui mettre la main dessous.

Lamkikoup et Alis transposèrent délicatement les œufs d'hydre-menthe intacts dans la petite besace rembourrée qu'ils avaient emportée. La jeune femme demanda au sauromme ce qu'ils pourraient faire du nouveau-né, émue que cette créature dût survivre seule, après la mise à mort de sa génitrice et le rapt de ses frères et sœurs.

– Tu peux pas adopter toutes les créatures qu'on croise, Alis. Tu voulais que Prospère le dragon vert devienne ta monture, t'as essayé d'apprivoiser le tigre à dents d'accordéon qu'on a affronté il y a quelques jours et là tu vas me dire que tu veux t'occuper de ce petit monstre ? Charité bien mal acquise ne profite qu'à soi-même, ma petite !

– Peut-être on peut de donner à lui un petit peu à manger quelque chose qu'il aime avant de partir, quand même. Et si on trouve pas ce qu'il aime manger, on le garde jusqu'à ce qu'on trouve ce qu'il aime manger.

Lamkikoup était habitué au caractère généreux et bienveillant de sa disciple. Les deux aventuriers quittèrent sans plus tarder les lieux, laissant derrière eux la vilaine carcasse d'hydre-menthe de laquelle quelques charognards à plumes viendraient sans délai se délecter. Ils retrouvèrent non loin du lieu de l'affrontement leur acolyte Mycostère, qui avait refusé tout net de s'approcher du monstre. L'alchimiste se montra très intéressé par le petit reptile-plante adopté par Alis. Il s'enthousiasma et promis de lui décocter des petits repas adaptés à sa morphologie particulière. Les trois compères marchèrent à une bonne cadence, mais ils furent incapables de rejoindre la ville de Belle-Zunce avant la tombée de la nuit. Ils s'installèrent donc autour d'un petit feu, que Lamkikoup alluma d'un crachat. Ensuite, le sauromme et la jeune guerrière entraînèrent quelques bottes de combat et autres gestes techniques à la lueur des flammes, tandis que Mycostère s'occupait de l'hydre-menthe. Avant de dormir, Alis blottit sa petite créature contre elle. Le bébé monstre ronronna.

Alors qu'ils étaient couchés, juste avant que la fatigue ne close les grands yeux bleus d'Alis, celle-ci s'adressa à son mentor reptilien.

- J'ai été très triste de la mission qu'on a faite d'elle aujourd'hui. Je l'ai plus très envie de faire des missions tristes. Et aussi, après qu'on aura retrouvé la voleuse, je le crois que je connais une autre mission qui aurait du sens, tu sais.

Lamkikoup ne répondit rien, mais il s'était retourné et regardait la jeune guerrière. Malgré l'obscurité, celle-ci distinguait clairement les yeux jaunes du sauromme fixés sur elle. Alis savait qu'il l'écoutait.

- Au tout début que j'étais partie à l'aventure, je l'avais d'une copine. Une fille très très belle et très très gentille, elle s'appelait Dame-d'eau-Miel. Elle l'avait des longs cheveux beaux et des petites taches sous les yeux, mais des tâches jolies. Elle aimait bien les jolies robes et des fois, quand je pense à elle, je crois qu'elle avait aussi un amoureux...

Alis s'interrompit. Elle regardait les étoiles, pensive. En évoquant Dardaumiel, elle ravivait aussi dans son esprit les souvenirs des chouettes moments passés avec Tasse-Dent et Yuyiyine, et puis, elle se rappelait aussi de Paulain, l'orque apprivoisé.

- Tu sais, Alis, c'est normal d'être un peu triste quand on pense aux amis qu'on a perdus. Quand j'étais comme toi et que j'étais au tout début de ma carrière d'aventurier, je faisais équipe avec d'autres jeunes guerriers. On était une fine équipe, la Confrérie Uniformée des Criminels Utilisables mais Libres. On rigolait bien. Des fois, moi aussi, je pense un peu à eux, jamais trop longtemps. La raison est l'éteignoir de l'amitié.

– Toi aussi tu l'es triste quand tu penses aux copains de toi ?

– Alis, tu sais, si tu veux devenir la meilleure guerrière du royaume, tu devras souvent être seule. Le chemin vers la perfection, il se parcourt en solo. Pour progresser, j'ai dû m'éloigner de mes compagnons. Tu es née toute seule et tu mourras toute seule. Au final, il n'y a que toi qui compte, et que toi sur qui tu peux compter. Mis à part un bon maître à quelques moments de ta vie, tu n'as besoin de personne. On n'est jamais mieux soi-même que bien servi.

– Je crois qu'après qu'on a aidé Mycostère, j'aimerais faire une pause des quêtes et chercher mon amie. Je crois qu'elle l'a besoin de l'aide de moi.

– Qu'est-ce qui te fait dire ça ?

– Je le sais pas, c'est dedans ma tête. Avant, il y avait une petite fourmi dans mon crâne qui me le disait de quoi faire. Maintenant, elle l'est plus là, mais ma tête me dit aussi des choses. Et elle me dit que Dame-d'eau-Miel elle est en danger.

– Tu sais où la trouver, ta Dame-d'eau-Miel ? Ou bien tu t'apprêtes à chercher une hirondelle dans une botte de foin ?

– La dernière fois que je l'ai vue, elle était toute endormie dans les bras d'un prêtre très grand qui avait un visage méchant et des yeux moches. Après on est partis avec le dragon, le doré, pas le vert, et j'ai plus jamais vu d'elle.

Lamkikoup se retourna et n'ajouta rien. Alis s'endormit en comptant les étoiles.

Au lever du soleil, après avoir relevé les collets posés dans les bois alentours et frugalement déjeuné, les trois aventuriers se préparèrent pour ramener les œufs en ville. Aucun n'avait prononcé le moindre mot, si ce n'est Mycostère qui babillait avec le bébé hydre-menthe. Et puis, après qu'ils aient pris place sur leur monture, Lamkikoup déclara gravement :

– Il faut que tu réfléchisses, Alis, que tu réfléchisses bien à ce que tu vas faire. On ne court jamais deux lièvres sans trois : soit tu continues ta formation avec moi et tu deviens la meilleure guerrière du royaume, soit tu vas chercher ton amie.

Jusqu'au milieu de la matinée, ils chevauchèrent dans les landes recouvertes de hautes herbes des Terres du Bœuf. Alis, Lamkikoup et Mycostère atteignirent Belle-Zunce à l'heure du goûter. Une fois les œufs d'hydre-menthe transmis au responsable local de la Guilde Libre des Aventuriers Cherchant Outrageusement des Nouveautés, les deux guerriers et l'alchimiste s'attablèrent à l'auberge du Trident Trituré et commandèrent tous les trois un sirop pomme-pomme. Alis osa alors répondre à son maître d'armes. Comme celui-ci le lui avait demandé, la jeune femme avait bien réfléchi. Elle avait quitté la ferme familiale dans le but de revenir un jour auprès des siens couverte de gloire et de cicatrices. Si elle devenait la meilleure guerrière du monde, ce serait très glorieux. Et des cicatrices, Alis en avait déjà quelques-unes de belles, notamment à l'épaule, où la fourchette géante de la cruelle Marmita l'avait transpercée. Malgré ses rêves ambitieux, Alis venait de comprendre qu'il était plus important pour elle de savoir si Dardaumiel allait bien, où qu'elle se trouve.

– Je veux retrouver mon amie Dame-d'eau-Miel.

Lamkikoup était évidemment déçu, mais il ne fit rien pour faire changer d'avis sa prometteuse élève. L'homme-lézard préférait que son élève fasse ce choix dès à présent plutôt que dans plusieurs mois : il aurait encore été plus désappointé.

– Tu pourras pas de m'aider à chercher ma copine ? On pourrait faire de la bagarre quand même ?

– Si tu veux devenir la meilleure, tu dois t'entraîner dur, et tous les jours. Je te l'ai déjà dit, il n'y a pas de place pour des amis autour de toi si tu poursuis cet objectif. Tu as fait ton choix, et je le respecte Alis. Ton potentiel a fait surgir en moi une volonté didactique certaine : j'ai envie de prendre un jeune guerrier sous mon aile et d'en faire le meilleur de tout le royaume. Je vais rester à tes côtés, jusqu'à ce que la Déesse place un autre élève sur mon chemin. Peut-être même que je vais publier une petite annonce. On n'attire pas les moines avec du miel.

– Personne ne m'avait dit que tu avais aussi des ailes. En plus, tu le craches du petit feu. Je l'aimerais trop d'être une femme-lézard. Je sais pas trop comment que je peux faire pour trouver Dame-d'eau-Miel. Peut-être il faut que je vais dans le vieux château de la neige. Ou bien à la l'auberge où que je l'ai rencontrée. Mais je le sais plus trop comment c'est. Si seulement quelqu'un pouvait m'aider à la retrouver...

– Si je peux me permettre, jeune Alis, je pourrais facilement t'aider à trouver n'importe qui. Si tu possédais un quæretisseur, même de mauvaise qualité, ça serait du gâteau, ou comme le dirait certainement ton mentor sauromme : de la cerise sur la tarte. Grâce à mes talents d'alchimiste, je peux réenvoûter un quæretisseur pour qu'il t'aide à trouver ce que tu veux ou même… qui tu veux.

– Ça l'est quoi un quoiérédisseur ? Je crois pas j'en ai un.

– Il s'agit d'un artefact ancien fabriqué à base d'une griffe ou une dent de dragon enchantée, qui permet de trouver ton chemin.

– Ha oui ! Je vois ce que c'est ! Je suis pas tombé de la dernière branche : mes aïeuls en avaient pour se rendre dans les cachettes où se tenaient les réunions secrètes des draconistes.

- Alors si je l'avais d'un quoiérédisseur, toi Mycostère tu pourrais faire que le quoiérédisseur il me montre où est Dame-d'Eau-Miel ? Je l'aimerais trop d'un quoiérédisseur. Lamkikoup, tu l'as plus celui de ton aïeul ?

- Malheureusement, il est dans nos coutumes de ne pas accepter un quelconque legs de nos ancêtres. Mycostère, tu saurais où trouver un quæretisseur, toi qui a la science diffuse ?

- Je connais un vendeur d'objets, ici dans les Terres Royales, qui vend des quæretisseurs de quæretisseurs. C'est-à-dire qu'il peut te vendre un artefact conçu pour te permettre de trouver un artefact qui permet de trouver ce que tu veux. Il s'appelle Kerlaft le marchand et je connais le mot de passe à dire pour accéder à l'arrière-boutique, là où il garde caché de véritables trésors. Va vers lui et quand il te demandera ce que tu cherches dis-lui que tu le trouves très beau.

- Même s'il l'est pas beau pour moi ?

- Oui, dis-lui que tu le trouves très beau, quoique tu penses. Une fois que tu auras ton quæretisseur de quæretisseur, il faudra que tu suives la direction qu'il t'indique. Comme ça, tu trouveras un quæretisseur. Et quand tu auras ton quæretisseur, je pourrais faire en sorte qu'il te désigne la personne de ton choix.

- Ça l'est super compliqué. Tu peux pas faire que l'objet de Guerre-L'aphte me trouve directement Dame-D'eau-Miel ?

- Malheureusement pas. Et il te faudra débourser une coquette somme pour acquérir ton quæretisseur de quæretisseur, car les artefacts cédés par Kerlaft dans son arrière-boutique sont très onéreux.

- Raison de plus pour continuer quelques temps les missions de la guilde ! L'occasion est chose légère : j'ai justement vu une affiche présentant une quête très bien rémunérée. Apparemment, il y a une femme qui a dompté des monstres et qui les utilise pour semer la terreur près des Terres Royales. Le hasard fait le larron !

- Bigre ! J'imagine qu'une telle perspective doit vous réjouir. Toutefois, j'aimerais également que vous n'omettiez pas de continuer à rechercher la pernicieuse femme borgne qui m'a dérobé ma pierre précieuse.

- Mycostère, je te remercie pour l'histoire du quoiérédisseur. Si je retrouve Dame-D'eau-Miel, je te devrais d'une fière chandelle du pied.

## L'archipape ou le roi

D'habitude, lorsque l'archipape Hubertignac invitait ses subordonnés à se réunir au Grand Temple, c'était que l'Oracle de la Déesse devait parler. Selon leurs disponibilités, les cinq cent cinquante-cinq membres du clergé répondaient à l'appel. Mais les convocations que les serviteurs de la foi reçurent en cette occasion ne ressemblaient pas aux précédentes. Cette fois-ci, tous les membres du clergé, absolument tous, du sous-pape au novice, étaient exhortés à rejoindre l'autorité religieuse suprême. Même les nonnes de la nuit et les sœurs de la bière furent conviées.

Comme la plupart des membres du clergé, Vardam, ancien frère aventurier, répondit à cet appel. Il avait pour cela quitté la station thermale de Chaude-Fosse dans laquelle il effectuait une petite cure revigorante. Le maxiprêtre découvrit au Grand Temple le plus grand rassemblement de religieux auquel il avait pu assister depuis la cérémonie d'assermentation d'Hubertignac, à laquelle il s'était rendu alors qu'il n'était qu'un jeune novice inexpérimenté.

Vardam était venu directement au Grand Temple, sans prendre la peine de passer par le monastère des Terres du Blaireau dans lequel il assurait la formation de futurs prêtres et prêtresses depuis des années. Qu'est-ce que cette invitation signifiait ? L'archipape allait sans aucun doute faire une annonce exceptionnelle et extrêmement importante. Allait-il abdiquer ? Démissionner et désigner un successeur ? Ou alors l'Augure devait faire une prédiction particulièrement importante ? Retranscrites, les déclarations de celle-ci étaient systématiquement diffusées à travers le royaume dans tous les temples.

Au bas mot, cinq cents prêtres et prêtresses devaient s'entasser dans l'édifice. Les dizaines de couleurs de leurs robes, correspondantes aux fonctions de chacun, se mélangeaient et formaient une mosaïque grouillante et désordonnée. Les confrères de Vardam semblaient partager ses doutes, mais le prêtre ressentait également une certaine excitation. Quelque chose d'exceptionnel était sur le point de se produire, Vardam en était certain. Il estimait que la plupart des autres religieux devaient eux aussi le percevoir. Malgré la foule présente dans l'enceinte du Grand Temple, le rang et la renommée de Vardam lui permirent de fendre les rangs pour approcher de la chaire où allait se trouver l'archipape.

Le prêtre répondit vaguement aux salutations de quelques collègues, dont il ne connaissait pas les noms mais qui avaient sans aucun doute entendu parler de lui et de ses exploits passés. C'était bien pour éviter ce genre de réaction que Vardam avait choisi de s'isoler du reste des religieux. Depuis la fin de sa carrière de prêtre-explorateur, il faisait très rarement l'effort de quitter le petit temple de Beau-Sapin et de descendre jusqu'à Paillette-Ville : il y était venu peut-être quatre fois durant la précédente décennie. Pourtant, cela ne faisait que quelques mois qu'il avait foulé de ses sandales de cuir le marbre du Grand Temple : il s'y était rendu avec sa novice, la timide Dardaumiel. Ou plutôt, feue Dardaumiel, emportée par un chat-pard géant, selon la lettre que Vertanor lui avait adressée. Le Chevalier du Sanglier y faisait également état de la disparition tragique de Krasta, dans des circonstances identiques. Dardaumiel avait donc péri en tentant de réaliser son initiation. Malgré le chagrin qui le tourmentait, Vardam ne pouvait s'en vouloir : le départ de Dardaumiel avait été ordonné par l'archipape lui-même. En guise de précaution, le maxiprêtre avait rapidement procédé au rituel de création du pouvoir divin de sa novice. Il avait fait cela rapidement, sans respecter le règlement qui exigeait qu'un novice accède à son don une fois son initiation terminée. Mais Vardam avait pressenti un grand danger pour la jeune fille et avait supputé que l'octroi d'un pouvoir divin serait un avantage indubitable à la quête de Dardaumiel. Le don qu'il avait lui-même reçu de la Déesse l'avait sorti bien des fois d'un péril mortel ou d'une situation inextricable. Dans son infinie bonté, elle distinguait ses fils et ses filles les plus pieux d'un pouvoir unique, dont l'utilité variait énormément selon les individus. Malheureusement, quel que fut le pouvoir de Dardaumiel, il ne semblait pas avoir été suffisant pour la sauver. Il est vrai que des pouvoirs aussi puissants que celui de Vardam n'étaient pas souvent accordés par la Déesse.

Vardam chercha vainement Vertanor. Enfin, les portes du Grand Temple furent refermées. Toute l'assemblée se tut et Hubertignac, archipape de la Foi, représentant de la parole et de la volonté de la Déesse à la surface de la Sphère, prit place devant la foule de religieux qui avait répondu à son appel.

Légèrement courbé en avant par l'âge, sa toque pointue enfoncée si bas sur son crâne qu'elle dissimulait une partie de ses sourcils, Hubertignac avançait lentement. Il avait le bras droit replié dans le dos et son autre main s'appuyait sur une belle canne au précieux pommeau. Ses paupières étaient si ridées qu'il semblait ne rester de ses yeux que deux longs traits, tirés vivement à travers son visage. Un peu comme sa bouche, édentée.

– Maxipapes, sous-papes, évêques, mégaprêtres, archiprêtres, maxiprêtres, superprêtres, prêtres, prêtresses, novices, maximoines, moines spécialisés, moines généralistes, nonnes spécialisées, nonnes généralistes, moinillons, nonnettes, frères de la Foi, sœurs de la Foi, vous tous, mes fils et mes filles, fils et filles de la Déesse qui avez dédié votre existence sur la Sphère à servir les desseins de Ryalan, notre Déesse, créatrice généreuse, vous avez accepté de me rejoindre. Avisés, vous avez saisi l'importance de ma requête. Dévoués à votre royaume, vous aurez tous appris de terribles nouvelles ces derniers mois. Tout d'abord, la perte tragique de deux Chevaliers sacrés : Krash, que l'Augure avait désigné il y a vingt-deux ans comme Chevalier du Loup ayant perdu la vie au cours d'un duel contre Bernon de l'Ours et Lorde Ouragan, que l'Augure avait désigné il y a huit ans comme Chevalier du Renard, ayant succombé lors d'un combat contre des monstruosités abjectes réveillées par la magie maudite de la Nécromancienne. Vous avez également connaissance du fait que notre majesté, fils des fils du premier demi-homme placé sur le trône par la Déesse, a récemment organisé un tournoi qui a vu Beau-Vin, Chevalier du Tétras, être désigné comme successeur du souverain des terres du Renard et du Loup.

Certains d'entre vous, j'en suis certain, estiment qu'il est du devoir des garants de la Foi, des protecteurs de la Déesse, nous tous, d'agir immédiatement contre la Nécromancienne, la sorcière Enaxor, réveillée de son sommeil et de la faire à jamais disparaître. Nos efforts conjugués à ceux du précédent Chevalier du Loup avaient permis de vaincre cette Nécromancienne il y a une cinquantaine d'années.

Mais ce n'est pas pour cela que je vous ai tous convoqués ici et aujourd'hui. Nous agirons lorsqu'il le faudra, s'il le faudra, en temps voulu.

Quelques commentaires s'échangèrent suite à ce début d'explication. Beaucoup de religieux semblaient estimer qu'il fallait agir tout de suite et en priorité contre la Nécromancienne.

L'archipape n'y prêta pas la moindre attention et continua son discours.

– C'est à propos de l'ingérence royale que j'ai estimé qu'il était urgent de réagir. Depuis près de neuf cent ans, les Chevaliers sont désignés par l'Augure. Parfois, vous le savez bien, l'Oracle divin n'en désigne pas, et alors les terres que le Chevalier défunt administrait sont gérées temporairement par un autre Chevalier. C'est le cas du Bois-Mort du Chat, ou des Terres du Cerf. Outrepassant ses prérogatives, Califourchet Haute-Couronne a offert les

Côtes du Renard et les Terres du Loup comme récompense à un autre Chevalier, sans me consulter, sans consulter l'Augure… Sans consulter la voix de la Déesse ! La loi, notre loi divine, transmise par la Déesse elle-même, a ainsi été bafouée sans vergogne. Par la volonté de la Déesse, qui s'exprime par ma bouche, le Grand Temple ne reconnaît pas Beauvin Cent-Os comme le Chevalier légitime des Terres du Loup et des Côtes du Renard. La décision de Califourchet n'est pas celle de l'Augure, celle de la Déesse.

Hubertignac attendit quelques instants avant de continuer, laissant ses ouailles assimiler ce qu'il était en train de leur expliquer.

– Je vous ai tous conviés ici pour que vous répondiez à une seule question. La même question que chaque habitant de ce royaume va devoir se poser : qu'est-ce qui est prépondérant et le plus important à vos yeux : la volonté du roi ou la parole de la Déesse ?

Vardam frissonna. Il avait parfaitement compris où Hubertignac voulait en venir. Le temps viendrait bientôt où chacun devrait choisir entre le Grand Temple ou le Palais Royal, la Déesse ou la Couronne : l'archipape se préparait à entrer en guerre contre le roi.

## Le royaume souterrain

L'équipe réunie par le druide Crâne-Lard s'était engouffrée depuis près d'une heure dans les galeries creusées par les rameks. Ils progressaient lentement, parcourant ces souterrains qui s'enfonçaient et tournaient sur eux-mêmes comme des boyaux de terre.

Crâne-Lard avait envoyé en éclaireur son sanglier invisible, Touffe. Celui-ci n'était pas seul. Il avançait accompagné par l'animal totem de l'apprentie-druide de Crâne-Lard, Yuyiyine. Ayant constaté le potentiel de la fillette avec les bêtes et la nature, Crâne-Lard avait facilement convaincu Vérosson Manique de la lui confier afin qu'il en fasse son élève. Si les progrès en prononciation et en grammaire de Yuyu avaient été remarquables depuis que la préceptrice s'occupait d'elle, Manique semblait ravie de laisser Yuyiyine sous la garde du druide. Non pas parce qu'elle se débarrassait de la petite fille, Vérosson s'y était attachée, mais parce que l'érudite savait que Yuyu serait plus heureuse à crapahuter dans la nature avec des bêtes qu'à rester étudier, broder et se faire brosser les cheveux à l'intérieur du palais. Et puis, les places d'apprentissages dans le druidisme n'étaient vraiment pas courantes. L'opportunité qui s'offrait à Yuyiyine était exceptionnelle.

La fillette sauvage avait été dotée lors de son rituel initiatique rapidement expédié d'une petite souris invisible qu'elle avait baptisée “Piquet”. Elle-même avait reçu son nom de disciple : "Lune-Divine", que Crâne-Lard trouvait plus adapté à sa nouvelle fonction.

Les deux animaux invisibles avançaient donc dans les couloirs et avertissaient leurs maîtres respectifs d'une éventuelle menace, mais la petite équipe n'avait pas encore rencontré quoi que ce soit. La galerie creusée par les rameks était trop étroite pour que plusieurs personnes s'y tiennent côte-à-côte Le druide nain et sa jeune élève se trouvaient à l'avant du groupe, l'un derrière l'autre. Ensuite venait le barde Siffle-Abricot et Vesse-Fleurie fermait la marche.

Ce dernier était un mercenaire de la Guilde des Aventuriers Rigolos Conciliants Intensément Mielleux Occasionnellement Retors et Exécrables engagé par Crâne-Lard pour cette expédition. Sur les ordres du roi, qui avait exigé que Crâne-Lard effectue cette mission, l'un des ninjas royaux accompagnait également le druide et son équipe. Le nain l'avait rencontré juste avant son départ du Palais Royal : il s'agissait d'un homme-rat, selon toute vraisemblance, mais il n'avait pas vu son visage. Le ninja lui avait seulement dit, à voix très basse, qu'il allait désormais le suivre comme son ombre, sans être jamais vu et qu'il ne se manifesterait que si cela était crucial. Et effectivement, Crâne-Lard n'avait plus jamais aperçu l'assassin royal. À certains moments, le druide se demandait même si le ninja le suivait vraiment.

Dans les ténèbres, la pierre qui sertissait le bâton de druide de Yuyiyine émettait une lueur faible mais suffisante pour que le groupe n'ait besoin d'utiliser des torches. Lorsque Crâne-Lard avait expliqué à son apprentie que tous les druides devaient être munis d'un bâton qui représenterait officiellement leur fonction, Yuyu s'était montrée enthousiaste et déterminée à se confectionner un bel objet. Durant sa prime enfance passée auprès des hommes sauvages, elle avait appris à utiliser efficacement ses dix doigts : elle avait passé des heures à tailler un beau bois d'ébène blanc. Une fois son bâton magnifiquement ouvragé, Yuyiyine avait placé le fragment de rubis que Tasse-Dent lui avait offert au bout de son arme contondante, en souvenir de son ami et des aventures passées. Alors qu'ils cheminaient depuis près d'une heure dans l'entrelacs complexe des souterrains rameks, Crâne-Lard et ses compagnons débouchèrent dans une cavité plus large. Il fut ainsi possible de se regrouper et d'avancer sur quelques dizaines de mètres les uns à côté des autres.

D'une seconde à l'autre, ils remarquèrent une dizaine de paires d'yeux rouges qui les encerclaient. Ils furent entourés par toute une bande de vilains hommes-rats. Les rongeurs étaient apparus si soudainement qu'ils semblaient avoir surgi des entrailles de la Sphère. Ils étaient tous armés de griffes de combat empoisonnées, qui donnaient l'impression de transpercer leurs poings. Toutefois les rameks ne se montraient pas menaçants. Vesse-Fleurie leva son marteau mais Crâne-Lard lui fit signe de rester calme. Un ramek vêtu d'une robe mauve brodée d'étranges glyphes traversa le cercle qui contenait le groupe d'aventuriers et s'approcha des intrus.

- Maître druide, mademoiselle, messieurs, en ma qualité de responsable de la promotion du nombreux et fructueux peuple airki, je vous souhaite la bienvenue dans le royaume sous-terrain. Je me nomme Schkrupla et je suis le responsable marketing et communication avec le royaume de la surface. Vous m'excuserez du piètre accueil qui vous a été réservé mais comprenez que votre venue, fut-elle une joie, n'était pas attendue.

- Et bien, heu, je vous remercie, enfin nous vous remercions tous.

- *Seigneur ramek, très noble Schkrupla, nous sommes en ce moment vos hôtes. veuillez nous excusez pour cela, n'avoir prévenu est une faute.*

Crâne-Lard était embarrassé. Il avait imaginé progresser discrètement pour obtenir furtivement des informations aux dépens d'un ramek égaré, mais le druide venait de comprendre qu'ils avaient été repérés et observés dès leur arrivée dans les galeries des hommes-rats.

- Vous m'excuserez de vous avoir fait languir, mais vous imaginez bien que je ne m'attendais pas à votre visite. Je vous sers quelque chose ? Nous avons dans le royaume souterrain des alcools piqués aux vers[25] que je vous recommande vivement.

---

[25] Le baldozar, alcool favori des hommes-rats, était techniquement piqué aux vers : les rameks trayaient les minuscules mamelles des pondeuses cerviphages puis distillaient ce lait épais pour en faire un alcool terrible.

Schkrupla s'exprimait avec un très léger accent ramek : ses "i" étaient un peu trop aigus et ses "s" trop allongés. La petite compagnie suivit le responsable communication dans un petit tunnel étroit, les gardes hommes-rats sur leurs talons. Ils furent conduits jusqu'à une pièce, étonnamment spacieuse et haute de plafond. À chaque hôte, on offrit un confortable coussin disposé le long d'une table, face à Schkrupla. Celui-ci resta seul avec ses quatre invités.

– Chers voyageurs des profondeurs, ne vous gênez pas pour étancher votre soif. J'aimerais entretenir une franche conversation avec vous et je n'aimerais pas que vos langues soient trop sèches pour ce faire !

Personne n'accepta le baldozar offert par le ramek, mais ils acceptèrent qui un verre d'eau fraîche, qui un sirop à la citrouille. Siffle-Abricot reconnut dans l'air rare de l'endroit les effluves marqués de fromages affinés. Toutefois, il n'osa pas en demander une lichette : il n'avait pas confiance en Vesse-Fleurie, qui peut-être le dénoncerait à la Glorieuse et Ultime Inquisition Libre d'Inquisiter. De plus, ils étaient envoyés en mission pour le roi et il souhaitait garder les idées claires.

Assoiffé par sa longue descente dans les étroites galeries, Siffle-Abricot ne se gêna pas pour se désaltérer. Vesse-Fleurie l'imita, alors que Crâne-Lard faisait comprendre par télépathie à sa disciple de ne toucher à rien. Cette méthode de communication avait été possible du moment où Yuyiyine avait terminé son rapide rituel initiatique. Le nain et la fille sauvage gardaient cette compétence secrète et même le barde Siffle-Abricot ne leur connaissait pas cette faculté.

- Ne tournons pas autour du pot, messieurs, mademoiselle. J'imagine qu'il vous tarde de retrouver la surface. Nous ne recevons guère de visiteurs, si ce n'est parfois quelques promeneurs perdus ou bandits cherchant refuge. Notre garde est intransigeante avec les inopportuns mais les consignes vous concernant sont différentes. Il m'a été demandé de converser avec vous afin de savoir pour quelle raison vous vous êtes aventurés jusqu'ici.

*- En voici la raison, cher homme-rat*
*nous sommes ici sur l'ordre du roi.*
*Mon ami le nain druide a remarqué*
*les milliers de tunnels par vous creusés ;*
*c'est légitime, on se fait du souci*
*en voyant cela on se dit : pardi !*
*Les rameks vont envahir la surface,*
*quelle puanteur, quelles viles faces !*
*C'est pourquoi nous sommes venus céans*
*pour faire parler en le torturant*
*tel ou tel autre de vos compagnons ;*
*de notre venue, voici la raison.*

- Ouais, c'est ça, on est venus discrètement pour enlever un ramek et que le ninja du roi le torture.

Crâne-Lard n'en revenait pas : Siffle-Abricot et Vesse-Fleurie venaient de tout dévoiler à l'émissaire homme-rat. Celui-ci semblait particulièrement satisfait et enchaîna immédiatement avec une autre question.

– C'est donc le roi qui vous envoie, c'est cela ? Savez-vous s'il a prévu une action militaire quelconque contre le peuple ramek ?

– *Que nenni, non point, ce n'est pas le cas ou pas encore, mais ça le sera. Bientôt Califourchet, sans aucun doute, enverra ses troupes sur votre route.*

Le druide nain n'était pas idiot, et il connaissait assez son ami Siffle-Abricot pour comprendre qu'il ne se trouvait pas dans son état normal. Sans aucun doute, il avait été ensorcelé pour être contraint de dire toute la vérité. Comment le ramek avait-il lancé ce sortilège ? « Je suis sûre c'est dans la boisson », lui répondit Yuyiyine, qui écoutait ses pensées. « Oui… Sans aucun doute ! Surtout n'en bois pas une goutte ! » « Monsieur, j'ai une idée, laisse-moi faire, on va lui tendre un piège. »

Alors, Lune-Divine commanda à Piquet, sa souris invisible, de discrètement intervertir le verre de son maître et celui de Schkrupla, tout deux remplis d'un liquide semblable. Crâne-Lard, qui avait compris le stratagème ourdi par sa disciple, s'assura d'attirer l'attention du ramek. Il feignit d'être sur le point d'avouer un terrible secret druidique sur l'origine des hommes-fruits. Pendant ce temps, la brave souris invisible échangea avec une furtivité maîtrisée le breuvage enchanté du druide et celui de Schkrupla.

– Je ne m'attendais pas à rencontrer un si aimable émissaire. À vous et au peuple ramek, je dis bravo, et santé !

L'émissaire se saisit du verre qui se trouvait devant lui, trinqua avec Crâne-Lard et tout deux en burent l'intégralité du contenu. Dès que Schkrupla reposa son gobelet, le nain commença à l'interroger.

- Dites-moi, émissaire, pour quelles raisons exactement le Grand Filandreux a-t-il ordonné le percement des toutes ces galeries jusqu'à la surface ?

- Notre majesté cornue sait que le merveilleux jour de la Grande Meule est bientôt arrivé. Non seulement notre astre sacré va parcourir le ciel visible comme il le fait invariablement, mais cette fois-ci, la Grande Meule ne se contentera pas de nous survoler et de nous inonder de sa jaunâtre bénédiction : elle s'échouera à la surface du royaume. Dès que cela sera le cas, nous devons être prêts. Où que la Grande Meule se pose, le peuple homme-rat doit pouvoir l'atteindre sans perdre un instant. C'est pourquoi nous avons creusé des tunnels qui puissent nous mener partout dans le royaume.

- Mais, à quoi, exactement, devez-vous être prêts ? Que se passera-t-il lorsque la Grande Meule s'écrasera ?

- Et bien nous quitterons nos tunnels pour nous répandre à la surface et combattre les armées du roi jusqu'à ce que le Grand Filandreux prenne place sur le trône et gouverne le royaume.

- J'imagine qu'il n'est pas prévu que nous quittions cet endroit vivants, est-ce que j'ai raison ?

– Vous vous trompez, vilain nain. Ma mission était d'établir quelles connaissances Califourchet avait de nos agissements, puis de vous faire oublier notre entrevue grâce à un élixir d'évapémoire. Ensuite, nous vous laisserons errer quelques heures dans une galerie sans intérêt avant de vous laisser capturer un homme-rat d'extraction insignifiante que vous torturerez en vain.

*– Je vois avec joie que vous êtes vraiment franc*
*c'est très sympathique et c'est même plutôt chouette.*
*Poursuivez-donc, décrivez-moi, de but en blanc,*
*notre sort si l'on prend la poudre d'escampette ?*

– Si je constate le moindre risque que vous quittiez cet endroit en emportant notre secret, je ferais tintinnabuler la clochette en émeraude qui se trouve sur cette table basse et des assassins rameks surgiront pour vous arracher le cœur.

– Vesse-Fleurie !

À la seule évocation de son nom par Crâne-Lard, le mercenaire bondit sur Schkrupla et le décapita d'un coup de sabre, dégainé, utilisé pour frapper puis rangé dans son fourreau dans le même mouvement. Siffle-Abricot sortit immédiatement la Chante-Flûte, son pipeau enchanté, qui avait le pouvoir d'empêcher les créatures inamicales d'approcher tant qu'il en jouait avec sincérité. Sachant qu'ils tomberaient nez-à-nez avec une horde de rameks s'ils quittaient les lieux par la porte, le druide utilisa son pouvoir de métamorphose. Crâne-Lard se concentra, avec intensité mais rapidement, et imagina une taupe géante, du genre de celles qui grouillaient sous les champs de betteraves gelés de Glace-Chaud. Le nain prit alors l'apparence d'un vilain talpidé fouisseur de presque trois mètres de long. Sans plus attendre, Crâne-Lard commença à creuser un passage jusqu'à la surface. Yuyu admira le savoir-faire de son maître avec envie. Le druide l'avait déjà ébahie à plusieurs reprises grâce à ses transformations (elle affectionnait particulièrement sa forme de chat-poisson). L'apprentie se réjouissait d'apprendre elle aussi à se métamorphoser mais Crâne-Lard restait évasif au sujet de cet enseignement. En vérité, il ne savait pas bien expliquer comment il opérait ses transformations, cela lui était venu naturellement quand le besoin s'était ressenti.

Une fois la taupe géante suffisamment engagée, Lune-Divine, puis Vesse-Fleurie et Siffle-Abricot la suivirent et, ainsi, les quatre aventuriers prirent la fuite du royaume souterrain.

## La Guilde Ultime et Invincible de Tartisco Aventurier Royal Élégant

La dernière mission de la guilde des Héros Épiques Retors Perspicaces Efficaces et Sensuels avait été un fiasco : non seulement les aventuriers n'avaient pas été en mesure de restituer à leur mandataire la pantoufle magique demandée mais, bien pire, leur sympathique chef, le barde Abdonide, avait trouvé la mort dans des circonstances atroces, découpé en deux par les crocs retors d'un cerviphage géant. Réunis autour d'une table en bois sale et collante de l'auberge du Gypaète Pernicieux, Alphée, Joséphyr, Tasse-Dent, Tartisco, Seize et le professeur Indigo Génisse partagent sans entrain une assiette de saucisses "découverte du terroir". Leurs vêtements portent encore des traces de sang, de boue, de morceaux de vers. Leurs visages sont grossièrement débarbouillés.

*L'ambiance est morne, les saucisses trop sèches et la serveuse un peu moustachue. Une fois servis, la prêtresse de combat Alphée se lève et trinque au souvenir encore frais du ménestrel récemment décédé.*

*Alphée :*

- Abdonide n'était pas un troubadour comme les autres, et sa guilde non plus. Il était toujours sympa et souriant, on peut dire ce qu'on veut sur ses compétences de chef, mais au moins il était toujours prêt à partager. Il va rejoindre l'étoile de la Déesse, comme toutes les personnes bienveillantes, et vivra à ses côtés dans un monde où toute la nourriture est autorisée, où rien ne fait grossir et où les monstres et autres vers blancs géants n'existent pas. Que l'esprit d'Abdonide soit bien tranquille et que son souvenir nous accompagne dans nos prochaines aventures !

*Avant que les aventuriers puissent porter leur verre à leur bouche, le nain Joséphyr se lève à son tour.*

*Joséphyr :*

– Nous ne sommes plus qu'Alphée et moi à avoir intégré la guilde d'Abdonide lors de sa création. Seize nous a rejoint il y a quelques semaines, Requin-Buisson et Fifrelin aujourd'hui même et Génisse nous a offert cet apéro. Mais je pense que chacun d'entre vous, qu'il ait côtoyé Abdonide quelques heures ou quelques années, a pu se rendre compte que c'était un brave type. Les nains n'accordent pas souvent leur amitié à des humains, mais si j'avais dû avoir un ami chez les Hommes, ça aurait pu être lui. À Abdonide !

*Cette fois-ci, tout le monde trinque. Seize lève son verre mais il ne le porte pas à sa bouche. Joséphyr reste debout.*

*Joséphyr :*

– Maintenant, il faut penser à l'avenir. La guilde créée par Abdonide ne va pas disparaître avec lui, ça serait dommage et on y perdrait tout, en tout cas moi et Alphée. Depuis qu'on a sauvé la fille de la cousine du Chevalier du Hérisson dans les ruines du Château Hurlant, la guilde touche une rente de récompense éternelle. Cette rémunération mensuelle disparaîtra si on laisse tomber. En plus, les Héros Retors, c'est un peu l'héritage d'Abdonide.

*Alphée :*

– Je suis d'accord avec toi, Joséphyr. Je n'aimerais pas voir notre guilde disparaître.

*Joséphyr :*

– Ouais. Maintenant, il faut d'abord savoir qui veut rester dans la guilde et surtout qui va en être le chef. Alors je vous propose chacun votre tour de dire si vous voulez rester membre du groupe sous mon commandement. Alphée ?

*Alphée :*

– Alors je me permets de dire d'emblée que je veux évidemment rester dans notre guilde, mais j'aimerais savoir pourquoi ça serait toi le chef, on n'a jamais parlé de la succession d'Abdonide.

*Joséphyr :*

– Bin, je suis le plus ancien dans la guilde, ça me semble logique.

*Alphée :*

– Le plus ancien ? On a été recrutés en même temps ! C'était dans cette pâtisserie-cabaret à Libre-Ville ! T'es pas plus ancien !

*Joséphyr :*

– Si, un peu. J'ai serré la main en premier à Abdonide, toi tu as accepté après.

*Alphée :*

– Mais ça n'a rien à voir ! J'étais en train de mélanger les cartes pour notre partie de cul-de-troll. Si tu veux vraiment respecter le souvenir d'Abdonide, on ne doit pas se déterminer selon l'ancienneté. Tu sais très bien qu'il adhérait aux idées philosophiques de Napoléon Beaupépon, il aurait souhaité qu'on vote pour élire notre chef, ou bien qu'on ait pas de chef et qu'on prenne toutes nos décisions par consensus.

*Requin-Buisson :*

– Excusez-moi, madame Alphée, mais en fait, je crois que légalement, une guilde doit obligatoirement avoir un dirigeant. C'est dans le code royal.

*Joséphyr :*

– Et bien, t'es au clair sur la législation. Qu'est-ce que vous en pensez, toi et Fifrelin, vous voulez rester dans notre guilde ? On n'est pas une communauté célèbre ou puissante mais on peut faire perdurer notre groupe.

*Requin-Buisson :*

– Alphée, je suis motivé à rester parmi vous. Ça m'est égal qui sera le chef, tant que c'est pas moi.

*Seize :*

– Je m'apprêtais à prononcer exactement les mêmes mots que le jeune Requin-Buisson.

*Alphée :*

-Ouf ! J'espérais que tu restes ! Vous êtes les bienvenus, en tout cas.

*Indigo Génisse :*

– Personnellement, je ne peux pas me permettre de participer à autant d'aventures que je le souhaiterais, car j'ai des cours à assurer à l'université de Selona. Je suis plutôt du genre solitaire, je parcours le royaume à la recherche de vestiges du passé.

*Joséphyr :*

– Comme vous voulez. Je pense que l'association de vos connaissances historiques et de notre savoir-faire en matière de quêtes nous permettrait de mettre la main sur de précieux trésors.

*Indigo Génisse :*

– Malheureusement, nos intérêts divergent trop pour que nous travaillions ensemble. Vous pillez des endroits anciens, afin de monnayer ce que vous y trouvez pour vous enrichir sans scrupules, sans penser à l'héritage que vous détruisez ainsi sans vergogne alors que, pour ma part, si mon pied foule humblement les temples du temps jadis, ce n'est que pour préserver, conserver, étudier, comprendre, diffuser. Là où vous voyez des profits potentiels, moi je vois un pillage honteux du patrimoine. Si je quitte le confort de ma bibliothèque, si je pars à l'aventure, ce n'est que pour anticiper la venue de mercenaires tels que vous ; mais personnellement, je vous trouve plutôt sympathiques. Si, après cet agape nos chemins venaient à se croiser à nouveau, nous serions des rivaux et non pas des camarades.

*Requin-Buisson :*

– C'est dommage, j'aime beaucoup quand vous me racontez des histoires.

*Indigo Génisse :*

– Vous n'êtes qu'au prologue d'une longue carrière d'aventurier, j'en suis persuadé. Nous nous reverrons, Requin-Buisson.

*Fifrelin :*

– Moi aussi, en fait, j'aurais une longue carrière d'aventurier, sûrement même plus longue que celle de Ta… de Requin-Machin. Sinon, comme on a gardé le meilleur pour la fin, je vais aussi vous répondre. Je suis d'accord de rester dans cette guilde, mais alors ce sera moi le chef.

*Alphée :*

– Heu… et bien, dans l'absolu, rien ne s'oppose à ce qu'un voleur félain comme toi devienne le nouveau chef de la guide, mais c'est quand même un sacré travail. Je pense que Joséphyr, Seize ou bien même moi, nous serions des chefs plus légitimes. Je veux dire, tu as rejoint la guilde il y a quelques heures seulement.

*Seize :*

- Qui que soit le chef, ça m'est égal. Mais ça ne sera pas moi.

*Joséphyr :*

- Bon, faisons comme Alphée a proposé, tout le monde vote. Sauf le professeur Génisse.

*Fifrelin :*

- Non, y'a pas de vote. Je deviens chef, voilà et je déclare que la guilde des Héros Élégants Romantiques Perspicaces Efféminés et Savonnés…

*Joséphyr et Alphée (pile en même temps) :*

- Des Héros Épiques Retors Perspicaces Efficaces et Sensuels !

*Fifrelin :*

- Ouais, bin que cette guilde n'est pas démocratique et que j'en serais toujours le chef.

*Requin-Buisson :*

– Mais, heu, je sais pas trop, je me dis que ça serait peut-être mieux que ce soit Alphée ou Joséphyr. C'est plus légitime, ils sont plus expérimentés et puis…

*Fifrelin :*

– Arrête, Tass-D' ! Tu mens, tu dis ça juste parce que tu veux pas que je sois le chef, parce que t'aimerais toi être chef, parce que tu crois toujours que t'es meilleur que moi ! Mais c'est pas vrai, je suis super, j'ai battu un dragon, j'ai… j'ai battu Gobolino !

*Requin-Buisson :*

– Mais non, pas du tout, c'est pas du tout ça, c'est pas vrai …

*Fifrelin :*

– Si ! Si c'est vrai ! T'es jaloux que j'aille eu en premier l'idée de dire que j'étais le chef, c'est tout ! Si tu veux pas que je sois le chef, c'est que t'es jaloux !

*Alphée :*

– Jeune félain, vous faites erreur, le guerrier Requin-Buisson a mentionné le fait que ça ne l'intéressait pas du tout de diriger la guilde.

*Fifrelin (s'énervant très fort) :*

– C'est pas vrai, c'est nul, c'est juste que vous êtes jaloux ! Vous êtes des tricheurs ! Vous êtes nuls, votre guilde elle est nulle, elle est trop nulle ! Je mérite mieux que vous, je suis un prince, je suis Tartisco, je suis l'héritier du royaume des félains ! Je vais créer ma propre guilde, elle sera mille fois mieux que la vôtre !

*Tasse-Dent s'approche de son ami, avec bienveillance, pour le calmer. Tartisco se retourne vivement, sort ses griffes et gifle le demi-homme. Tasse-Dent tombe sur les genoux, se tient la joue gauche, qui saigne. Seize s'interpose entre les deux princes. Tartisco jette un œil à Tasse-Dent, esquisse un pas dans sa direction, puis il se ravise.*

*Il comprend qu'il vient de détruire quelque chose.*

*Il tourne les talons et quitte l'auberge sans un mot.*

## Chasseurs de monstres

Depuis quelques semaines, de nombreuses créatures monstrueuses étaient apparues dans la région de Granne-Josse. Diverses, terrifiantes et mortelles, celles-ci avaient semé la panique entre les frontières des Terres Royales et celles des Hauts du Rouge-Gorge. D'ordinaire, quand il arrivait que des monstres s'aventurent dans le royaume, ils surgissaient invariablement des Brumes qui entouraient le monde connu. Aux alentours de la Granne-Josse, pyroflateurs, vouivrenins, chiens-gueulards, biophages, chirophales, glaciaglas et autres animaux géants semblaient avoir surgi du néant. Personne n'expliquait leur arrivée mais les ravages qu'ils opéraient sur la population et les cheptels de bétail étaient indubitables. Alis n'était pas la seule membre de la Guilde Libre des Aventuriers Cherchant Outrageusement des Nouveautés sur place : une vingtaine de mercenaires de la même confrérie arpentait la région, chaque courageux combattant prêt à en découdre avec les affreux monstres. La Guilde précitée s'était assurée l'exclusivité de la traque aux monstres dans ces lieux, aucune autre organisation n'avait donc le droit d'y envoyer des aventuriers.

Cette grande vallée peu peuplée accueillait ainsi des mercenaires venus les sauver. Les habitants se montraient affables, les enfants émerveillés et les habitantes célibataires reconnaissantes. L'auberge locale, le Vieux-Puits, affichait pour la première fois complet depuis belle lurette et les quelques organisations locales, la Guilde des Orques Unis

Pour Inventer des Lotions et la Guilde des Rembourreurs Économes Garnisseurs Amateurs Intransigeants Ragaillardissant les Effarouchés, voyaient leur chiffre d'affaire s'envoler. Bref, mis-à-part les morts tragiques d'enfants et d'animaux dévorés, l'apparition de monstres dans la région constituait une véritable aubaine financière pour la Granne-Josse.

Le Grand Temple avait également envoyé sur place la Glorieuse et Ultime Inquisition Libre d'Inquisiter afin d'enquêter sur les circonstances des apparitions et les inquisiteurs, héritiers de Lucius Von Klagenfuss, ne se privaient pas de combattre des monstres lorsque l'un d'entre eux croisait leur route, même si cela ne constituait pas leur objectif principal. Ils cherchaient avant tout à comprendre pourquoi les monstres apparaissaient. Ces prêtres ne se mêlaient à la population locale qu'à l'occasion de séances d'interrogatoire redoutées et parfois mortelles.

Alis obtenait une récompense pécuniaire de la part de sa Guilde pour chaque monstre vaincu de son épée. N'étant pas membres de ce groupe, Lamkikoup et Mycostère n'avaient pas l'autorisation de participer à la mise à mort des créatures : un délégué des Aventuriers Cherchant Outrageusement la Nouveauté veillait au respect du monopole. En qualité de mentor, l'homme-lézard avait toutefois l'autorisation d'accompagner sa disciple sur le terrain et de lui prodiguer des conseils durant les combats. Mycostère, habile alchimiste, les suivait quelque peu en retrait et abreuvait Alis de potions et décoctions, quand il ne restait pas à l'auberge pour s'occuper d'Hydranna, l'hydre-menthe. Téméraire, talentueuse et bien encadrée, la jeune guerrière se montra brillante dans l'exercice de la chasse aux monstres. La plupart des autres aventuriers étaient plus expérimentés et/ou mieux équipés, mais Alis compensait largement ses points faibles par sa détermination et son intérêt pour les monstres. En quelques semaines, elle s'éleva ainsi de son rang initial au sein de la guilde pour atteindre celui de Coq de Combat. Lamkikoup avait compris que sa disciple n'avait pas peur des créatures qu'elle combattait. Au contraire, ces dernières l'attiraient et le sauromme avait la certitude que si elle n'avait déjà adopté un bébé hydrementhe, Alis aurait tenté d'apprivoiser l'un ou l'autre des monstres qu'ils traquaient. Alis avait presque réunit la somme nécessaire à l'achat d'un quæretisseur de quæretisseur, nécessaire pour retrouver son amie Dardaumiel, lorsqu'elle découvrit la raison pour laquelle les monstres apparaissaient.

Ce matin-là, après avoir déjeuné d'omelaitues et de biscuits à l'ail comme à l'accoutumée, Alis et Lamkikoup partirent dès potron-minet à la chasse aux monstres. Mycostère, occupé à éplucher les mues d'Hydranna, leur souhaita bonne chance.

C'était dans le but de retrouver le bijou ornant son bâton que l'alchimiste avait accompagné le sauromme et la jeune femme mais, d'aventure en aventure, le temps passant, son désir se montrait moins brûlant et Mycostère se complaisait de son rôle de soutien. Généreuse, Alis partageait invariablement ses rétributions en trois parts égales, ainsi le savant engrangeait un sympathique petit pécule en se contentant de confectionner des potions de soin mineures pour Alis et des repas équilibrés pour l'hydre-menthe. Mycostère avait constaté très rapidement à quel point la jeune femme réagissait aux mets et aux boissons sucrées et il prenait donc garde à surveiller la composition de ses menus, histoire d'éviter qu'Alis se transforme n'importe où. Il avait confié une potion de secours extrêmement sucrée, de l'überglucosul, glissée dans la ceinture de la guerrière et qu'elle ne devait boire qu'en cas d'absolue nécessité.

Levés plus tôt que les autres chasseurs de monstres, les deux aventuriers prirent le chemin de l'épaisse forêt de Mol-Bâton, où ils avaient déjà débusqué de nombreuses créatures. Ces bois sombres semblaient constituer un refuge de choix pour les monstres, qui s'y cachaient pour dévorer les victimes innocentes des hameaux alentours.

À proximité de l'orée de Mol-Bâton, l'homme-lézard ouvrit son pot de luciolulluisantes cueillies la vieille. Des centaines de minuscules insectes buveur de sang se dirigèrent dans la même direction, cherchant à travers la forêt le plus proche festin. Lamkikoup et Alis utilisaient ce stratagème pour trouver des monstres endormis après un copieux repas, et cela fonctionnait plutôt bien. Les dépouilles encore sanguinolentes attiraient les luciolulluisantes et les guerriers découvraient ainsi avec facilité la planque des créatures. La piste lumineuse, vert clair, les mena jusqu'à un énorme tronc d'arbre déraciné, couvert de mousse et de lichen. Avançant prudemment, sans le moindre bruit, Alis découvrit la carcasse d'un petit veau tout près des racines mises à nu. La bête qui avait dévoré le jeune ruminant s'était ensuite enfouie là où se tenait l'arbre, creusant de toute apparence un tunnel dans la terre meuble.

La guerrière adressa un petit signe convenu à Lamkikoup, marqua une pause, accroupie à quelques centimètres de la galerie, puis s'engouffra sans hésiter dans le terrier du monstre. Après seulement quelques secondes, l'homme-lézard perçut un cri d'assaut, l'éclat de coups d'épée, un feulement grave et un hurlement de douleur.

Alis surgit hors de la tanière, bondit de quelques mètres et se retourna pour faire face au monstre qui en jaillissait déjà. C'était un cruor arc-en-ciel, toutes griffes dehors, particulièrement courroucé d'avoir été dérangé dans son sommeil.

Lorsque ses véloces pattes se posèrent là où Alis s'était brièvement arrêtée, le petit piège qu'elle avait déposé au sol de déclencha. Sans sembler le remarquer, le monstre avait mis le pied sur le flacon d'une décoction concoctée par Mycostère. La fiole se brisa sous son poids et le poison se répandit immédiatement dans le sang froid du cruor, à travers sa peau écailleuse. Les mouvements de la créature se firent plus lents, maladroits et elle s'écroula juste aux pieds d'Alis. Couchée sur le flanc, elle n'agitait plus ses membres que par des spasmes épars.

– Ça l'est presque trop facile avec de les potions de tremblotine.

Lamkikoup désigna la profonde entaille sur le flanc droit d'Alis. Sa tunique blanche et le gambaison qu'elle portait au-dessous étaient déchirés, la blessure saignait abondamment.

- Oui, il me l'a griffée dedans le terrier.

- Tu devrais boire tout de suite une potion de soin, tu perds vraiment beaucoup de sang. Deux précautions ne font pas le printemps.

- L'autre fois, tu te rappelles ? J'avais pas fait attention et j'avais bue de la potion poisie à la place et j'avais eu plein de boutons poilus qui l'avaient poussé partout.

Détendue, Alis ingurgita la décoction préparée par leur camarade alchimiste et acheva le cruor qui agonisait.

- Tu aurais peut-être dû conserver la tremblotine pour un monstre plus fort. Mycostère nous a bien dit que les ingrédients pour la concocter sont rares et coûteux. Et la prudence fait le moine, tu sais ?

- Oui, tu me le dis tout le temps. Mais je l'avais trop envie d'essayer celle-ci.

La jeune guerrière décapita le monstre et, habituée à cela, accrocha sa tête dans son dos. Lamkikoup inspecta la dépouille étêtée. Il était un peu troublé par la ressemblance physique perceptible entre la carcasse du monstre et son corps de sauromme. Dans tout le royaume et depuis les siècles, les hommes-lézards étaient ostracisés par les représentants des autres races à cause de leur apparence et de leur mauvaise réputation, basée sur des légendes malveillantes concernant leur goût pour les poisons, la concupiscence et la viande d'enfant. Lamkikoup était mal à l'aise de se trouver si proche du cruor. Le sauromme n'avait toutefois pas ressenti ce malaise lorsqu'il avait affronté Prospère le dragon vert.

– Tu l'as trouvé quelque chose de sur le monstre ?

– Hmm, oui. Pas grand-chose, mais toujours mieux qu'un rein.

Lamkikoup montra ce que la fouille du monstre avait rapporté : dix piastres et un bracelet enchanté orange.

– Je la me suis soignée et il est encore tôt. On va de chercher un autre monstre ?

– C'est toi qui décide, jeune disciple. Moi je ne suis là que pour te conseiller. Qui dit, dîne.

– Bin oui, c'est pourquoi que je te demande ton avis.

– Alors si tu veux le savoir, je pense qu'il faut battre le frère pendant qu'il est encore chaud.

Les deux aventuriers inspectèrent rapidement le terrier du cruor. Ils se montrèrent prompts durant cette exploration non pas par paresse mais en raison de la terrible odeur qui régnait dans l'antre du monstre. Ensuite, Lamkikoup récupéra la plupart de ses luciolulluisantes et tous deux partirent à la recherche d'un autre monstre. Cette fois-ci, la traque ne fut pas aussi rapide. Le soleil se leva et les insectes devinrent moins faciles à suivre des yeux.

- Tu sais, Lamkikoup, il y a quand même d'une chose que je me demande tout le temps dans ma tête. Tu vois, les monstres qu'on tue ils ont toujours des butins sur eux. Ça m'embête pas, hein, je les aime beaucoup des trésors mais je comprends pas pourquoi ils ont des sous et des fois des machins magiques sur eux.

- C'est la routine habituelle Alis. On est des aventuriers, on tue des gens et on gagne des pièces. Y'a pas de mal à se faire des biens.

- Oui quand on tue des gens, d'accord, c'est normal, mais à les monstres ça leur servait à rien de l'avoir des piastres et un bracelet. Pourquoi ceux qu'on trouve ici ils gardaient ça sur eux ? Avant, j'avais déjà battit des monstres, comme la grande serpoule par l'exemple. Bin elle avait jamais des pièces sur elle, juste des plumes et des écailles.

Alis était turlupinée mais Lamkikoup n'était pas convaincu qu'il faille se creuser la tête concernant ce qu'ils récoltaient sur les créatures vaincues. Ils continuèrent donc leur petit bonhomme de chemin sur les traces d'un nouveau monstre à terrasser. Le coup des luciolulluisantes ne fonctionnait plus, alors ils pistaient à l'ancienne. Le sauromme fit remarquer à la jeune femme des traces fraîches, très nettes.

- Tu vois ce que je vois, Alis ? Ces empreintes, c'est une bête qui avance sur deux pattes, environ soixante kilos. Elle est passée par ici il y a quelques heures, tout au plus. Il faut que tu sois plus attentive à ce qui se cache sous tes yeux. Couvre l'œil, et le bon.

La guerrière n'ajouta rien et ne se défendit pas, alors qu'elle avait repéré les traces depuis bien longtemps. Elle ne l'avait pas fait remarquer à son maître, parce qu'elle s'était dit que ces empreintes ressemblaient beaucoup aux siennes. Alis n'avait pas du tout tort car cette piste les mena jusqu'à une femme en train de manger de la tarte aux pives, assise sur une grosse pierre. Elle portait une armure de plates et, par-dessus celle-ci, la tunique de la Guilde Libre des Aventuriers Cherchant Outrageusement des Nouveautés. En voyant les deux aventuriers s'approcher d'elle, la guerrière se leva et sourit.

– Oh bin ça alors ! J'le crois pas mes yeux. V'là le Lamkikoup qui crapahute dans les bois !

Le sauromme était visiblement surpris et légèrement contrarié.

– Tiens, tiens, tiens. Comme le monde est rond. C'est une curieuse coïncidence que nos chemins se croisent aujourd'hui.

– Bin pas tant qu'ça. J'suis aventurière, tu sais. Même qu'j'fais partie d'une bien chouette guilde.

Alis réfléchissait à toute vitesse. Elle connaissait cette femme. Elle avait déjà vu son visage, entendu sa voix, repéré sa façon de parler. Des images lui venaient à l'esprit, éparses : une bagarre, un gobelin, des rideaux, des pâtisseries, des femmes toutes nues. La mémoire lui était revenue :

- Siegfrieda ! Vous l'êtes Siegfrieda ! Vous étiez la dame de la brioche sur les fesses. J'ai trouvé difficile de vous la reconnaître avec des habits sur vous. Tu l'es devenue une vrai aventurière !

- Par le croupion d'la Déesse ! Mais ouais, j'vois qui t'es ! T'es la fille de l'annonce qu'est venue pour balancer le Vaginel à travers la f'nêtre[26] !

Le sauromme ne comprenait rien, il était même incapable de saisir le sujet de leur conversation.

- Attendez les filles, vous vous connaissez toutes les deux ? Comment c'est possible ? Expliquez-moi, j'ai envie d'y voir par les deux bouts.

- C'te fille, c'est pas n'importe qui, elle a tout cassé le proprio' de la Culbutante, où que j'bossais avant. Même qu'c'est droit elle qui m'a donné l'envie d'laisser tomber les rapports tarifiés pour partir à l'aventure. Vous avez r'trouvé, la p'tiote que l'patron avait vendue à la l'alchimiste ?

---

[26] L'intervention mouvementée d'Alis et Dardaumiel au sein de la Culbutante, un cabaret-boulangerie, est narrée avec brio dans le magnifique ouvrage "La Quête de l'Oiseau Noir", dont je vous recommande vivement la lecture.

– Oui, on l'a même retrouvée de plein de petites filles. Elles étaient dans un château rempli de gens morts. Et après que j'ai tué la dame avec une longue langue, on est tous partis en dragon. Et toi, Lamkikoup, comment tu la connais d'elle ? Tu l'allais manger dans sa boulangerie ?

L'homme-lézard bomba le torse, clairement fier de lui.

– Et bien, figure-toi que Siegfrieda était ma précédente apprentie. Elle m'a embauché pour faire d'elle une guerrière. Après qu'elle ait remporté le Tournoi des Amateur Pugnaces Itinérants du Royaume, on a considéré qu'il fallait qu'elle continue son apprentissage toute seule. Il était temps qu'elle vole de ses propres flèches.

– Ouais ouais, c'est surtout qu'y a un groupe d'aventuriers qui t'a débauché pour qu'tu les accompagnes à la chasse au dragon, et toi t'as fait que les suivre pour avoir plus de pognon !

Lamkikoup ne répondit rien, l'aventurière avait dit la stricte vérité et il ne s'en cachait pas. Depuis ses déconvenues financières, le sauromme ne cherchait rien d'autre qu'à récupérer les sommes qu'il avait perdues au jeu.

– Ça l'est quoi le Tournoi des Animateurs Prognathes Intéressants du Royaume ? C'était bien ?

– Ouais, très sympa. Tu d'vrais tenter le coup. Même si tu t'prends une ramassée, tu vas apprendre des trucs.

Hey, ça fait super longtemps qu'on s'était croisées mais tes espèces de verres d'vant les yeux, tu les avais d'jà avant ?

- Mesdemoiselles, je suis navré parce que je vais gâcher vos retrouvailles mais je ne vais pas y aller par quatre chapeaux : vous êtes toutes les deux sur la même quête, à chercher le même monstre. Y'a pas d'autres solution, on va pas tourner autour du feu : il va falloir que vous vous combattiez à mort. Et la gagnante pourra continuer de chasser le monstre.

Les deux guerrières, perplexes, se fixèrent dans le blanc des yeux. Alis ne rechignait jamais à combattre, la jeune femme aimait beaucoup ça et elle était très douée. Elle n'aimait pas particulièrement tuer des créatures animales ou monstrueuses, car elle imaginait toujours les fabuleux compagnons que ces bêtes pourraient devenir. Par contre, elle n'avait aucun scrupule concernant les adversaires humains, orques, nains ou hommes-fruits qui avaient croisé son chemin. Ce qui la chiffonnait, c'était la perspective d'un duel à mort contre Siegfrieda. Ce n'était pas de la peur qu'elle ressentait. Alis était pathologiquement téméraire et l'avait déjà prouvé par le passé, en chargeant sans hésiter un troll des bois ou en subissant le feu d'un dragon millénaire. La guerrière n'avait pas envie de tuer l'ancienne artiste de boulangerie-cabaret, voilà tout.

Toutefois, lorsque Siegfrieda porta la main à son épée bâtarde et la tira au clair, Alis l'imita sans hésiter et brandit son imposante Flamme-de-Rose. Lamkikoup savourait la vision de ses deux disciples sur le point de se battre. Sa délectation était si ostensible que les guerrières la remarquèrent.

- En fait, j'dis ça comme ça, pas que j'ai pas envie d'me battre contre toi mais on pourrait pas droit chasser l'monstre ensemble plutôt qu's'entretuer ? Moi ça m'irait, en tout cas.

- Bin, je le suis d'accord aussi. Je veux bien qu'on soit une équipe.

- Chouette alors, ça m'disait pas tant d'te tuer !

Le sauromme intervint, cherchant vainement à être convaincant.

- Attendez, attendez, pensez à la prime ! Si vous faites équipe, vous allez devoir vous partager la récompense, ça va être compliqué, croyez-moi, ça fait toujours des histoires, y'en aura forcément une qui aura plus combattu que l'autre, qui aura pris plus de risques, j'en mets ma main à parier que vous allez finir par vous crêper la crinière.

Alis rangea Flamme-de-Rose dans son fourreau.

- Tu sais, moi j'ai juste besoin d'encore treize schlagers et vingt-deux piastres pour m'acheter du qua-ere-ti-sseur de qua-ere-ti-sseur, le reste de la récompense je te le donne, je l'en fiche.

Siegfrieda imita sa jeune camarade et une fois son épée rangée, elle offrit à Alis une franche poignée de mains qui scellerait leur collaboration. Lamkikoup était déçu, mais il n'insista pas plus. Tant que sa disciple le payait à la journée pour son soutien précieux et ses leçons, l'homme-lézard y trouvait son compte.

Alis demanda à l'ancienne péripatéticienne quelle créature elle était en train de traquer. Siegfrieda lui expliqua alors qu'elle avait remarqué que chaque monstre trimballait sur lui de la menue monnaie ou des objets utiles quelconques. Comme elle trouvait cela louche, la guerrière avait imaginé que les créatures étaient aux ordres d'une sorte de chef à qui elles devaient un tribut. Afin de confirmer ses soupçons, elle souhaitait suivre un monstre pour qu'il la conduise jusqu'à leur hypothétique seigneur. Pour ce faire, Siegfrieda avait capturé, entravé, attaché à un poteau et exposé à la vue de tous un gobelin, quelques centaines de mètres en aval de sa position. Depuis où elle se trouvait, la guerrière pouvait observer tranquillement le gobelin en attendant qu'un monstre en fasse sa proie.

- J'lui ai bien rempli les poches d'piastres, on verra d'jà où qu'le monstre qui le bouffera y les amènera.

Bien évidemment, Alis souscrivait entièrement au plan de Siegfrieda, puisqu'elle-même s'était interrogée à propos de la présence de butin sur les monstres de la région. Les trois aventuriers prirent position et patientèrent devant le spectacle du peau-verte qui attendait la mort, lié à son funeste destin.

- Et le monsieur du gobelin, ça l'embête pas trop de lui qu'il se fasse attaquer par un monstre ? Quand même, ça l'est super dangereux de se faire manger. Il l'est très courageux ?

– J'sais pas trop, j'l'ai trouvé pas loin, 'vec d'autres gob' tous moches. J'leur ai dit qu'j'allais les attaquer pour choper un prisonnier, et c'ui là s'est porté volontaire, j'ai même pas eu à en tuer que'ques-uns pour le motiver.

– Si je peux me permettre, il existe un courant religieux dominant auprès des gobelins, qui pratiquent le tératonisme, soit l'adoration des monstres. Ils vouent un véritable culte à ces créatures et si ce gobelin est bien tératoniste, ce que je suppose fortement, alors dans ce cas c'est un véritable privilège pour lui d'être dévoré. Mourir mangé par un monstre, c'est la pangée de son existence

– Bin si ça le rend content, ça l'est super pour tout le monde.

Après quelques heures d'attente et une demi-douzaine de sandwiches sympathiquement partagés par Siegfrieda, un monstre pointa enfin le bout de son museau. Il s'agissait d'un tricératops laineux, une espèce de reptile géant imposant mais inoffensif. Il avançait, pataud, en reniflant nonchalamment le sol.

– C'est raté les filles. J'ai déjà vu des bêtes de ce genre, elles ne feraient pas de mal à une souche. Elles s'aventurent parfois dans le nord des Plaines du Lynx et ne mangent que des cailloux et de l'herbe sèche. Cette créature-là ne va pas s'intéresser une seconde à votre gobelin.

- Mais tu l'as vu de ses trois super grandes cornes ? Elle doit être très balèze.

- Elle utilise ses trois grandes cornes uniquement pour se défendre, jamais pour attaquer.

Alors que Lamkikoup terminait sa phrase, le tricératops laineux repéra le gobelin. Le monstre cracha la bouchée de pierres qu'il mâchonnait, pencha son énorme crâne en avant et frappa le sol de ses pattes antérieures. Le peau-verte chantait si puissamment les louanges de ses monstrueuses divinités que les trois combattants pouvaient l'entendre depuis leur position, à des centaines de mètres de distance. Le tricératops laineux fonça sur le sacrifié, avec une rapidité étonnante vu sa carrure, et embrocha de ses trois cornes pointues le petit corps vert et couvert de verrues du gobelin.

Ensuite, le monstre secoua son chef jusqu'à se débarrasser de la dépouille, qu'il finit par faire voltiger plus loin. Le tricératops s'approcha ensuite du cadavre et le renifla. Rapidement, il saisit dans sa gueule la bourse de piastres déposée à la ceinture du gobelin par Siegfrieda.

- Faut qu'on l'suive maintenant ! P'têt' bien qu'y va nous m'ner droit vers son chef !

Alis était ravie et suivit Siegfrieda à la poursuite discrète du tricératops laineux. Elle enjoignit d'un regard motivé son sauromme de maître à les accompagner. Le comportement du monstre était inhabituel, cela ne faisait plus aucun doute.

– Peut-être que ce monstre ne va pas tout de suite aller amener le pognon à qui que ce soit, le cruor que tu as tué ce matin, il est allé peinard dans son terrier avec ses pièces et son ruban magique. Tout d'un coup, on suit ce tricératops laineux pour rien et on fera chou vert.

– Je crois le cruor il dormait juste mais après il serait allé vers son chef. Au pire, on bat du tricératops et ça nous fait un monstre de plus qu'on a vaincu de lui. Comme tu dirais Lamkikoup : qui vivra en aura le cœur net.

La piste du tricératops laineux les mena au cœur de la forêt, jusqu'à l'entrée sombre d'une grande caverne. Celle-ci était cachée dans le flanc d'une petite colline couverte d'aiguilles de sapin et de lichen. Le monstre recracha les piastres devant le repaire puis, la tête basse, il fit demi-tour. Quelques secondes plus tard, une fois le tricératops hors de vue, une petite silhouette bipède s'approcha de la bourse pleine de salive, s'en empara, puis disparut dans la grotte.

Alis avait eu raison lorsqu'elle avait alerté son maître au sujet du comportement étrange des monstres. Toutefois, elle ne fit aucune remarque à Lamkikoup, qui ne partageait pas son avis. Le sauromme n'était pas étonné de cela : ce n'était pas du tout dans le tempérament de la jeune femme de se montrer moqueuse ou fanfaronne. Avant que les trois aventuriers ne puissent décider quoi que ce soit, une autre créature s'approcha. C'était un chierbère, un canidé à trois gueules et au poil noir. Il tenait un bras dans la gueule, arraché récemment au corps d'un humain. Tous les doigts de la main qui dépassait des crocs démesurés de la bête étaient ornés d'onéreuses bagues serties de pierres précieuses brillantes. Comme son prédécesseur l'avait fait, le chierbère déposa son butin à l'entrée de la caverne puis il déguerpit.

- On l'y va ! On le fonce dessus du petit machin qui va venir chercher le bras !

Flamme de Rose brandie, Alis courut en direction de la caverne. Sans hésiter, Siegfrieda l'imita. Elle enviait le courage de la jeune guerrière et, pour tout dire, la prenait en exemple. Lamkikoup emboîta le pas aux deux femmes. Pour la première fois depuis longtemps, il sortit ses khkrs en suivant Alis : « j'ai la ferme intuition que la bagarre va être rude à l'intérieur de cette caverne ».

Cette fois encore, une vilaine créature vint chercher l'offrande. Alis lui fit face et découvrit le visage blême et pustuleux d'un vieux gobelin. Malingre, il n'hésita pas à s'interposer entre la guerrière et le bras arraché.

- Keutk Yloer !

Siegfrieda parvint aux côtés d'Alis et trancha sans peine la tête du serviteur.

- Haha ! T'as été lente sur c'coup-là ! Ça fait un pour moi !

En riant, les deux femmes pénétrèrent dans la grotte. Immédiatement, un chaton-teigne se jeta sur elles. Malgré son jeune âge, le félidé géant atteignait facilement les trois mètres au garrot et chacune de ses griffes était aussi longue et coupante que les épées des mercenaires. Les femmes esquivèrent l'assaut d'une roulade, chacune de son côté. Le jeune chat-teigne se désintéressa des aventurières pour continuer son assaut sur Lamkikoup, qui venait d'apparaître à l'entrée du repaire. Le sauromme prit de vitesse le monstre et bondit sur lui avant que le chaton-teigne ne puisse le faire. L'homme-lézard tourna sur lui-même en l'air, recroquevillé, et atterrit derrière la bête.

– Je suis pas payé pour tuer des monstres, Alis, je vais pas te manger le boulot.

Les deux aventurières étaient de nouveau en position de combat, prêtes à en découdre avec la créature. Accaparées, elles n'avaient pas pris la peine de jeter un œil avisé à ce qui se trouvait autour d'elle. Lamkikoup, conscient de cela, éructa ardemment. Son bref souffle de feu, modeste avantage des saurommes sur les autres races bipèdes, éclaira l'intérieur de la caverne. Lamkikoup avisa, à l'autre bout de la cavité, la bouche d'un couloir qui s'ouvrait sur les ténèbres. Il remarqua également, tout autour d'eux, une demi-douzaine de serpions qui s'apprêtaient à passer à l'attaque et, au plafond, trois frambraignées. Accrochées par leur vilaine toile, celles-ci descendaient directement sur les deux jeunes femmes.

Alis trancha la tête du chaton-teigne, qui venait d'entamer méchamment la cuisse de Siegfrieda de ses griffes acérées. L'homme-lézard entendit alors de puissants grondements provenant du sous-sol : des dizaines d'autres créatures se précipitaient à leur rencontre.

Acculée, Alis avait consommé sa potion de secours d'überglucosul concoctée par Mycostère. La puissance du nougarou s'était emparée d'elle, mais aussi combative qu'elle se montrât, cela ne fut pas suffisant pour qu'elle l'emporte contre les nombreux monstres qui l'entouraient. Avant d'être vaincue, Alis fit trépasser bien des créatures par le fil de son épée, Flamme de Rose. À bout de forces, la jeune guerrière avait vu sa lame rougeoyer et elle avait l'impression que ses coups terrassaient plus sévèrement ses adversaires, mais le nombre de monstres avait eu raison de ses qualités de combattante. Avant de tomber à genou devant un vouivraptor, Alis avait vu Siegfrieda s'écrouler. Le buste transpercé par une dardabeille de trois mètres d'envergure, la guerrière n'avait pas pu résister au poison de l'insecte démesuré. Quant à Lamkikoup, il s'était battu avec ardeur et une vingtaine de monstres avaient péri sous ses coups. Ses blessures se régénérant au fil des combats, il avait fallu l'assaut simultané de deux chimères et d'une vipierre pour que le sauromme soit mis hors d'état de se battre.

Une fois vaincue, Alis fut emballée dans l'épaisse et visqueuse sécrétion d'une frambraignée dont ne sortait que l'extrémité de son visage et fut traînée jusqu'au souterrain de la caverne. Ballotée sans ménagement, la jeune guerrière perdit ses lunettes et Flamme de Rose alors qu'elle était menée jusqu'au trône du seigneur des monstres.

Le profond sous-sol de la caverne était bien plus haut et plus vaste que la cavité du dessus. Une cinquantaine de monstres, tous plus terrifiants et mortels les uns que les autres, entouraient, obéissants, leur souverain. Celui-ci était installé sur un siège impressionnant, constitué des os (principalement les humérus, fémurs et crânes) des victimes de ses monstrueux sbires. Le long des murs de la caverne étaient éparpillés les innombrables trésors amassés par les créatures et docilement apportés à leur maître.

Un monstre déposa Alis auprès de son seigneur, sur le dos. À ses côtés, du bout des yeux, la guerrière repéra avec soulagement le corps inconscient, mais bien vivant, de son maître homme-lézard. Il était lui aussi entravé par les sécrétions d'une frambraignée. Immobilisée sur le dos dans son cocon comme un tortue retournée sur sa carapace, Alis n'arrivait pas à regarder beaucoup plus loin sur les côtés. Par contre, elle avait une vue idéale sur le plafond, où grouillaient de terribles créatures difficiles à distinguer.

La personne qui siégeait sur ce macabre trône se leva pour s'approcher de sa captive. Elle ne lui était pas inconnue mais Alis était incapable de la reconnaître dans son inconfortable position et sans ses lunettes.

- Quand j'ai pigé que c'était vous les intrus, j'ai ordonné aux monstres de ne pas vous achever et de vous conduire à moi. C'est assez dingue, vous m'avez suivie jusqu'ici ?

Le maître des monstres se tenait juste devant Alis et attendait, impétueux, les poings sur les hanches, une réponse de sa prisonnière.

– En fait, je vois pas de ton visage. Je peux pas bouger ma tête et si je les baisse de mes yeux, je vois que le bout de mon nez tout flou.

Sur ordre de son chef, un hécatonchire souleva quelque peu Alis, qui avait l'impression de s'être transformée en gigantesque limace complètement figée. Un peu plus à la verticale, la jeune femme reconnut immédiatement son interlocutrice.

– Ha ! Mais c'est toi ! Tu l'es de la voleuse !

Pernicia sourit de la candeur d'Alis. La femme borgne avait abandonné son cache-œil et dévoilait sans gêne la cavité qui défigurait son visage. Elle avait revêtu une ample cape rouge sang, au-dessus d'une armure complète beige clair à épaulettes qui semblait avoir été taillée dans la carapace d'un insecte géant. Sous son bras droit, la maîtresse des monstres tenait un épais grimoire à la couverture recouverte de mille serpents frétillants.

– Je ne suis plus une voleuse, fillette. Je suis devenue la reine des monstres !

La guerrière jetait des regards à gauche et à droite, embrassant des yeux les créatures qui se trouvaient autour d'elle.

– Tous les monstres ils sont à toi ? Ils l'obéissent de toi ?

– Je n'ai même pas à prononcer le moindre mot. Ils réagissent sur-le-champ à la moindre de mes pensées.

– Sérieux ? Ça l'est trop beau ! Tu peux demander au gros monstre à trois cornes de marcher sur les pattes arrière de lui ?

– Si j'en avais envie, il ne se déplacerait plus que de cette façon pour le restant de ses jours.

Alis était démesurément envieuse.

– Oh, je l'aimerais trop aussi pouvoir faire ça.

Pernicia désigna la pierre brillante qui ornait son épais grimoire.

– C'est pour ça que vous m'avez suivie ? Pour récupérer la citrine que cet alchimiste avait placé sur son bâton ?

– Non. Mais en même temps, un peu quand même. En fait, on l'avait prévu de vous chercher, mais pas tout de suite. On l'a eu trop de la chance, c'était du hasard.

La borgne tendit les bras pour désigner à Alis toutes les créatures qui occupaient l'endroit.

– Je ne suis pas certaine que tu as eu trop de la chance, fillette.

– Elle l'est où Siegfrieda ? Elle l'est morte ?

- Pas encore. Pour l'instant, ton amie est en vie, mais peu importe, mes monstres vont bientôt la dévorer. Je suis un peu contrariée que vous ayez trouvé mon repaire, j'aurais voulu amasser du pognon encore quelques temps, mais je suis désormais assez riche et puissante pour ne plus avoir besoin de me cacher. Avec une infinité de monstres à mes ordres, je vais prendre possession du royaume. Quant à toi, je vais te punir pour avoir ôté la vie à tant de mes créatures. Tu sais ce qui va t'arriver ? La frambraignée qui t'as enveloppée va pondre des œufs dans ton ventre et lorsque ses bébés seront assez costauds, ils vont surgir de tes entrailles et te dévorer avant de partir à la conquête du monde à mes côtés.

- Tu veux pas plutôt de me donner un monstre et je m'en vais avec mes copains ?

Pernicia retourna vers son trône sans ajouter un mot. Une araignée géante, dont le corps hideux semblait constitué de centaines de framboises poilues et moisies collées les unes autres autres, s'approcha d'Alis, se saisit d'elle et l'entraîna au plafond pour l'y accrocher.

La guerrière n'avait aucune envie d'être dévorée. Toutefois, elle ne voyait aucun moyen de se soustraire à sa puissante geôlière. Malgré tous ses efforts et sa force prodigieuse, Alis était incapable de faire céder la chrysalide gluante qui l'enveloppait. Au milieu de toutes ces bêtes meurtrières et carnivores, ses camarades inconscients, elle se rendit compte qu'elle ne s'était jamais trouvée si proche de la mort. Même si son combat contre la pâtissière à la cuillère magique avait été rude, Alis était alors complètement libre de ses mouvements, elle avait pu se défendre. Coincée comme elle l'était, la jeune femme ne pouvait pas lutter, et cela la contrariait. La guerrière pensa à la fourmi qui logeait, autrefois, dans sa tête. L'insecte ne communiquait plus guère avec elle depuis belle lurette mais Alis lui enjoignit tout de même de s'en aller, au cas où la fourmi se terrait encore, discrète, quelque part dans son crâne.

La tête à l'envers, Alis vit s'approcher d'elle la frambraignée. Son dard turgescent pointait au-dessus du monstre, prêt à être planté dans le corps de la jeune femme à travers la chrysalide gluante. Alis pensa à sa famille, qu'elle avait quittée pour partir à l'aventure. La guerrière ferma les yeux et les visages de Dardaumiel, de Tasse-Dent et de Yuyu se succédèrent dans ses pensées.

Une puissante détonation retentit dans la caverne. Les murs en tremblèrent et l'écho de l'explosion vibra de longues secondes. Le fracas fut immédiatement suivi par l'éclat d'une lueur aveuglante et persistante. Les oreilles d'Alis sifflaient à cause de la puissance de la déflagration et elle fut contrainte de fermer les yeux tant la lumière était forte. La guerrière entendit des hurlements, des grognements, des râles.

Lorsqu'elle entrouvrit les paupières, Alis distingua une imposante chauve-souris sombre qui fonçait dans sa direction. La créature bipède, grande et toute noire, courait, la tête en bas, les pieds au plafond. Si ce n'était ses deux ailes noires et ses oreilles pointues, cette silhouette aurait pu être celle d'un humain particulièrement grand et costaud.

L'ombre noire progressait en se débarrassant des monstres qui se trouvaient sur son chemin, en les tranchant sans mal de ses deux sabres.

Ce ne fut que lorsque la silhouette fut tout proche d'elle qu'Alis comprit qu'il s'agissait d'un homme en armure noir onyx qui portait un heaume et une vaste cape. Celui-ci s'approcha de la jeune femme, lui murmura « ne craignez rien », puis il trancha habilement la membrane visqueuse. Le cocon s'ouvrit sur le corps sens-dessus-dessous d'Alis. Son sauveur accrocha rapidement un petit grappin à la ceinture de la jeune femme, puis il la laissa tomber dans le vide. Accrochée au Chevalier qui avait repris sa course au plafond, bringuebalée dans le vide, Alis ne détourna pas son regard du Chevalier qui venait de la sauver. Si elle avait perdu la fourmi qui hantait sa tête, la jeune femme découvrait que son ventre était soudain rempli de papillons fougueux.

Pernicia grimaça. L'intrus portait une armure unique, forgée dans un métal noir mat. Elle avait été façonnée pour lui donner la silhouette d'une chauve-souris à longues oreilles. Son porteur dégageait une aura perceptible, unique. Pernicia ne s'y trompa pas : elle avait compris que l'intrus qui massacrait ses créatures n'était autre que le Chevalier du Vespertilion à moustaches, revêtu de son armure sacrée. Selon les légendes, les armures divines octroyaient un tel pouvoir aux Chevaliers que le roi les avait toutes confisquées. Pernicia ne voulait prendre aucun risque. Elle réagit rapidement à l'arrivée de Broche-Veine et consulta son grimoire, à la recherche des pages présentant les monstres les plus puissants.

Le Chevalier du Vespertilion à moustaches plongea en direction de la femme borgne, entraînant Alis derrière lui. Jusqu'alors, Broche-Veine ne savait pas d'où provenaient tous les monstres et s'était contenté de suivre leur piste depuis le Palais Royal, où il avait terrassé la chauve-chimère mais, dès que Pernicia ouvrit son grimoire, le Chevalier reconnut l'ouvrage mythique et tout devint clair pour lui : afin d'endiguer l'invasion de monstres, il fallait commencer par s'emparer du grimoire.

Voyant fondre Broche-Veine sur elle, Pernicia ne perdit pas plus de temps et ouvrit le Livre des Monstres à sa dernière page. Tendu devant elle, le grimoire trembla, puis, dans un grondement, l'invocation débuta. L'ancienne voleuse remarqua quelque chose d'inhabituel. L'apparition était plus lente, son livre réagissait différemment. Le Chevalier du Vespertilion à Moustaches allait atteindre Pernicia lorsqu'un aigfelin ailé l'intercepta. Broche-Veine roula au sol, emporté par la créature, mi-lion mi-aigle. Alis se protégea de la chute aussi bien que possible, les bras en croix devant le visage.

L'intervention de l'aigfelin permit à la maîtresse des monstres de terminer son invocation et un gigantesque ogre du Titan apparut dans la caverne. Pernicia comprit immédiatement le problème qui allait se poser : dans les légendes, les ogres titanesques, créatures disparues depuis des siècles, étaient aussi grands que des montagnes. Les jambes du monstre surgirent devant la femme borgne, aussi hautes que des sapins, aussi larges que des rivières. Le haut du corps monstrueux transperça le plafond de pierre de la grotte tandis que sous le poids colossal de l'ogre, le sol céda comme de la glace trop fine sur laquelle s'aventurerait un promeneur mal avisé. Aussitôt invoqué l'ogre du titan fut englouti, emporté par sa propre masse au cœur des ténèbres dont il était issu. Sous une pluie de rochers, morceaux épars de la grotte, dans un concert d'hurlements, les monstres précédemment invoqués, Pernicia, Alis et Broche-Veine churent eux aussi dans les profondeurs.

En quelques instants, les monstruosités furent emportées et le silence se fit. Prompt, le Chevalier du Vespertilion à Moustaches réussit à atteindre la surface en progressant habilement sur les parois, esquivant les pierres et les créatures qui dégringolaient. Broche-Veine atteignit le bord d'un précipice qui semblait sans fond, d'où lui parvenaient les hurlements de monstres choyants. Au bout de la corde attachée à sa ceinture se trouvait toujours Alis, que le Chevalier avait ainsi sauvée d'une chute certaine. Il s'approcha du bord du précipice.

- Jeune femme, vous m'entendez ? Je vais vous remonter.

- Merci monsieur, mais vous pouvez plutôt de me descendre ? Il y a mon copain Lamkikoup qui l'est accroché pas loin de moi en bas, je l'aimerais de lui sauver.

Broche-Veine dénoua la corde de son grappin afin de faire descendre Alis le plus possible. Du précipice, il la héla afin de savoir si elle avait attrapé son ami.

- Super, comme ça c'est bien. Je l'ai emparé de lui.

Le Chevalier s'assit, cala ses pieds du mieux qu'il pouvait et se mit à tirer sur la corde au bout de laquelle Alis et Lamkikoup se trouvaient. Le poids à hisser le surprit. Il tira, avec grand peine malgré sa force exceptionnelle, jusqu'à voir poindre le visage d'Alis. Le Chevalier ne comprenait pas pourquoi il lui avait été si difficile de faire parvenir jusqu'à la surface une jeune femme et son camarade. Il tira encore et Alis apparut : elle avait les deux bras occupés. Sous le bras gauche, elle tenait un homme-lézard inconscient. Sous l'autre, un gros rocher, aussi grand qu'elle.

– Tu l'as vu ? Je l'ai trouvé une très grosse pierre. Je la trouve super jolie.

## La vengeance de l'érudite

Dans la petite pièce louée à l'auberge de la Truie qui Fuit, Requin-Buisson dévoila l'invention dont il était le plus fier à Seize. Il s'agissait de celle qui l'avait aidé à immobiliser un dragon vert : son lanceur de poussins explosifs. L'engin rectangulaire était long comme un bras et projetait des volatiles remplis de poudre noire jusqu'à une centaine de mètres de distance. Le demi-homme avait réparé les quelques dégâts conséquents à l'affrontement contre Prospère et amélioré la maniabilité de la machine, notamment en la rendant plus légère. Le prince avait trouvé le goût des inventions alors qu'il était prisonnier d'une fromagerie clandestine, qu'il avait entièrement automatisée, s'inspirant des machines complexes du génie Mékaniklès. Ensuite, c'est sa rencontre avec le gobelin Schlagenbeuz et la découverte de ses poussins explosifs qui inspirèrent au prince héritier sa terrible arme.

Tasse-Dent, qui se faisait désormais appeler Requin-Buisson, avait évoqué son invention aux membres de la petite guilde dont il faisait désormais partie et Seize, l'éclaireur manchot, avait immédiatement manifesté un intérêt certain pour le lanceur de poussins explosifs. Dès que le demi-homme la sortit de sa grande besace de rangement, Seize l'observa sous tous les rouages, sans un mot. Le silence était gâché par les chants et les rires provenant de la salle principale de la taverne, en-dessous. Le manchot demanda, poli, à Requin-Buisson s'il pouvait émettre quelques avis sur d'éventuelles améliorations et le prince accepta bien volontiers. Le manchot blond expliqua alors au demi-homme comment améliorer le système rudimentaire de visée de l'engin, et de quelle manière en augmenter la cadence en substituant, par exemple, aux poussins de petits pots de faïence remplis de poudre explosive. Il conseilla également plusieurs réglages internes, particulièrement pertinents.

– C'est dingue, tu connais super bien les machines, en fait ?

Seize était mal à l'aise, il ne savait pas bien quoi répondre. L'éclaireur se rendait compte qu'il s'était un peu emballé et qu'il en avait certainement trop dit. Requin-Buisson constata la réaction du manchot.

– Excuse-moi, ça n'est pas du tout parce que je te sous-estime que je dis ça, mais je ne m'attendais pas à ce que tu t'y connaisses mieux que moi.

– Il y a toujours une montagne plus haute…

– Et il existe toujours un gouffre plus profond, je connais mes poètes nains classiques. Je suis peut-être curieux, mais j'aimerais bien savoir où tu as appris tout cela.

Seize hésita. Il était arrivé au royaume depuis bientôt deux ans et ne s'était jamais confié à qui que ce soit. Les ordres qu'il avait reçus étaient formels : il lui était interdit d'entrer en contact avec les autochtones. Il devait accomplir sa mission puis revenir aussitôt, mais rien ne s'était passé comme prévu. Un autre guerrier avait même été envoyé dans le but de le détruire. Seize s'était sorti in extremis de son affrontement avec Dix-Sept. Depuis, il avait sillonné le royaume, discret. Seize ne pouvait pas retourner d'où il venait, il n'avait d'autre solution qu'accepter de vivre sur les terres de Califourchet. Il s'était mêlé à ses habitants, immergé parmi eux, cherchant à se faire oublier, à passer inaperçu. Même si Dix-Sept avait cessé de le traquer, ce qui n'était pas certain, Seize devait à tout prix éviter que sa véritable nature soit découverte ; mais, pour la première fois, ce secret semblait trop pesant pour l'éclaireur manchot.

- Tu sais garder un secret, Requin-Buisson ?

À cet instant précis, Alphée pénétra dans la chambre partagée par les membres de la guilde des Héros Épiques Retors Perspicaces Efficaces et Sensuels. La prêtresse de combat à la robe rose était visiblement un peu éméchée. Il lui restait même un peu de mousse de bière sur le menton.

- Il faut venir les gars ! C'est la fête en bas ! Y'a des types qui paient des tournées et des bardes et même un prêtre ivre qui transforme la tête des gens en gueules d'animaux ! Venez, venez !

Alphée restait dans l'encadrement de la porte, toute guillerette. Requin-Buisson et Seize avaient compris qu'elle ne s'en irait pas sans eux. Le demi-homme rangea soigneusement son invention dans sa besace, qu'il roula ensuite dans une couverture, placée dans une boîte cachée sous son édredon, sur laquelle il était écrit "fourmorties carnivores affamées". Suivant les pas de la prêtresse, l'éclaireur et le prince descendirent au rez-de-chaussée.

Alphée n'avait pas menti, c'était l'allégresse dans l'établissement. Un jeune homme maigrichon célébrait apparemment quelque chose et se montrait très généreux envers la vingtaine de clients. Il avait payé deux troubadours, qui chantaient en canon d'anciens tubes à la mode. Joséphyr se trouvait debout sur une table, apparemment en pleine confrontation de buvage de bière face à un demi-homme aux longues rouflaquettes rousses ; mais surtout, il y avait un prêtre en robe noire qui utilisait son pouvoir divin pour amuser la galerie. D'une prière joyeusement anonnée l'humain à la petite barbichette et aux yeux fins métamorphosait un fêtard. Pendant quelques secondes, les traits de sa cible se modifiaient jusqu'à devenir semblables à ceux d'un ours, d'un loup, d'un ragondin. Cet usage festif d'un don de la Déesse provoquait l'hilarité générale. Mis à part un couple encapuchonné qui se tenait inconfortablement dans la pénombre d'un coin de la pièce, tous les clients et les deux serveuses participaient à la liesse.

Requin-Buisson et Seize acceptèrent de s'attabler avec Alphée, et demandèrent un simple verre d'eau. Le demi-homme espérait que la discussion entamée avec l'éclaireur se poursuive, mais il comprit bien vite que l'occasion de partager le secret de Seize était passée. Une fois ses camarades installés, la prêtresse alla chercher un elfe d'automne, qui se tenait accoudé au comptoir, une bière Vieille Friponne en bouteille à la main.

– Seize, Requin-Buisson, je vous présente le cinquième membre de notre petite guilde : Chiabrena, notre nouveau… désamorceur de pièges. Chiabrena, voici Seize, notre éclaireur et Requin-Buisson, notre guerrier.

– Je suis enchantavi de faire votre connencontre, messieurs.

– Assieds-toi avec nous, Chiabrena. T'es l'un des nôtres, maintenant.

Requin-Buisson était enchanté à l'idée de faire équipe avec un représentant du peuple elfique. Grand, athlétique, portant de longs cheveux bruns chatoyants qui ondulaient à chaque mouvement de sa tête, Chiabrena était également très séduisant. Des traits fins dessinaient le plus beau visage masculin que le prince n'avait jamais admiré.

– Alors, vous êtes…heu… Désamorceur de pièges, c'est ça ?

– C'est bien cela. Si j'ai bien comprendu votre prêtramie, jeune demiomme, j'officerais à la remplace d'un féleur démissionant. Je compriges que vous puissiez émettre des réseroutes à mon engard. Dès que j'en aurais l'opportunitance, je vous ferais l'étalation de mes compécités. Je peux me déplouvoir sans un bruit, rester invisant si je le souhaite et soustroler à autrui le bien que je désireux.

Pour étayer ses propres, Chiabrena fit mine de bailler en s'étirant. Du bout des doigts de ses bras tendus, il frôla deux clients éméchés. En un tournemain, il les avait délestés de leur bourse respective, qu'il présenta fièrement à ses nouveaux camarades.

– Voilà, voyardez ce dont je suis capapte !

S'il était légitimement impressionné, Requin-Buisson s'interrogea sur les raisons des motivations de l'elfe d'automne à rejoindre leur groupe. Un voleur aussi habile et charmeur pouvait aisément prétendre à rejoindre "La" Guilde[27].

Pourquoi serait-il enthousiaste à l'idée de faire équipe avec un éclaireur manchot et un guerrier demi-homme ? Peut-être aussi que Requin-Buisson était sur ses gardes, encore sous le choc du départ de Tartisco. Il passa délicatement le bout du majeur gauche sur la cicatrice encore croûteuse laissée par la griffe du félain le long de sa joue. Joséphyr rejoignit, titubant, ses compagnons. Lorsque le nain se mit à chanter à tue-tête avec Chiabrena et Alphée, le demi-homme décida qu'il était temps de prendre un peu l'air. Requin-Buisson fit quelques pas à l'extérieur. La Truie qui Fuit se dressait au centre d'une vallée, isolée entre les villes de Changle-Violon, dans les Plaines de l'Écureuil et Karabudje, aux frontières des Terres de l'Ours.

Tasse-Dent observa le ciel étoilé, scruta la comète bleue roquefort aux trois queues. Elle lui paraissait plus grosse, plus imposante que la dernière fois qu'il l'avait regardée attentivement, quelques jours auparavant. Les yeux dans les étoiles, le demi-homme pensa à son père. Le roi Califourchet avait appris à son fils comment reconnaître

---

[27] "La" Guilde, sans autre précision, désignait l'unique guilde de voleurs en activité, seule organisation fournissant ce genre de service à avoir survécu à la Guerre des Voleurs.

dans les astres les différentes constellations lors de rares moments privilégiés passés sur le balcon du palais royal. Ému, le demi-homme chercha des yeux le Vieux Tambour, le Carrosse Cabossé et la Longue Ligne Toute Droite. Que faisait son père au même moment ? Pensait-il à lui ? Avait-il jamais été fier de son cadet ? Comment pouvaient-ils être aussi différent l'un de l'autre ?

Tasse-Dent n'avait jamais eu aucune animosité à l'égard de son père, mais il s'était senti obligé de s'en éloigner pour devenir celui qu'il voulait être. Changer de nom était un symbole fort de sa volonté de se créer par lui-même.

Alors qu'il était plongé dans ses pensées, le demi-homme aperçut une silhouette s'approcher de lui. Lorsque l'individu abaissa sa capuche, Requin-Buisson le reconnut. Il n'en croyait pas ses yeux.

- Papa… père ?

La démarche du roi était différente, plus assurée et plus discrète à la fois. Califourchet rejoignit son fils, lui sourit et regarda les étoiles. Tasse-Dent ne dit rien, trop étonné que son père le retrouve, au milieu de nulle part, alors justement qu'il pensait à lui. Le roi ne dit rien, garda les yeux au ciel, un étrange sourire dessiné sur le visage. Alors, Requin-Buisson comprit enfin.

- Je vois que votre pouvoir n'est pas limité à la métamorphose d'autrui. Vous pouvez vous-même prendre l'apparence de quelqu'un d'autre.

Le prêtre reprit le visage qu'il arborait dans l'auberge, yeux fins et barbichette, et sa taille normale.

– Excusez cette manière de faire, votre Majesté. Je souhaitais vous approcher sans vous effrayer.

Le demi-homme était reconnu. Cela faisait des semaines que personne ne l'avait appelé ainsi, et ça ne lui manquait aucunement.

– C'est un pouvoir très pratique pour un ninja.

– Effectivement, votre majesté.

– Vous me suivez depuis longtemps ?

– Le terme le plus approprié serait " surveillez ". Certains ninjas ont gardé un œil sur vous ; mais je ne suis pas là pour ça. Le roi m'a demandé de vous ramener au palais. Il s'inquiète, il veut que vous assumiez votre héritage, tout ça. Il vous expliquera tout cela mieux que moi. Califourchet doit vous parler.

– Il ne m'expliquera rien du tout. Je ne reviendrai pas de sitôt au palais !

Tasse-Dent hésita à porter la main sur Egamorf. Si le demi-homme avait déjà sorti de son fourreau l'épée des princes durant les quelques missions accomplies au sein de sa guilde, il n'avait jamais eu l'occasion de combattre avec. Toutes leurs quêtes s'étaient soit déroulées sans anicroches, soit soldées par la fuite de tous les aventuriers face à un ennemi trop costaud ou trop effrayant, mais Requin-

Buisson n'avait pas le courage d'affronter un des sept ninjas royaux en combat singulier, même équipé d'une arme exceptionnelle. Le demi-homme jeta un œil discret à sa bague de commandement. Comme le joyau magique qui lui permettait de donner des ordres avait été taillé dans le bijou original de son père, son pouvoir prenait parfois beaucoup de temps pour se recharger. Tasse-Dent avait déjà utilisé sa bague pour forcer un troll des bois à quitter le combat puis contraindre Jolilie Perderaux à lui donner son quæretisseur, la griffe de dragon qu'il portait autour du cou ; et depuis, son anneau était resté terne et sans éclat.

– Votre père s'attendait à ce que vous refusiez de me suivre de votre plein gré. Califourchet m'a donné la permission de vous y forcer.

– C'est faux, vous mentez ! Jamais il n'accepterait que vous me fassiez du mal.

– Le roi m'a transmis un moyen de vous contraindre sans porter atteinte à votre intégrité.

L'humain à barbiche tendit son poing droit en direction du prince et Tasse-Dent comprit alors ce qu'il allait tenter de faire : Califourchet avait prêté son bijou à son ninja. Le demi-homme réagit promptement et se montra aussi rapide que son vis-à-vis. Tous les deux utilisèrent leur bague de commandement exactement en même temps.

– Retournez au palais et restez-y !

– Retournez au palais et restez-y !

Requin-Buisson et le ninja restèrent immobiles quelques secondes, leur bras respectif tendu en direction de l'autre. Les bagues de commandement, dont les joyaux s'étaient brisés, diffusaient une petite fumée claire. Les sorts jumeaux s'étaient annulés l'un l'autre.

***

Seize, l'épée à la main, accourut dans le dos du ninja.

– Que se passe-t-il Requin-Buisson ? Tu as besoin d'aide ?

Le prince se détendit. Avec le manchot à ses côtés, il se sentait tout de suite beaucoup plus en sécurité.

– Non, tout va bien, surtout maintenant que tu es là.

– Qui êtes-vous, et qu'est-ce que vous voulez à mon ami ?

Le ninja afficha un large sourire, qui plissait complètement ses yeux, et tourna la tête en direction de Seize.

– Je m'appelle Danibalrossa, je ne suis qu'un modeste prêtre au service de notre roi.

– Laissez Requin-Buisson tranquille.

Le ninja, les mains en évidence, n'affichait aucune volonté belliciste.

- Si c'est ce qu'il souhaite, je le laisse en paix.

- Oui, c'est ce que je veux ! Et dites à mon père que s'il veut me parler, il n'a qu'à venir lui-même vers moi. Il ne sait faire que rester là où il a toujours vécu, à s'occuper de son jardin, à manger et à regarder les nuages passer. Le royaume est grand et plein d'aventures. Je ne vais pas rester comme lui, toute ma vie sur mes fesses, dans ma jolie demeure.

Danibalrossa abdiqua et se dirigea sans plus un mot vers l'auberge de la Truie qui Fuit. Il sembla à Requin-Buisson qu'il disparut dans la nuit avant de rejoindre le bâtiment. Le prince fut soulagé et étonné à la fois que le ninja n'insiste pas plus pour l'emmener avec lui. Le demi-homme contempla tristement son propre anneau. La pierre magique, que son père avait fait partager entre lui et son fils, était complètement détruite, partie en fumée. Tasse-Dent prenait toute la mesure symbolique de la perte de cette bague, qu'il partageait avec son père.

- Cet homme a mentionné ton géniteur. Vous vous connaissez ?

- C'était un ninja royal. Il était venu me ramener chez moi, mais je n'ai aucune envie d'y aller. Je ne sais pas quoi faire, j'aimerais qu'on me laisse tranquille.

- Si tu le souhaites, je préviens nos camarades et nous prenons immédiatement la route. Ainsi nous mettrons immédiatement de la distance entre nous et ce prêtre métamorphe.

– Je ne crois pas que ça vaille la peine… Je crois qu'on me retrouvera toujours où que j'aille.

Seize se rapprocha du demi-homme.

– Si tu es perdu, si tu ne sais pas quoi faire, écoute mes conseils. Allons-nous-en le plus rapidement possible. Nous veillerons à ce que cet homme ne suive pas notre piste. Dans quelques jours, nous pouvons être à l'autre bout du royaume. Si c'est vraiment un ninja, même moi je ne peux rien contre lui

Requin-Buisson accepta la proposition du manchot. Seize ne goûtait pas aux festivités et libations de manière générale. Il était satisfait d'avoir trouvé une raison pour écourter leur séjour à la Truie qui Fuit. L'éclaireur alla quérir les autres membres de la guilde tandis que le demi-homme rassembla leurs affaires, cachées en sécurité dans leur chambre à l'étage. Requin-Buisson était à quatre pattes, dos à la porte, en train de rassembler les sous-vêtements épars de Joséphyr lorsque quelqu'un entra dans la pièce. Le prince, par erreur, imagina qu'il s'agissait de Seize.

– Vous avez fait vite, je n'ai pas eu le temps de ranger toutes les chaussettes de…

Tasse-Dent ne termina jamais cette phrase. L'intrus lui asséna un coup de gourdin derrière le crâne, qui l'assomma directement. Un second individu pénétra dans la pièce et referma la porte derrière eux.

– Maintenant, prends-lui ma griffe de dragon.

Rue-Thon obéit aux ordres de sa femme. Il savait à quel point elle allait être soulagée de récupérer enfin son bien le plus précieux. Agenouillé à côté du prince, il lui arracha son collier, puis le membre de La Guilde tendit la pointe de griffe à son épouse. Jolilie s'avança et récupéra son pendentif, que Tasse-Dent lui avait volé des semaines auparavant. L'érudite frotta son pouce contre la pointe couleur améthyste, soulagée.

– Qu'est-ce qu'on fait de lui maintenant, chérie ?

Avant de répondre, Jolilie Perderaux dévisagea le prince inconscient. Elle n'était pas tout-à-fait certaine du sort qu'elle réservait au demi-homme.

## Le barde et le ver

Après avoir accompli leur délicate mission au cœur du royaume souterrain, Crâne-Lard et ses camarades transmirent les précieuses informations acquises au roi Califourchet Haute-Couronne. Le souverain du royaume encerclé par les Brumes félicita le druide et ses acolytes. S'il aurait mille fois préféré que les hommes-rats n'eussent pas creusé des centaines de couloirs reliant leurs terriers à la surface, Califourchet était satisfait de pouvoir anticiper l'invasion des rameks. Crâne-Lard, Siffle-Abricot et Lune-Divine prirent congé de Vesse-Fleurie le mercenaire et transmirent au roi leurs salutations destinées au ninja, qu'ils n'avaient plus aperçus depuis leur départ.

Comme ils l'avaient prévu, une fois la quête royale accomplie, les trois compères se concentrèrent sur l'étrange cas du ménestrel Siffle-Abricot. Depuis sa reconversion professionnelle, l'ancien voleur devenu barde avait constaté que toutes ses blessures, qu'elles soient minimes ou mortelles, guérissaient d'elles-mêmes en quelques instants. Évidemment, cette nouvelle capacité ne déplaisait pas à Siffle-Abricot, mais il souhaitait savoir exactement ce qui lui arrivait et surtout découvrir s'il existait un moyen de se débarrasser des violentes migraines dont il souffrait fréquemment et qui s'étaient déclarées conjointement à sa faculté de guérison. Le barde démontra à Lune-Divine son pouvoir en entaillant le dessus de sa main droite, au-dessous du pouce. Il grimaça, saigna un peu et après quelques instants, sa paume fut agitée de légers soubresauts. La coupure se referma. En l'espace d'une vingtaine de secondes, la blessure avait complètement disparu.

Siffle-Abricot, naturellement poète, imaginait que ses nouvelles facultés pouvaient être liées à son changement de profession, opéré suite à une sorte de révélation morale. La Déesse lui avait peut-être fait don de cette compétence pour l'encourager, comme elle dotait chaque prêtre d'une capacité unique. Crâne-Lard, poétiquement plus terre-à-terre, ne pouvait se contenter de cette explication divine. Selon le druide, quelque chose de précis était arrivé à Siffle-Abricot et cela avait modifié son corps. Depuis qu'il avait été libéré du Hautvent, le bateau-prison, le ménestrel avait affronté des pirates, rencontré un haruspice, visité une fromagerie clandestine, quasiment perdu la vie le corps transpercé par une lame, chevauché un dragon… Il avait vécu tant de choses qu'il était impossible de déterminer ce qui avait pu le changer ainsi.

Alors que, dans un estaminet quelconque de Trodeski, ils tergiversaient à haute voix à propos des causes éventuelles de ce bouleversement, un prêtre à la robe et au visage usés se permit d'intervenir dans leur conversation, passionné par le sujet dont ils débattaient. Cet homme émacié avait écouté malgré lui le débat et brûlait d'aider les compères à découvrir la clef de ce mystère. Il expliqua au barde et aux druides sa théorie selon laquelle les corps vivants ressemblaient à des mécanismes complexes mus par un système compliqué mais explicable. Ensuite, l'inconnu proposa, sagace, au druide Crâne-Lard (dont il avait deviné l'étendue des pouvoirs), d'ordonner au plus minuscule nécrophore qu'il pouvait invoquer de pénétrer à l'intérieur du troubadour par un quelconque orifice et de parcourir son corps à la recherche de quoi que ce soit que l'insecte mangeur de cadavre n'aurait pas l'habitude de rencontrer dans un corps humain. Le nain contacta sans peine quelques mouches qui s'approvisionnaient en nourritures diverses dans la taverne. Celles-ci avaient rencontré la veille une colonie de sylphes plutôt marrantes, dont l'une d'entre elle pouvait être encline à rendre de menus services par bonté d'âme. Elles volèrent la chercher promptement. Siffle-Abricot n'était pas très enthousiaste à l'idée de faire entrer un insecte dans son corps mais il s'encouragea en avalant une bonne bière De Chez Nous : la perspective de découvrir ce qui lui arrivait l'emportait sur sa légère et légitime angoisse entomophobique.

Les mouches réapparurent, accompagnée d'un insecte noir à deux rayures rouges. Bien que minuscule, la bête était encore trop grosse au goût du ménestrel, qui grimaça. Crâne-Lard s'adressa à l'insecte. Ensuite le nécrophore pénétra dans la bouche béante du troubadour. Siffle-Abricot restait immobile, les yeux fermés. Il ne désirait qu'une seule chose : que l'insecte ressorte de son corps le plus vite possible. Obéissant à la requête du druide transmettant la proposition de l'inconnu avisé avec l'accord du barde, le nécrophore transmis son rapport dès sa sortie du canal vocal de Siffle-Abricot, puis il s'envola, affamé : ces quelques minutes passées auprès des aventuriers avaient la valeur d'une journée entière à l'échelle de l'insecte. Crâne-Lard était déçu, l'ancien prêtre se pencha vers lui.

– L'insecte a vu quelque chose ? Il a bien regardé là où votre compagnon s'est blessé tout à l'heure ?

*– Vous êtes bien empressé,*
*Laissez-moi respirer,*
*Je me dis que j'ai été un peu prompt*
*pour accepter les idées d'un homme – un ami ?*
*dont je ne connais même pas le nom.*

– Veuillez m'excusez, n'y voyez aucune malice. C'est lorsque vous vous êtes entaillé que vous avez attiré ma curiosité. Mon nom n'importe guère, je ne crois pas qu'une personne se résume par sa fonction, sa naissance ou son patronyme. C'est la seule raison pour laquelle je n'ai pas pensé à me présenter. Je m'appelle Brudano.

*– Si je peux me permettre, Brudano,*
*une petite suggestion, quelques mots*
*la prochaine fois que vous proposez*
*à quiconque de laisser entrer*
*dans son oreille un puceron*
*donnez-lui d'abord votre prénom.*

Tout bienveillant qu'il était, Brudano d'Anno avait un défaut : il n'appréciait pas qu'on lui fasse des reproches s'il ne les considérait pas pertinents.

– S'il est l'heure des conseils, sachez l'importance d'appeler les choses par leur nom. Ce n'est pas un puceron mais un nécrophore. Ensuite, et surtout, apprenez à compter vos syllabes, vous deviendrez un barde bien plus agréable à l'écoute. Faites rimez vos hémistiches… *Comptez sur vos dix doigts, petits paquets de six, et cela ravira toutes vos auditrices.*

Crâne-Lard profita du premier créneau qui se présenta à lui pour prendre la parole et répondre à Brudano, espérant en même temps couper court à la discussion qui tournait à la confrontation. Le nain détestait les situations qui s'envenimaient verbalement.

– Markatta… l'insecte a traversé attentivement l'intérieur de Siffle-Abricot, il n'a rien vu d'inhabituel. Je lui ai dit de bien regarder vers la main. Même sans compter les ocelles, il a des centaines d'yeux alors s'il y avait quelque chose à voir, il ne l'aurait pas loupé.

– Vous serait-il possible, maître druide, de répéter le plus exactement possible ce qu'elle vous a dit ?

– Elle a dit « Markatta au rapport ! Rien d'bizarre là-d'dans, chef. Sauf qu'c'est plus chaud que dans les cadavres et qui y'a bien moins d'vers. »

– *Et bien encore heureux, qu'il n'y ait d'asticot ! ce serait ennuyeux, je ne vois d'autre mot.*

Siffle-Abricot apprenait vite, il fallait bien lui accorder cela. Que ce soit dans son ancienne profession de voleur ou dans sa carrière de troubadour, il avait toujours eu de la facilité pour l'apprentissage. Son fils avait hérité de la même aisance : à dix ans, ce dernier parlait pratiquement toutes les langues du royaume. Quand Siffle-Abricot pensait à sa progéniture, il imaginait avec plaisir tout ce qu'il avait pu devenir grâce à son multilinguisme bien pratique.

– Moins de vers ? Elle n'aurait pas dû en voir un seul.

Ensuite, Brudano d'Anno, conscienceux, avait noyé Siffle-Abricot sous les questions, afin d'établir factuellement ce qui arrivait à son ami. Ainsi, le sage avait été à même d'établir que la première fois que cette extraordinaire capacité s'était déclarée, le barde se trouvait dans la cave remplie de fromage de contrebande de l'auberge des Trois Culs Poilus, au cœur de la ville d'Alpédia. Siffle-Abricot, qui s'appelait encore Vasvo, était alors l'un des voleurs les plus talentueux du royaume. Des miliciens lui avaient brisé le genou et Dinde-Jarre, l'affable tavernier, l'avait soigné en lui faisant avaler un épais ver blanchâtre de la grosseur d'un auriculaire. Sa rotule s'était ensuite réparée, non sans douleur. Aussi incroyable que cela pouvait paraître, le ver semblait toujours présent dans son corps. Dinde-Jarre devait pouvoir lui expliquer ce dont il s'agissait plus précisément. Il fut donc décidé de continuer leurs investigations en interrogeant l'aubergiste nain. Brudano d'Anno prit congé des druides et du barde et leur souhaita, sincère et intrigué, de résoudre le mystère des guérisons miraculeuses de Siffle-Abricot. Il avait, pour sa part, prévu de continuer sa route au nord des Hauts du Rouge-Gorge.

Les druides et le barde grimpèrent dans la première charrette à destination de Port-Goéland, d'où ils embarquèrent pour Alpédia.

Crâne-Lard n'était pas très enthousiaste à l'idée d'emmener son apprentie Lune-Divine dans la cité des voleurs. La fillette sauvage n'avait jamais foulé de son pied nu les rues mal famées de la ville flottante et il craignait légitimement pour elle. Siffle-Abricot, qui connaissait Alpédia comme sa poche, ne pouvait pas rassurer son ami druide : même s'ils évitaient soigneusement les quartiers les plus dangereux et sulfureux, le vice infestait chaque pavé de la ville. Dès qu'ils débarquèrent, Crâne-Lard et Lune-Divine se réfugièrent dans un salon de thé sauromme, tout près du port. Ils attendirent tous deux le retour de Siffle-Abricot à cet endroit, sans s'engouffrer plus dans la cité des voleurs.

Le barde retrouva sans peine l'auberge en question, l'endroit où il avait commis son ultime vol à la tire : un instrument de musique magique, la Chante-Flûte, qui tenait à distance les créatures dangereuses lorsqu'il était utilisé avec panache. Les deux spécialités de la taverne des Trois Culs Poilus étaient toujours les mêmes : ragoût à la viande de rat et danseuses dénudées déguisées en elfes. Siffle-Abricot entra et prit place au comptoir de la taverne. Les nombreuses tables étaient occupées, clients attablés et effeuilleuses sur celles-ci. L'aubergiste nain, Dinde-Jarre, reconnut Siffle-Abricot au premier coup d'œil et s'approcha de lui.

– Voilà mon ami dégoûté par sa vie de voleur. Je suis sincèrement content de voir que vous arborez la broche de la guilde du Pipeau Élégant Doré Aimable Ludique et Original et non plus le symbole de celle des Voleurs. Votre repentir était donc sincère !

*– Je suis venu parler, sympathique tavernier*
*si possible en privé, de mon genou cassé*
*quelle bonne mémoire, je ne puis en douter*
*dans votre cave noire, vous m'aviez emmené…*

– Oui, oui, je m'en souviens bien. Vous aviez défendu un vieillard face aux miliciens et je vous avais trouvé très courageux. Suivez-moi, nous allons continuer cette discussion à l'abri des oreilles indiscrètes.

Dinde-Jarre et Siffle-Abricot descendirent au sous-sol, jusqu'à la réserve de saucisses de rat et de bières. Le barde expliqua les maux de tête incessants et sa faculté de guérison apparemment sans limites. Dinde-Jarre, l'air grave, se munit d'un petit flacon indiquant « foie de morue », placé dans la jarre sur laquelle « vieilles mies de pain rassies » avait été gravé.

– Voilà ce que je t'ai offert. C'est un cerviphage semblable à celui-ci, un peu spécial, élevé par des prêtres. Celui-ci qui m'a transmis ces créatures avaient une importante dette envers moi. Toutefois, il ne m'en a pas donné le mode d'emploi. Ce type m'en a donné quelques-uns et m'a dit de ne les utiliser qu'en cas de grande nécessité, que c'était un genre de remède. Je me disais qu'il y avait de bonnes chances qu'il puisse te soigner le genou. Moi, j'en ai jamais avalé, parce que j'ai développé une sorte d'allergie aux potions de soin, à force d'en boire dans mon ancienne vie d'aventurier. Bref, pour te répondre, c'est un remède créé par les prêtres et qui n'est censé être consommé que par d'autres membres du clergé. Faudrait peut-être voir avec eux pour en savoir plus. Désolé de pas plus t'aider.

Siffle-Abricot et Dinde-Jarre trinquèrent et partagèrent un petit morceau de fromage, que l'aubergiste gardait caché dans sa réserve, loin du regard des autorités. Tout comme lors de leur précédente rencontre, ils devisèrent le cœur ouvert, parlèrent de leurs vies tumultueuses. Ils se découvrirent un point commun : tout deux avaient eu un fils qu'ils avaient été contraints d'abandonner, à contre-cœur, afin de poursuivre leurs précédentes carrières respectives.

Il retrouva son ami Crâne-Lard et sa disciple au salon de thé tenu par des hommes-lézards. D'emblée, il voulut dire au druide à quel point le tavernier des Trois Culs Poilus lui ressemblait, avec une trentaine d'années humaines en plus. Mais Siffle-Abricot se ravisa : suggérer que tous les nains se ressemblaient, cela pouvait s'apparenter à du racisme et le barde ne voulait surtout pas froisser son ami.

## Le quæretisseur de quæretisseur

Brosse-Veine avait accompagné les rescapés du combat contre le maître des monstres, Alis, Lamkikoup et Mycostère, jusqu'aux portes de la ville de Belle-Zunce. Le Chevalier du Vespertilion à Moustaches avait ôté son armure, démontée et rangée sur son grand cheval noir, afin de voyager incognito. Il avait une tâche très importante à accomplir et ne pouvait pas s'éterniser avec le petit groupe. Brosse-Veine devait se rendre au Nord pour rejoindre d'autres Chevaliers qui voulaient affronter la Nécromancienne. Alis avait regardé le souverain s'en aller, la larme à l'œil. Le seigneur, charismatique et glabre, ne l'avait pas laissée indifférente.

– On dirait qu'il y a anguille sous cloche, dis donc. La petite flamme de l'amour germerait-elle dans ton cœur ?

– Ça me le brûle pas dedans le cœur, j'ai plutôt un peu froid, en fait.

– Chère Alis, notre sauromme de camarade suggérait que vous fussiez tombée amoureuse du fringant Chevalier du Vespertilion à Moustaches. Ce qui, si l'on me demandait mon avis, ne serait pas particulièrement étonnant vu les qualités de cet homme exceptionnel.

L'alchimiste Mycostère n'avait pas participé au combat contre Pernicia. Alors que ses compagnons d'aventures étaient, un peu involontairement, partis sur les traces du seigneur des monstres, il était resté bien sagement à l'auberge, choyant l'hydre-menthe en laissant traîner un œil las sur quelques pages d'un quelconque grimoire bon marché. Il fut, et c'est peu de le dire, plutôt surpris lorsque ses camarades revinrent de leur journée de quête en compagnie de l'un des vingt-huit Chevaliers de la Déesse et d'une plantureuse guerrière dont les courbes, et dans une moindre mesure le visage, ne lui semblaient pas complètement inconnus.

Récemment transpercée par le dard d'un monstre géant, Siegfrieda était légèrement chamboulée et désirait prendre quelques jours de repos. Broche-Veine et Alis avait retrouvé le corps agonisant de l'ancienne prostituée, ainsi que Flamme-de-Rose, en descendant de plusieurs centaines de mètres dans le terrible gouffre créé par l'ogre du Titan.

Les quatre aventuriers pénètrent dans la capitale des terres du Blaireau. Les rues de Belle-Zunce étaient bien joliment décorées pour les festivités religieuses de la glorieuse Ryalan. Pour cinq jours, la ville avait été parée de rouge et d'orange, les couleurs liées au culte de la Déesse. Tout d'abord, Alis se rendit au siège local de la Guilde Libre des Aventuriers Cherchant Outrageusement des Nouveautés afin de toucher les primes qui lui étaient dues pour les nombreux monstres qu'elle avait vaincus. La jeune guerrière partagea sans rechigner ses gains avec ses camarades, comme ils l'avaient convenu auparavant. Alis ayant économisé suffisamment de piastres grâce à ses missions successives couronnées de succès, elle était désormais en mesure d'acquérir un quæretisseur de quæretisseur, soit un objet enchanté qui lui permettrait de dénicher un autre artefact, plus puissant, que Mycostère envoûterait afin qu'il mène la jeune guerrière jusqu'à son amie disparue, la prêtresse Dardaumiel.

Siegfrieda, sa part de la récompense en poche, fit ses adieux. Si sympathique qu'elle fût, sa collaboration avec Alis ne devait durer que le temps d'une mission.

- On s'était d'jà vues au tout début d'ma carrière et j'su prête à parier qu'on se r'verra avant ma r'traite.

L'homme-lézard Lamkikoup attendit que Siegfrieda s'éloigne pour annoncer à son apprentie qu'il était également temps pour lui de s'en aller.

- Je dois courir le large à présent. Sauf si tu as décidé de renoncer à trouver ton amie et à continuer à suivre mon enseignement, après tout, il n'y a que les imbéciles qui changent d'avis.

- Non, je préfère retrouver Dame-d'Eau-Miel et ne pas être de la meilleure plutôt que devenir la plus forte mais l'être toute seule.

Mycostère remarqua que les deux guerriers regrettaient d'avoir à se séparer. Lui-même s'était jadis joint à eux dans le but de récupérer la pierre qui sertissait son bâton d'apparat. Malheureusement le sauromme lui avait expliqué que la voleuse borgne qui le lui avait dérobé avait chu dans un gouffre sans fond, emportant avec elle des dizaines de monstres, un grimoire maudit et ladite pierre. L'alchimiste n'avait donc théoriquement plus aucune raison de rester auprès d'Alis mais, en son for intérieur, Mycostère savait que rien ne l'intéressait plus en ce moment que de s'occuper d'Hydranna, le bébé hydre-menthe recueilli par Alis.

– Sans oser une seule seconde insinuer que vous pourriez être vénal, monsieur Lamkikoup, seriez-vous enclin à reconsidérer votre départ si je réquisitionnais, contre une juste somme de piastres sonnants et trébuchants, vos services de mercenaire ? Sauriez-vous assurer professionnellement ma sécurité si je dilapidais allégrement dans vos poches une partie du pécule engrangé en votre compagnie ?

L'alchimiste s'était sincèrement lié à Hydranna et n'était pas certain qu'Alis, malgré toute sa bienveillance, sache s'occuper du petit monstre aussi soigneusement que lui. Tout en parlementant au sujet du tarif de l'homme-lézard, Mycostère et Lamkikoup suivirent Alis jusqu'à la boutique de Kerlaft, sobrement baptisée « La Boutique de Kerlaft ». La jeune femme entra seule dans l'échoppe tandis que ses camarades discutaient âprement d'une clause de remboursement partiel au cas où Mycostère serait blessé suite à un manquement professionnel de la part de son futur garde du corps. La boutique était si petite que le trio n'aurait de toute manière pas pu se tenir à l'intérieur de celle-ci.

Au premier coup d'œil, l'étroite échoppe proposait quelques vêtements, divers parchemins usagés, des ustensiles neufs, de la nourriture peu ragoûtante, des chapeaux fantaisies, des lapereaux dans une cage trop petite et un couple de torchepots dans une cage en osier. Alis avisa des potions en flacon déjà entamées, placées en hauteur au-dessus du marchand. Celui-ci tirait distraitement sur une longue pipe sculptée, parcourant, amusé, un grimoire de blagues naines.

– Bonjour monsieur.

Kerlaft se gratta distraitement la barbichette, sans daigner ne serait-ce que grommeler une vague formule de politesse, les yeux toujours rivés dans son recueil de plaisanteries.

– Je vous le trouve très beau.

À ces mots, le marchand se leva prestement, le plus beau sourire de son répertoire dessiné sur son visage.

– Bienvenue dans l'antre de Kerlaft, jeune demoiselle ! Souhaitez-vous me suivre dans mon arrière-boutique afin de jeter un œil à mes « invendus » ou êtes-vous venue dans mon humble magasin avec un achat précis en tête ?

– Je le cherche de… d'un quérétisseur et quérétisseur.

***

L'artefact obtenu à prix d'or dans le creux de sa main, Alis sortit de la boutique, ravie. Mycostère et Lamkikoup s'approchèrent d'elle, admirant l'objet. Il ressemblait à une pointe de flèche en métal brillant.

– Regardez de ça les garçons, regardez !

La jeune guerrière pivota sur le côté. Le quæretisseur de quæretisseur tournait sur lui-même pour indiquer toujours la même direction.

– Magnifique, c'est tout bonnement magnifique. Mais aussi légitime soit votre fierté d'être l'heureuse détentrice d'un si bel objet, je ne serais trop vous conseiller de l'utiliser parcimonieusement et avec la plus grande discrétion. Cette catégorie de biens est officiellement considérée comme illégale, assimilée à des objets magiques.

– Mycostère, je le vois que tu trouves super beau mon quérétisseur de quérétisseur. Dès qu'on aura trouvé du quérétisseur, si tu veux, je te donne celui-ci. Moi, je m'en fiche un peu. C'est pas comme un vrai butin ou une jolie arme.

Le trio n'attendit pas plus longtemps pour repartir à l'aventure. L'alchimiste, enthousiaste, loua une charrette de première qualité pour l'expédition qui s'annonçait. Les aventuriers ne savaient pas jusqu'où les mèneraient leur quête du quæretisseur mais comme l'artefact désignait celui qui était le plus proche d'eux, ils pouvaient imaginer que leur recherche s'avérerait rapidement fructueuse. Confortablement installée à l'intérieur de la diligence luxueuse, Alis gardait le quæretisseur de quæretisseur dans sa paume et Mycostère signifiait au cocher, diligent, les changements de direction à opérer.

Après une demi-journée de voyage seulement, l'artefact se mit à tourner de plus en plus promptement sur lui-même. Cela ne pouvait signifier qu'une seule chose, comme l'alchimiste l'expliqua à ses compagnons : leur objectif était tout proche. Alis confia son chercheur de quæretisseur à Mycostère et passa la tête hors de la charrette. Ils se trouvaient sur un chemin de pierre rural, au sud des anciennes Côtes du Renard, désormais enclave des Terres du Tétras.

– Nous nous approchons, nous nous approchons…

Mycostère gardait les yeux rivés dans le creux de sa main. Soudain, la pointe tourna sur elle-même pour faire un rapide demi-tour.

– Nous l'avons dépassé !

La diligence venait de traverser un petit village aux maisons de pierres bleu gris et s'éloignait désormais du hameau. Alis n'hésita pas une seule seconde, ouvrit la jolie porte et bondit hors du véhicule. Elle roula acrobatiquement au sol, pris la peine d'épousseter ses pantalons, de remettre son fourreau bien en place dans son dos et réajusta ses lunettes de l'index. Le quæretisseur qui lui permettrait de retrouver son amie se trouvait là, tout près d'elle, la guerrière en était certaine. Sans attendre que Mycostère et Lamkikoup ne la rejoignent, Alis s'avança vers le bâtiment qui lui faisait face. C'était une imposante résidence, austère et rustique, qui se dressait au-delà d'un jardin laissé à l'abandon, traversé par un chemin de dalles. La jeune femme dépassa la grille d'entrée sans faire attention à l'inscription « Manoir Perderaux » qui y figurait.

# Affrontement au Château Perdu

Les Chevaliers du Lynx et du Vespertilion à Moustaches traversaient, au trot, la longue vallée enneigée qui conduisait jusqu'au Château Perdu. Un vent, léger mais glacial, sifflait dans la plaine creusée entre deux forêts de sapins noirs. Onésèphe Jarès et Brosse-Veine, après s'être retrouvés au sud des anciennes Terres du Loup, avaient ourdi différentes stratégies pour parvenir jusqu'au fief de la Nécromancienne malgré sa horde de milliers de soldats morts-vivants, mais la vallée était déserte, la neige sous les sabots de leurs chevaux était immaculée. Revêtus de leurs armures divines, les Chevaliers restaient aux aguets, soupçonnant dans cette situation une quelconque fourberie magique, un sortilège qui menaçait de s'abattre sur eux à tout instant. Toutefois, à leur grand étonnement, Onésèphe et Brosse-Veine parvinrent au fief de la Nécromancienne sans croiser une seule âme damnée ni le moindre cadavre animé. Le Château Perdu semblait désert.

- Je n'y comprends rien, Brosse. Pourquoi n'y a-t-il plus personne dans les parages ? La sorcière est pourtant bien de retour parmi nous.

- Cela ne fait aucun doute. Tu peux me croire, tu sais à quel point je suis bien renseigné. Enaxor, son armée et les ravages qu'ils ont déjà commis sont bien réels.

Onésèphe replaça ses longs cheveux, malmenés par le vent, par-dessus ses oreilles. Il regarda le sommet du

Château, peu pressé d'aller combattre la puissante sorcière, malgré sa hardiesse indiscutée. Brosse-Veine scrutait lui aussi leur objectif.

- Et, hum, concernant ton ami, on l'attend ? Il ne devrait pas être ici ?

Le Chevalier du Lynx sourit à son camarade.

- Il est déjà là. Il nous attend depuis très longtemps. Nous ne pouvons pas le voir, pas encore, voilà tout.

- Donc l'idée c'est qu'on approche la Nécromancienne en attendant qu'il daigne apparaître, si j'ai bien compris. Nous ne serons pas trop de trois...

- C'est à peu près ça. Je ne prétends pas tout comprendre le concernant, tu sais.

Les deux Chevaliers pénètrent, sur le qui-vive, dans le Château Perdu. Rien ne contrecarrait la progression, prudente et lente, des deux souverains. Ils scrutaient chaque recoin obscur, prenaient garde à tous les embranchements, mais la forteresse noire était entièrement vide et ils avançaient sans encombre. Depuis son retour la Nécromancienne avait mis à contribution ses séides immourables, qui avaient rafistolé les fissures, la fosse creusée par l'évasion d'un dragon, les murailles détruites. Ils passèrent le pont-levis, abaissé, puis traversèrent la cour.

Le Lynx et le Vespertilion à Moustaches avaient parcouru l'escalier menant à la majestueuse salle du trône de la Nécroman-cienne. Ils s'arrêtèrent devant l'entrée de l'antre d'Enaxor.

– Je crois que s'il veut nous accompagner, c'est un peu le dernier moment pour qu'il rapplique, tu ne pense pas ?

Alors que Broche-Veine terminait sa phrase, les lourdes portes de la salle du trône s'ouvrirent lentement, devant eux. Stupéfaits, les Chevaliers virent peu-à-peu apparaître la silhouette d'un grand homme, revêtu d'une armure cuivrée et cabossée, qui leur tournait le dos et pénétrait dans la pièce, fantomatique.

À chacun de ses pas, son apparence se définissait plus précisément. Sa tête était recouverte d'un casque patiemment ouvragé, qui représentait des bois de cerf. Il portait une cape mordorée, tissée de feuilles de centaines d'arbres différents. La salle du trône de la Nécromancienne était imposante et austère. Les hauts murs de pierre noire laissaient s'infiltrer de rares rais de lumière, qui ne dévoilaient que partiellement la pièce. Un long tapis moisi menait jusqu'au trône sur lequel siégeait Enaxor. La sorcière faisait face aux trois intrus, imperturbable.

Lorsque les Chevaliers pénétrèrent dans la salle du trône, un éblouissant rai de lumière les accompagna. Devant eux le Chevalier du Cerf continuait de marcher, péniblement, en direction de la Nécromancienne. Siégeant sur son lugubre trône, Enaxor restait impassible, digne. Pourtant aguerri et expérimenté, Brosse-Veine sentait le souffle de l'effroi caresser son échine. Chaque pas qui foulait le tapis moisi menant jusqu'à la Nécromancienne soulevait des relents acres, parfums de la pourriture qui régnait en ces lieux. Le Chevalier du Vespertilion lança une œillade à Onésèphe Jarès. Ce dernier l'imita et osa lui envoyer un rapide sourire. Lorsqu'ils eurent traversé la moitié de la salle, de pas lents dont l'écho semblait résonner longtemps, la sorcière se leva de son trône et vint à leur rencontre.

Les deux camarades furent stupéfaits par sa jeunesse et son teint chaleureux, qui ne correspondaient absolument pas à l'idée qu'ils s'étaient faite d'une adepte de la magie nécromantique. Les précédant de quelques pas, Le Chevalier du Cerf s'arrêta, tourna légèrement les bois pour qu'ils l'entendent murmurer "restez ici", puis il reprit son chemin. Onésèphe et Brosse-Veine obéirent au Chevalier qui avait disparu depuis des décennies.

- Laissons-le faire, il attend ces retrouvailles depuis si longtemps.

Le Vespertilion à Moustaches répondit à voix basse.

- Promets-moi de m'en dire plus si on sort vivants d'ici.

Le Chevalier du Cerf s'était mis à ôter une à une les pièces de son armure. Les parties de son corps ainsi découvertes étaient marquées d'immondes cicatrices, d'horribles brûlures. Lorsque le Cerf jeta son casque au sol, Brosse-Veine ne put s'empêcher de se pencher sur le côté pour tenter d'apercevoir son visage, qu'on devinait effroyablement défiguré.

Le sol et les murs de pierre se mirent à trembler, violemment secoués durant quelques secondes. Onésèphe Jarès et Brosse-Veine détournèrent les yeux de leur objectif, se protégeant des morceaux de pierre qui tombaient par endroits. Lorsque les secousses cessèrent, après quelques instants seulement, ils relevèrent la tête pour constater que le Cerf avait disparu, alors qu'Enaxor volait dans les airs, son dos transpercé par une hideuse paire d'ailes noires. Alors que les Chevaliers sortaient leurs épées de leur fourreau, les mains fines de la sorcière devinrent d'imposantes griffes, ses longues jambes se mélangèrent pour se transformer en une queue de serpent. La Nécromancienne s'adressa à eux.

– Je ne sais pas ce que vous êtes venus chercher ici, Chevaliers, mais c'est la mort que vous allez trouver.

Enaxor semblait satisfaite de son incipit. Brosse-Veine, en cherchant encore du regard le Chevalier du Cerf, tenta d'attirer l'attention de la sorcière, de retarder l'affrontement pour qu'Onésèphe puisse se placer stratégiquement et utiliser de la manière la plus efficace ses pouvoirs.

– Nous sommes venus vous affronter, Enaxor. Vous avez répandu le mal et la terreur dans le royaume de notre roi.

La sorcière se mit à rire. En partie avec sincérité, mais surtout pour contribuer à l'effet dramatique qu'elle créait devant ses deux ennemis.

- Où sont tes soldats, les victimes que tu as relevées d'entre les morts pour te constituer une armée maudite ?

- L'armée que tu évoques est désormais dirigée par un sorcier beaucoup plus ancien que moi, et bien plus puissant. Il marche à la tête de milliers de cadavres en direction du cœur du royaume, prêt à détruire tout ce qui se trouvera sur son passage pour restaurer son empire perdu il y a des siècles.

- Tu veux nous faire croire que tu n'y es pour rien ? Que tu n'as pas d'immondes plans de conquête du monde derrière la tête ?

- Évidemment, j'ai agi, mue par un objectif très précis, mais je n'ai aucune velléité de commander. J'avais soif d'un pouvoir qui me permettrait de retrouver mon fils, et c'est très bientôt chose faite.

Onésèphe avait profité de l'échange verbal pour contourner lentement mais sûrement la sorcière. Brosse-Veine continua d'attirer l'attention sur lui.

- Reki ? Votre fils ? Mais c'est impossible… Il a été emprisonné depuis toutes ces années, hors de portée de qui que ce soit. Comment pourriez-vous atteindre la Grande Meule, c'est… c'est inconcevable.

– Je constate que tu as bonne mémoire, Vespertilion. Puisque tu évoques cette problématique, sache que le père de la nécromancie a déchaîné une puissance en moi qui me permettra de retrouver mon fils. Je ne vais pas rejoindre la Grande Meule, c'est elle qui va atteindre le royaume.

Le Lynx était désormais tout proche de la Nécromancienne, prêt à se jeter dans son dos.

– Vous allez la faire s'écraser…

D'un battement d'ailes, Enaxor fondit sur Onésèphe. Avec un coup de griffe puissant, elle déchira le manteau du Chevalier et l'envoya valdinguer contre l'un des murs de la salle.

Rapide, Broche-Veine profita de cette courte diversion pour se jeter sur la Nécromancienne, l'épée au clair. Trop prompt pour qu'elle puisse l'esquiver, il la frappa de toutes ses forces, d'un coup latéral parfaitement maîtrisé. La lame du Chevalier éclata en morceaux dès qu'elle frôla la peau nue des côtes d'Enaxor. Le Vespertilion à Moustaches évita de justesse la contre-attaque de la sorcière, qui tentait de transpercer son corps de ses griffes mortelles ; les ailes de son armure déployées, il s'était envolé vers l'arrière.

Dans le dos d'Enaxor, Onésèphe se relevait. Sans détourner la tête de Brosse-Veine, la Nécromancienne fit s'effondrer par magie l'intégralité du mur contre lequel le Lynx venait d'être balancé. L'armure topaze parcourue d'éclats bronze orange pêche étincela alors que les pierres s'abattaient sur lui par dizaines.

La salle du trône désormais mise à nu était balayée par les vents glaciaux du Nord, qui emportaient avec eux les relents infects des Brumes proches. À toute vitesse, par morceaux, les murs s'écroulaient. La Nécromancienne avait sciemment entamé la destruction du Château Perdu. Le Chevalier du Lynx, qui n'avait pas été capable de se relever, fut emporté dans la chute de la tour.

Flottant tous les deux dans les airs, Enaxor et Brosse-Veine se faisaient face.

– Je n'ai aucune envie de te tuer, Vespertilion, mais si tu te dresses entre moi et mon fils, tu disparaîtras toi aussi.

Brosse-Veine était pétrifié. La Nécromancienne semblait invulnérable et surpuissante. Que pouvait-il bien faire, désarmé, démuni de tout espoir de victoire ?

– Je ne peux pas vous laisser accomplir votre plan.

Rongé par son sens du devoir, le Chevalier du Vespertilion à Moustaches était incapable d'accepter de laisser une sorcière délivrer son fils banni. Brosse-Veine avait l'obligation de combattre les ennemis du royaume et de la Déesse, même s'il devait assurément trouver la mort.

## Les trois rubis rutilants

Alis, candide, avait frappé l'huis du manoir Perderaux. L'érudite Jolilie reconnut immédiatement la guerrière[28]. Dès que son époux, une épée bâtarde à la main, ouvrit la porte du manoir, Jolilie comprit pourquoi Alis se tenait devant eux. L'esprit vif, elle avait aussitôt fait le lien entre la jeune femme et Requin-Buisson : Alis venait venger son ami demi-homme, ou lui voler à nouveau son précieux fragment de griffe. Jolilie n'hésita pas une seule seconde.

– Rue-Thon ! Tue-la ! Occis cette maraude malvenue !

Même s'il obéit sans réfléchir à l'injonction de sa petite femme, un peu pris de court, l'ancien garde mit quelques instants à frapper la jeune guerrière qui se trouvait devant lui. Cet intervalle permit à Alis de brandir elle aussi sa grande épée. Les deux adversaires fondirent l'un sur l'autre et, comme d'habitude, l'air fut éclaboussé de lueurs et de sons. Ancien mercenaire, notamment employé par la Guilde des Voleurs pour la sécurité de leur grande tour, Rue-Thon était un combattant aguerri. Même s'il n'avait pas

---

[28] Ce qui est tout à l'honneur de sa prodigieuse mémoire, puisque la sagace et prolixe Jolilie n'avait rencontré Alis qu'une seule fois, plusieurs mois auparavant, à l'auberge des Bottes Tempérées, près de l'Orgue-aux-Seins.

la fougue et la force d'Alis, il lui tint tête, s'ingéniant surtout à parer les puissants coups de la guerrière.

Jolilie, fourbe, sortit une dague de sa besace et contourna Alis le plus discrètement possible mais la jeune combattante avait gardé un œil sur l'érudite et dès que cette dernière fut à portée de son épée, Alis la désarma rapidement en frappant de toutes ses forces la petite dague perfide. Jolilie recula, les mains ouvertes à la hauteur des épaules.

Le sourire aux lèvres, Alis faisait se succéder coups brutaux, bottes techniques et feintes de frappe. Lamkikoup et Mycostère venaient d'atteindre le manoir. Ils observaient tranquillement le duel.

- Je vois que mon enseignement a porté ses fleurs.

- Je crois pouvoir conclure que les habitants de ce manoir n'ont guère accepté de prêter leur quæretisseur à notre fougueuse camarade.

- C'est pas plus mal, rien ne vaut un combat à mort pour progresser. C'est en forgeant qu'on apprend à compter.

Le combat continuait et Alis prenait de plus en plus l'avantage sur son adversaire. L'énergie débordante de la jeune femme semblait intarissable alors que Rue-Thon peinait de plus en plus à reprendre son souffle. Il n'avait plus la force de porter de véritables attaques. L'ancien mercenaire se battait pour son épouse, il savait à quel point elle tenait à sa griffe de dragon. Rue-Thon adressa un regard déterminé à Jolilie, prêt à tout faire pour gagner son combat. Sa femme remarqua la posture étrange qu'il prenait et réagit immédiatement.

– Non ! Chéri ! Ne fais pas ça ! Arrête, je t'en prie.

Rue-Thon lâcha son arme et leva les mains, il se rendait. Jolilie se précipita vers son mari pour l'étreindre.

– Tu es complètement fou, ça n'en vaut pas la peine. Ce n'est rien qu'une babiole mais toi, tu es mon amour. Tu es plus précieux que tout ce qui se trouve dans le royaume.

Alis regarda l'homme-lézard, satisfaite.

– Tu l'as vu de ma bagarre ? T'as aimé comment je m'ai battue ?

– J'ai quelques remarques à te faire, trier le bon grain du vrai.

Jolilie s'approcha d'Alis en ôtant le collier qu'elle portait autour du cou.

– Vile mais habile détrousseuse, j'ai la certitude que c'est pour me ravir cela que vous avez pénétré dans notre résidence privée, n'est-ce pas ? Vous êtes venue me voler mon pendentif, comme l'avait fait votre ami jadis.

La jeune guerrière observa le pendentif, imitée par Mycostère qui vint se planter à ses côtés.

- Oh, mais ça l'est dingue ! C'est le bout de griffe de Tasse-Dent ! Comment que tu l'as eu ?

L'alchimiste se saisit de la pointe de griffe et l'examina attentivement. Il prit dans son autre main le quæretisseur de quæretisseur et vérifia qu'il désignait bien le médaillon.

- C'est bien un quæretisseur, c'est fascinant.

- Tasse-Dent ? Vous voulez dire le prince Tasse-Dent ? Non, je n'ai jamais été en présence de l'héritier du trône et futur souverain de notre royaume. Je ne l'ai guère rencontré, mais j'ai eu à faire avec un autre représentant de sa race, un demi-homme de son âge, qui était nommé Requin-Buisson. Il était venu me rencontrer en personne dans une bibliothèque, où je croyais, hélas, me trouver en sécurité. Votre compère, urbain, a fait tomber les murailles de ma méfiance et m'a fait partager les connaissances doctes que j'ai savamment accumulées à propos des dragons et de leurs cachettes, puis il a utilisé un maudit sortilège de commandement pour m'obliger à lui donner mon précieux collier ! Ensuite, durant des mois, avec mon époux, nous avons traversé le royaume à la recherche de ma griffe. Quand nous l'avons enfin retrou…

Les joues d'Alis s'empourprèrent sous le coup de la colère. Elle empoigna l'érudite par le col de sa tunique et la plaqua contre le mur le plus proche. Cela fut douloureux pour Jolilie à cause des broderies encadrées qui y avait été accrochées. Rue-Thon fit mine de se précipiter auprès de sa femme mais Lamkikoup lui attrapa le bras gauche et, d'un geste fluide, technique et précis, l'amena au sol pour l'y immobiliser.

Alis était furibonde. Jolilie, agitant ses pieds dans le vide, n'en menait pas large.

– Mademoiselle, tempérez vos ardeurs, fussent-elles légitimes ! Égarée par la détresse, j'ai dit à mon époux de vous tuer, mais voyez là une licence poétique ! Nous ne sommes pas des assassins, uniquement des passionnés qui…

– Tu l'as dit à ton amoureux de me tuer, ça je m'en fiche. Mais si tu l'as fait du mal à mon ami je vais t'arracher le cœur, enlever toute la joie qu'il y a dedans et te le remettre à l'envers.

Rue-Thon intervint, malgré le genou du sauromme pressé contre sa joue.

– Ma chérie n'a rien fait au demi-homme ! C'est moi qui… il va bien ! Ne vous inquiétez pas pour lui. Je vais tout vous expliquer.

Patiemment mais plus rapidement que l'aurait fait son épouse, le mercenaire décrivit comment ils étaient partis à la recherche de Requin-Buisson, de quelle manière ils avaient retrouvé sa trace quand son patronyme était apparu dans la gazette des nouvelles guildes, Rue-Thon raconta les tournées offertes à l'auberge de la Truie qui Fuit pour neutraliser les camarades d'aventure du demi-homme, l'embuscade dans la chambre à coucher, la récupération du pendentif. Et puis, il expliqua que le demi-homme s'était mis à parlementer lorsqu'il avait remarqué que ses assaillants ne savaient pas exactement quoi faire de lui. Lamkikoup l'interrompit.

- Tu m'étonnes ! Il a su convaincre un dragon de quitter sa montagne pour aller s'enfermer dans une banque, cet aventurier a plus d'une corde à son chapeau.

Jolilie pesta. Son visage et son ton se durcissaient d'un instant à l'autre, surprenant ses interlocuteurs.

- Mais voilà ! Il nous a raconté l'épisode avec Prospère et ça me rend folle… Il m'avait proposé de vous accompagner là-bas et, sotte comme une pomme de terre, j'ai refusé. Qu'est-ce qui m'a pris de tourner le dos à l'expérimentation, à la recherche sur le terrain ? À l'heure qu'il est, j'aurais rencontré un dragon vert, j'aurais peut-être même pu récupérer une écaille perdue, ou lui parler, ou bien…

- Ou bien vous faire brûler de vos fesses. C'était super dur de l'affronter de lui. Mais il est où, mon copain, alors, maintenant ?

- Mon époux y arrivait lorsque l'homme-lézard l'a interrompu. C'est vraiment très peu civil de faire cela. En fait, Requin-Buisson nourrissait des remords pour m'avoir dérobé mon bien. Il admit son méfait et proposé de racheter sa faute en nous offrant son propre bien le plus précieux. Enfin, ce n'est pas tout-à-fait exact. Il nous en a proposé une copie…

- Son propulseur à poussin explosifs ?

- … exactement, messire le sauromme. Ne m'interrompez plus, je vous en prie, sinon je vais perdre le propre fil de mon récit. Et vous, le maigrichon en tenue d'alchimiste, j'apprécierais que vous cessiez de manipuler les fagotons que je préparais pour le repas alors que je vous parle, cela me perturbe. Je m'évertue déjà à être concise pour en venir le plus rapidement possible aux faits. Donc, voilà, dans sa chambre, acculé, il nous a montré sa terrible invention. Vous savez, il aurait tout aussi bien pu l'utiliser contre nous, cela nous nous en sommes rendus compte plus tard. Mais peu importe. Nous avons convenu de laisser la vie sauve à Requin-Buisson et de lui pardonner son acte. En échange, il doit rester notre captif jusqu'à ce qu'il ait mis au point un second propulseur. Le demi-homme a rapidement griffonné une lettre à l'intention de ses collègues de guilde, qu'il a prévu de retrouver dès qu'il ne serait plus notre prisonnier volontaire. En ce moment, votre ami est sous vos pieds, en parfaite santé.

Alis leva délicatement les bottes pour inspecter ses semelles. Mycostère chuchota à son intention que le demi-homme devait plutôt être à la cave.

- Alors, pour tout vous dire, je me rends bien compte que ma réaction à votre vue a certainement été outrancière. Je m'en navre sincèrement. Lorsque je repense au fait qu'il y a seulement quelques minutes j'ai ordonné à mon mari de vous tuer…

- Tu me l'as proposé, chérie. C'est pas non plus comme si tu me donnais des ordres, hein, dit ?

- Heu… non non, tu as raison mon dragonnet. Enfin bref, j'ai surréagi et je m'en veux. Je ne sais pas d'où me vient ce tempérament fougueux, peut-être de ma naissance sous la constellation du Vieux Tambour, ce qui augure force d'esprit ou liberté spirituelle. Après tout, ce n'est qu'un morceau de griffe enchanté d'une valeur historique inestimable. Ou bien, vous n'êtes venue ici que pour délivrer votre ami et je pourrais conserver mon bien ?

Alis n'était plus là pour répondre à Jolilie, qui avait un peu parlé dans le vent sans s'en rendre compte, légèrement emportée par sa tendance à la prolixité. Dès que la jeune femme avait compris où se trouvait Tasse-Dent, elle était partie à toute allure le retrouver. Polis et civils, Mycostère, Lamkikoup et Rue-Thon avaient laissé l'érudite terminer, quelque peu distraits toutefois.

- Si je peux me permettre de répondre à la place de notre camarade guerrière, il s'avère qu'elle est venue ici précisément pour votre quæretisseur. Les retrouvailles avec son ami demi-homme ne sont qu'une heureuse coïncidence, un joyeux destin, une faveur divine, à vous de choisir selon vos croyances personnelles. Par contre, connaissant quelque peu cette jeune fille, je suis quasiment certain qu'après avoir utilisé votre quæretisseur à ses fins, qui sont, au passage, des plus respectables, Alis vous restituera sans amertume votre bien. Il vous reviendra alors en parfait état, si ce n'est l'indicible transformation que je vais dès que possible y apporter. Votre morceau de griffe ne pointera plus sur un lieu mais sur une personne.

***

Alis descendit sans bruit l'escalier de bois qui menait à l'atelier improvisé de Tasse-Dent. Elle trouva le prince, affairé à bricoler. Il était assis sur un tabouret, face un petit établi éclairé de quelques bougies parfumées au musc que les époux avaient déplacé de leur chambre à coucher. Heureuse, Alis lui fit une sacrée surprise. Les deux amis s'enlacèrent, sans aucune équivoque.

– Mais tu l'as une cicatrice à la joue ! Tu as fait de la bagarre !

– Non, pas vraiment. En fait un peu… mais c'est trop beau que tu sois là, t'es venue me rechercher !

– Bin, pour te dire de vrai, c'est mon amie Dame-d'Eau-Miel que je la cherche plutôt. Tu veux bien venir avec moi, et les autres copains ? Ça le serait trop bien.

– Mmh, je dois finir de fabriquer ce propulseur, je m'y suis engagé. Et aussi, je fais partie d'une guilde maintenant et je me dis que si je les rejoint pas bientôt, ils vont peut-être engager un autre guerrier à ma place.

– Tu l'es guerrier ? Ha bon.

– Comment ça, ça t'étonne ?

- Et si, après qu'on a retrouvé Dame-d'Eau-Miel, on allait tous dans ta guilde ? Il y aurait de la place pour moi et pour une super sympa prêtresse ?

Conscient des compétences d'Alis et très enthousiaste à l'idée de faire à nouveau équipe avec elle, Tasse-Dent se réjouissait déjà d'intégrer la jeune femme à la guilde des Héros Épiques Retors Perspicaces Efficaces et Sensuels.

Lorsqu'Alis et Tasse-Dent remontèrent au rez-de chaussée, les époux Perderaux ployèrent le genou devant le prince, imités par Mycostère. Lamkikoup leur avait confirmé la vérité.

- Votre majesté, moi et ma chérie sommes tellement confus, jamais nous n'aurions osé…

- Relevez-vous, s'il vous plaît, relevez-vous tous les trois. Je vous en prie, continuez de faire comme si vous ne connaissiez pas mon identité. Je suis Requin-Buisson, un demi-homme ordinaire.

Mycostère enchanta en quelques heures le morceau de griffe pour qu'il pointe sans cesse dans la direction où se trouvait l'amie d'Alis. Pour cela, l'alchimiste fit mine d'user d'une complexe décoction. En vérité, il ne faisait que camoufler habilement le fait qu'il usait de... magie.

Le prince n'avait plus qu'une ou deux journées de travail pour terminer son propulseur. Il fut convenu que la fine équipe attendrait au manoir, puis tous les six partiraient à la recherche de Dardaumiel. Dès qu'ils l'auraient retrouvée, Alis rendrait son quæretisseur à Jolilie. Les raisons qui conduisirent les Perderaux à proposer leur aide étaient nombreuses : l'opportunité de côtoyer le prochain souverain, la possibilité de garder un œil sur le pendentif précieux aux yeux de Jolilie et la perspective d'une sympathique aventure.

Insouciants, ils n'imaginaient pas une seule seconde qu'ils partaient alors à la rencontre de la plus puissante sorcière du royaume, incarnée dans un corps qu'aucune arme ne pouvait blesser.

***

La piste indiquée par le quæretisseur avait conduit les six aventuriers aux abords d'un monastère fortifié, perdu au cœur des Prairies du Cheval, de désertes étendues d'herbe sèche parsemées de tiges éparses de gentianes. Outre la petite forteresse religieuse, il n'y avait aucune âme qui vive à des kilomètres à la ronde, si ce n'est quelques chevaux sauvages et des marmottes des prairies.

Dès les premiers jours de leur expédition, il leur avait semblé constater que la comète bleue qui courait dans le ciel grossissait d'heure en heure, de manière presque visible. Ce phénomène se confirma à mesure qu'ils progressaient vers le Nord. Lorsqu'ils avaient atteint Grizel, le dernier village qui se dressait avant le désert herbeux, il était devenu évident que la Grande Meule s'approchait de la surface de la Sphère. Les derniers habitants du hameau encore sur place l'avaient bien évidemment constaté, se préparaient à se carapater et enjoignirent le groupe à les imiter. L'un des vieillards qu'ils avaient rencontré à Grizel leur avait confié qu'ils n'étaient malgré tout pas les seuls à se risquer dans le désert jaune paille ces derniers temps : un trio d'individus louches venait d'emprunter le même chemin qu'eux.

La petite compagnie des six avait progressé sans anicroche dans les plaines, suivant les indications du quæretisseur désormais envoûté pour désigner l'emplacement de Dardaumiel, jusqu'à ce qu'ils découvrent le monastère évoqué deux cent treize mots plus haut. La Grande Meule, plus grosse que jamais et semblant bouillonner, était située pile au-dessus de l'édifice. Par prudence, les aventuriers s'étaient planqués, ne sachant pas bien quoi penser de ce monastère mystérieux qui se dressait au milieu de nulle part.

- Pourquoi on l'irait pas voir si Dame-d'Eau-Miel l'est pas dedans ?

- Tout d'abord, le quæretisseur ne désigne pas ce bâtiment, mais une direction un peu plus à l'Ouest. Ensuite, je trouve plutôt louches les individus qui se planquent pour faire leur petite affaire.

- T'es sacrément gonflé de dire ça, l'alchimiste. Je te rappelle qu'on t'a trouvé en bas d'un escalier creusé au sous-sol d'une grotte cachée sous terre. Alors t'entendre critiquer ceux qui se planquent, c'est un peu le pot qui se moque de la charité.

- Il y a une bonne raison pour laquelle les membres de la Guilde des Alchimistes Revanchards Carrément Obligés d'être Noctambules se doivent d'être discrets.

- Sinon, on peut contourner le monastère et ses murailles et on continue notre chemin, non ?

Alors que le reste du groupe allait accepter la proposition de Tasse-Dent d'une seule voix, sans même se concerter, une voix grave, puissante mais contrôlée, se fit entendre.

- Votre Majesté, c'est un honneur de vous rencontrer à nouveau.

Et avant que le demi-homme ne se retourne, une voix plus jeune et enjouée s'exclama.

- Ayis ! Tasse-Dent !

Tout en restant prudemment discrets, les aventuriers exprimèrent leur surprise de rencontrer, en ces lieux éloignés de tout, de vieilles connaissances : le druide Crâne-Lard, le barde Siffle-Abricot et la jeune Yuyiyine. Le prince remarqua que la jeune fille était porteuse d'un bien beau bâton sur lequel elle avait placé son fragment de rubis.

Aussi rapidement qu'il fut possible de le faire, alors que Yuyu s'était blottie dans les bras d'Alis, tout à son bonheur, les camarades s'expliquèrent les raisons de leur présence à cet endroit. De leur côté, les druides et le troubadour cherchaient à connaître les secrets du cerviphage qu'avait ingurgité Siffle-Abricot. Leur enquête les avait menés sur la piste de ce monastère. Apparemment, des prêtres isolés et tenus au secret cultivaient des vers aux propriétés très particulières derrière ces murs. Requin-Buisson confia à ceux qui l'avaient autrefois délivré du Château Perdu qu'ils étaient ici à la recherche de Dardaumiel, la prêtresse amie d'Alis.

*– Brave guerrière Alis, il s'agit là je crois*
*De cette femme exquise, qui vous accompagna*
*Dans le Nord et le froid, aux ruines du château*
*Comment dire cela ? Je ne trouve les mots…*

– Alis, je crois que ce mon camarade tente de vous expliquer, c'est qu'il est arrivé quelque chose de terrible à votre amie. Nous étions avec vous là-bas, pendant que vous vous battiez elle est entrée dans la salle du trône…

– Oui, ça je me le souviens, mais après je l'ai plus jamais vue.

Siffle-Abricot cherchait à protéger Alis de la triste vérité. Il chercha une manière habile et imagée de lui faire comprendre que Dardaumiel, à sa connaissance, n'était jamais ressortie des ruines du Château Perdu.

*– Je le crains, jeune fille, et j'en suis attristé,*
*Que votre chère amie très loin s'est envolée.*

Rue-Thon se permit d'intervenir :

– Excusez-moi, je sais que j'ai pas suivi toute votre histoire, mais quand vous parlez d'une jeune femme qui s'est envolée, vous dites ça au premier degré ?

Il accompagna sa question d'un index tendu vers le ciel. Au bout de son doigt, à quelques centaines de mètres une belle jeune femme volait dans les airs. Ses grandes ailes noires la faisaient flotter aussi haut que les murailles.

– Dame-d'Eau-Miel…

– C'est elle, Alis ? T'es sûre ?

La jeune guerrière ne répondit pas tout de suite à Tasse-Dent. Elle se contenta de répéter le nom de son amie. Mycostère jeta un œil au quæretisseur.

– Ça m'en a tout l'air, en tout cas.

– Dame-d'Eau-Miel, tu l'es trop belle.

***

La Nécromancienne se rapprocha du monastère. Arrivée à portée des flèches, une volée de projectile fut tirée dans sa direction. De nombreux prêtres armés d'arc étaient postés aux meurtrières de la forteresse. Un maxiprêtre portant une robe noire et un masque sombre s'égosilla, à l'abri derrière les remparts.

– N'avancez pas plus, immonde créature ailée ! Cet endroit divin est sacré et strictement interdit ! Sur ordre de l'archipape, si vous vous approchez d'un seul pas... Enfin, d'un seul battement d'aile, nous vous ratiboiserons.

Les neuf aventuriers assistant à cette scène étaient tous couchés dans l'herbe, se faisant le plus discrets possible. Crâne-Lard était étendu juste à côté d'Alis.

- On dirait que la Nécromancienne s'intéresse elle aussi à cet endroit.

- Elle, ça l'est pas d'une Nécromancienne. C'est mon amie Dame-D'eau-Miel.

Enaxor, provocante, vola lentement en direction du monastère mystérieux. Sans sommation supplémentaire, le maxiprêtre masqué ordonna aux archers de faire feu. Les flèches ricochèrent sur la sorcière sans même interrompre sa progression. Des mâchicoulis de la forteresse, huit canons furent alors pointés sur la Nécromancienne. Ils firent feu simultanément et les boulets enflammés s'écrasèrent avec fracas sur la sorcière. Elle ne souffrit pas de la moindre égratignure.

- Que nous avons bien fait, tu vois, mon druide ami,

De ne pas y aller, qu'est-ce qu'on eût subi !

- Tu as vu ma chérie, cette femme n'est même pas blessée. Alors qu'elle n'a rien sur elle, rien du tout.

- Oui, c'est bon, j'ai vu. D'ailleurs, arrête un peu de la regarder.

– D’accord chérie.

Alis s’était levée, toujours aussi impétueuse. Elle marchait d’un pas rapide, cherchant à rejoindre son amie retrouvée.

– Elle est toujours aussi folle, à ce que je vois.

Lamkikoup ne répondit pas à Tasse-Dent, il se contenta de soupirer en secouant la tête.

– Dame-d’Eau-Miel ! Dame-d’Eau-Miel ! Fais attention ! Ils vont te le faire du mal !

Enaxor, toute en hauteur, posa un regard intrigué sur la guerrière qui semblait toute petite sous ses pieds Au fond de son âme résonna un lointain souvenir. Ce n’était pas la première fois que l’esprit de la prêtresse dont elle avait volé le corps se manifestait. Cela était arrivé à quelques reprises au début de leur cohabitation. La sorcière avait appris à cloisonner les pensées fantômes lorsqu’elles se manifestaient ; malgré cela, en voyant la jeune femme, la Nécromancienne ressentit une sorte de chaleur qui fit battre son cœur plus rapidement. Une deuxième volée de boulets, cette fois-ci enflammés, la sortirent brusquement de ses digressions mentales.

– N’avez-vous pas compris que toutes vos armes sont inefficaces, misérables serviteurs d’une déesse imaginaire ? Vous avez devant vous l’incarnation de la magie !

Le maxiprêtre eut le courage de lui répondre, malgré le doute et la peur qui commençaient à le tarabuster.

- Nous représentons la Déesse ! Elle nous protégera par sa bienveillance, sans conteste !

La Nécromancienne sourit. Elle savait bien ce que représentait ce monastère perdu au milieu de nulle part : ce n'était pas par hasard que la sorcière avait choisi précisément cet endroit pour faire s'écraser la Grande Meule. Puisant chaque parcelle de puissance magique contenue dans son corps, Enaxor suivit les précieux enseignements de Shubarte l'Éternel : il lui avait appris le sortilège qu'elle s'apprêtait à utiliser. Pour bénéficier de toute sa vigueur, elle se métamorphosa complètement : griffes de loup acérées, queue de serpent luisante, torse de taureau, visage d'engoulevent et plumage noir. Les bras tendus en l'air en direction de la Grande Meule, elle se mit à trembler, en hurlant. La comète l'imita. Au moins cent fois plus grande que l'édifice qu'il surplombait, le météore bleu n'était plus qu'à une cinquantaine de mètres au-dessus du monastère secret.

Alis s'arrêta sur place, perplexe. Tasse-Dent en profita pour la rattraper.

- Reviens te mettre à l'abri, Alis, c'est super dangereux par là-bas.

- Mais Dame-d'Eau-Miel, tu as vu ce qui lui arrive ?

– Elle semble plutôt bien s'en sortir, viens avec moi, j'ai l'impression qu'il va se passer quelque chose de terrible.

La Grande Meule s'approchait, frémissante, de plus en plus rapidement. Entraînée par la magie de la Nécromancienne, elle se mit à tourner sur elle-même, créant une véritable tempête autour d'elle. Les défenseurs de la forteresse religieuse, affolés, tentèrent de se mettre à l'abri mais une dizaine d'entre eux furent emportés par les vents bleus crées par la Grande Meule.

Les aventuriers s'éloignèrent aussi vite qu'ils le pouvaient, comprenant que l'astre allait s'écraser incessamment sur le monastère. Yuyu, ou Lune-Divine, était moins rapide que tous les autres et les larmes lui vinrent aux yeux lorsqu'elle commença à être distancée. Rue-Thon et Tasse-Dent firent demi-tour pour aller l'aider. Le mercenaire humain, plus grand que le demi-homme, l'emporta dans ses bras, et ils reprirent leur course.

Un cri terrible accompagna l'épouvantable scène. La Nécromancienne hurlait, déchirée par la puissance qu'elle déployait pour conduire la météorite à destination.

Les neufs décampaient mais la Grande Meule frôlait déjà les remparts du monastère perdu, projetant partout à la ronde les briques sombres qui les constituaient. Crâne-Lard interrompit sa course, se concentra et se transforma en un bien bel oiseau, un griffon des Monts-d'Or au plumage brun et blanc. Il étendit ses ailes, Lamkikoup, Mycostère, Jolilie, Rue-Thon, Yuyiyine et Siffle-Abricot s'y cramponnèrent. Crâne-Lard métamorphosé attrapa Alis et

Tasse-Dent dans ses serres et s'envola aussi loin qu'il le pouvait mais lorsque la météorite s'écrasa enfin, la déflagration fut si forte, si violente, que l'onde de choc projeta violemment le griffon au sol.

Le monastère avait été complètement détruit, soufflé par la puissance. Là où il se dressait quelques instants auparavant, il n'y avait plus qu'une grand et profond cratère, terre retournée fumante parsemée de fragments de la Grande Meule.

En tombant au sol, les aventuriers furent dispersés ça et là. Tasse-Dent avait roulé sur lui-même sur plusieurs mètres. En palpant son dos, il vérifia si son projecteur à explosifs y était toujours fixé. Le demi-homme se releva, chercha ses amis autour de lui. La comète avait levé un épais nuage de poussière aux alentours du cratère. Le prince trouva tout d'abord Alis, sonnée, qu'il aida à se remettre debout.

– Qu'est-ce qu'il l'est arrivé à Dame-d'Eau-Miel ? C'est trop horrible !

La dernière fois qu'ils avaient vu la Nécromancienne, elle flotait dans l'air entre la Grande Meule et l'édifice fortifié. Crâne-Lard, qui s'approchait d'eux, répondit à Alis.

– Ce qui s'est passé, Alis, c'est qu'une sorcière très méchante a volé le corps de votre amie. Elle s'appelle Enaxor et c'est une nécromancienne.

– Mais pourquoi elle l'a fait ça ? Et où elle est Dame-d'-Eau-Miel alors ?

*– Les ballades l'ont dit, les poèmes, les chants*
*Le don de votre amie était vraiment puissant.*

Siffle-Abricot s'était brisé un bras dans sa chute, mais le radius qu'il tenait en place allait bientôt se recoller, il le savait.

– Votre amie est toujours là, dans ce corps. Mais c'est la sorcière qui l'utilise, comme si elle manipulait une marionnette de l'intérieur.

– Alors, on peut aller la chercher là-dedans d'elle-même.

Les quatre camarades retrouvèrent leurs autres compères. Mis-à-part quelques égratignures et contusions, ils étaient tous indemnes, sauf Lamkikoup qui était inconscient. Mycostère l'examina rapidement et en conclut qu'il s'était cogné la tête, mais qu'il n'avait pas de blessure particulièrement grave. « Je l'ai vu se régénérer de brûlures de dragon, il a les écailles dures », indiqua le demi-homme. Touffe et Piqué, sanglier et souris totem, avertirent leurs propriétaires que de nombreuses choses s'approchaient d'eux depuis le cœur de la Sphère. Crâne-Lard comprit immédiatement de quoi il s'agissait.

– Les rameks ! Ils attendaient l'arrivée de la Grande Meule. Ils vont arriver par milliers, il faut qu'on s'en aille !

Alis se dirigea vers Mycostère et lui demanda le quæretisseur.

- Moi, je vais de nulle part. Je vais continuer de chercher ma copine.

L'artefact pointait vers le cratère.

- C'est peine perdue, ma pauvre. Rendez le pendentif à ma chérie, on s'en va.

- Jamais de ma vie. Je le suis pas venue ici pour rien. Faites comme vous voulez, partez si vous l'avez peur. Je viendrai vous rendre le quérétisseur quand j'aurais sauvé Dame-d'Eau-Miel.

Alis partit sans plus attendre, les yeux rivés sur la pointe de griffe de dragon. Tasse-Dent dit à Yuyu de rester près de son mentor, puis il suivit la guerrière.

- Oh, trop super, tu viens d'avec moi ?

- Je t'ai dit que j'allais t'aider à trouver ton amie, je vais tenir ma parole.

Siffle-Abricot et Crâne-Lard échangèrent un regard appuyé.

*- Évidemment l'ami, nous savons tous les deux*
*Sans qu'un seul mot soit dit, ce qui est pour le mieux*
*Nous n'abandonnerons pas deux courageux héros*
*Aux cœurs gros comme ça, chauds comme des braseros.*

Le troubadour sortit la Chante-Flûte et se mit à siffler dans l'instrument avec enthousiasme. Le brouillard se dissipa dans un rayon de quelques mètres autour de lui. Le druide expliqua à Rue-Thon, Jolilie et Mycostère que s'ils restaient tout proche de Siffle-Abricot, aucune créature malfaisante ne pourrait les approcher tant qu'il jouerait de son instrument.

– Je vais rejoindre les deux jeunes. Si nous ne sommes pas de retour lorsque les hommes-rats débarqueront en masse, partez sans nous.

Alis et Tasse-Dent avaient déjà atteint les bords du cratère. Un peu partout gisaient des fragments bleus de la comète, desquels émanaient de forts effluves fermentés.

– Ah mais c'est horrible, cette odeur ! C'est la même que dans la fromagerie clandestine, je déteste ce parfum.

– Regarde de là-bas ! C'est de nouveau Dame-d'Eau-Miel toute jolie !

Enaxor, complètement nue sous sa forme humaine, arpentait les flancs du cratère, cherchant quelque chose parmi les débris. La Nécromancienne soulevait par magie les fragments, regardait à droite, à gauche, de plus en plus rapidement, mais le cratère était très grand et les morceaux de météore très nombreux.

– Attends, Alis. Tu as entendu le nain : c'est une sorcière qui a volé son corps.

- Mais il l'a dit aussi que ma copine était toujours quelque part dans sa tête. Je peux la ramener, j'en suis sûre.

Le prince demi-homme avait surtout remarqué que la Nécromancienne était indemne alors qu'une météorite s'était écrasée sur elle. Si Alis échouait à aider son amie à reprendre le contrôle de son corps, ils ne pourraient rien faire contre la sorcière.

- Dame-d'Eau-Miel ! C'est moi, Alis !

Sans même lever les yeux sur la jeune femme, Enaxor envoya d'un geste du bras Alis voltiger en arrière. Elle ne voulait pas être dérangée alors que son fils devait être là, quelque part, près d'elle.

Tasse-Dent se précipita au chevet d'Alis, mais la guerrière se relevait déjà.

- Ça l'est rien, ça l'est rien, elle l'a pas reconnu de moi, c'est tout.

- Dame-d'Eau-Miel ! Laisse pas de la méchante te contrôler, écoute-moi ! C'est Alis.

La guerrière fut projetée une nouvelle fois.

- Dame-d'Eau-Miel ! On était à la l'auberge du Troupier Timoré, y'avait la Fête de la Saucisse. On l'avait fait un dessin pour Darnu…

Enaxor sentit quelque chose se briser en elle. Depuis qu'elle avait aperçu cette jeune femme, la sorcière devait contenir des sentiments de tendresse. Des pensées douces, presque mélancoliques, faciles à contraindre ; mais à l'évocation de ce prénom, ce fut de la colère qu'elle ressentit des méandres du crâne qu'elle s'était approprié. De la haine, de la tristesse, des émotions qu'Enaxor n'avait pas l'habitude de réprimer. La Nécromancienne ne pouvait se permettre de perdre la moindre once de contrôle sur son corps, pas en ce moment, pas si près du but. Il était impératif qu'elle neutralise la source de cette colère. Il fallait qu'elle fasse taire l'évocatrice de ces souvenirs douloureux.

Les mains de la sorcière se déchirèrent pour laisser place aux griffes de loup. Elle courut sur Alis avec un feulement bestial, un cri de haine pure.

– Non, Dame-d'Eau-Miel, je veux pas de la bagarre, je veux que tu redeviennes ma copine.

Tasse-Dent comprit que la guerrière allait être mise en pièce, sans se défendre car elle n'oserait pas lever la main sur le corps de son amie. D'un geste bien maîtrisé, il se munit de son propulseur à explosifs et visa la Nécromancienne. L'engin perfectionné sur les conseils de Seize était bien plus précis qu'autrefois mais la sorcière était trop proche d'Alis. S'il tirait avec son engin maintenant, la jeune femme serait prise elle aussi dans l'explosion. Enaxor, plantée devant Alis avec un rictus malveillant, leva ses deux griffes au ciel.

– Pousse le lierre qui te contraigne !

Son bâton de druide dressé en direction de la sorcière, Crâne-Lard venait d'utiliser une invocation potagère. Quatre lianes de lierre grimpant jaillirent dans le dos d'Enaxor et s'accrochèrent à ses membres. La Nécromancienne se défit facilement de la contrainte en arrachant les tiges du sol d'un simple mouvement. Enaxor jeta un regard très dédaigneux à Crâne-Lard.

- Misérable ! Ta magie druidique est ridicule…

La magicienne claqua des doigts et le bâton du nain éclata en morceaux.

- …elle n'est qu'un remugle mal maîtrisé de la véritable magie. Est-ce que tu vas te briser aussi facilement que ton instrument ?

Avant que la sorcière ne puisse lancer un sortilège contre lui, Crâne-Lard, paniqué, se protégea au détriment de tout le reste. Il s'accroupit et se transforma en statue de pierre.

Alis se mit à pleurer. De sincères larmes parcouraient ses joues.

- Pourquoi tu l'es devenue si méchante ? Pourquoi tu l'as cassé son beau bâton ? Pourquoi tous les gens que j'aime ils deviennent mauvais ou ils s'en vont ?

La guerrière sortit Flamme-de-Rose de son fourreau. Le quart d'hexakis octaèdre qui en sertissait la garde scintillait faiblement. Constatant cela, Tasse-Dent en déduisit que le rubis qui s'était brisé contre sa poitrine durant son affrontement avec Prospère le dragon vert devait être gorgé de magie, comme l'avait prétendu le professeur Jaunisse.

- Tiens, tiens, une épée magique ? Tu crois que tu peux me blesser avec ça ? Tu penses m'arrêter ainsi, faire revenir à elle la prêtresse que j'ai enfermée, là dedans, au creux de ma tête ?

Alis brandit à deux mains son épée, la ramena derrière l'épaule.

- Je vais essayer.

La guerrière frappa, une grimace de tristesse dessinée sur le visage. Lorsque la lame atteignit le côté du cou de la sorcière, Flamme-de-Rose rebondit et échappa des mains d'Alis pour aller voler loin d'elle. La patte serrée en un massif poing noir, Enaxor frappa de toute ses forces la jeune femme en plein visage. Elle s'écroula au sol, inconsciente.

- Tasse-Dent ! Prends Alis avec toi et rejoins-nous ! C'est ma chérie qui a eu cette idée !

Sans s'arrêter de jouer un air entraînant en la majeur, Siffle-Abricot s'était approché des combattants. Lamkikoup quitta rapidement le rayon de protection musical pour se saisir de Crâne-Lard pétrifié.

Enaxor grimaça. Entendre cette mélopée lui donnait des frissons très désagréables. La Nécromancienne en avait assez. Elle avait consenti à tant d'années de patience et tant d'efforts pour retrouver son fils ! Alors que la sorcière pensait avoir fait le plus difficile, les retrouvailles étaient différées à cause de ces minables gêneurs. La Nécromancienne n'en pouvait plus. Elle allait faire cesser cette musique infernale, puis elle ferait disparaître d'un battement de cils tous ces gêneurs.

Des ailes au plumage noir jaillirent des omoplates d'Enaxor, puis elle fondit sur Siffle-Abricot. Confiant dans les pouvoirs de la Chante-Flûte, le troubadour continua de souffler dans l'instrument à vent, mais la magie noire était bien plus efficace que les sorts mélopesques. Les notes de la flûte magique n'étaient pas suffisantes pour empêcher Enaxor de traverser la barrière dressée par le ménestrel. La Nécromancienne vola jusqu'au barde et lui trancha la gorge d'un simple coup de patte. La sorcière se trouvait au centre des aventuriers regroupés autour de Siffle-abricot. Elle se tourna vers l'aventurier le plus proche et lui arracha la tête. Le corps décapité de Mycostère tint quelques instants sur ses deux jambes, ridicule, puis il s'affaissa.

Rue-Thon savait que son épée serait inefficace sur la magicienne, mais il avait déjà repéré Flamme-de-Rose, qui avait atterri non loin de lui. Durant leur périple Alis lui avait longuement parlé de son épée et il venait de supposer qu'en utilisant son attaque ultime avec une épée enchantée, il pourrait peut-être vaincre, ou du moins blesser, la terrible Nécromancienne. Il n'avait pas le temps de tergiverser car déjà la sorcière s'était déjà tournée vers sa prochaine proie :

Jolilie. L'érudite, les deux mains sur la gorge du barde, tentait de le sauver. Si Rue-Thon ne faisait rien, dans quelques secondes, son épouse serait morte. Il se jeta sur Flamme-de-Rose et la saisit vigoureusement à deux mains.

– Hey ! La sorcière ! Ne touche pas à ma chérie !

Jolilie comprit ce que son mari avait en tête d'un simple regard, reconnaissant sa détermination.

Au cours de leur relation, Rue-Thon avait souvent parlé à son épouse de sa longue formation de mercenaire, auprès d'un maître très fortiche et ténébreux. Ce dernier lui avait enseigné moult techniques, feintes et passes d'armes.

Un soir, un peu éméché, il avait confié à son élève qu'il existait une botte secrète qu'il s'était promis de garder confidentielle. « *Je n'expliquerais jamais à aucun de mes apprentis comment utiliser ma technique du Super Coup Ultime Mortel, car cette attaque causera à coup sûr d'énormes dégâts à son ennemi, tuant vraisemblablement n'importe quel adversaire, mais elle demande tellement de fougue, de hargne et de passion que le cœur de celui qui l'utilisera se déchirera lorsqu'il l'exécutera. Je me rends compte qu'une attaque qui tue celui qu'il l'utilise n'est pas très pratique. Regarde, Rue-Thon. Pour réussir cette technique, il faudrait prendre une position précise : celle-ci. Les deux pieds perpendiculaires, le coude droit à la hauteur de l'épaule, la tête inclinée... Tu vois ? Comme ça. Et alors, ensuite, donner un coup d'épée comme celui que je... Argh.* », avaient été ses dernières paroles.

Rue-Thon se positionna exactement comme feu son maître s'était placé avant de mourir en frappant dans le vide. Le mercenaire se trouvait à quelques mètres de son ennemie. Il jeta un dernier regard plein d'amour et de bravoure à sa chérie, toujours au chevet de Siffle-Abricot. Alors qu'il allait utiliser son coup ultime, Flamme-de-Rose étincela de mille feux, le rubis de la garde semblait incandescent.

Monsieur Perderaux frappa de toute son âme : il voulait sauver sa femme. Le Super Coup Ultime Mortel effectué avec l'épée magique créa une gigantesque sphère dans l'air qui fondit contre la Nécromancienne à toute vitesse. Enaxor fut incapable de l'esquiver et le projectile magique l'atteignit en plein corps. La boule de feu emporta la sorcière avec elle et la Nécomancienne s'écrasa au loin. Rue-Thon tomba à genou, la main gauche serrée sur son cœur. Jolilie abandonna la gorge du troubadour pour courir enlacer son mari. Elle savait qu'il allait bientôt mourir, son attaque magistrale allait lui être fatale.

Tasse-Dent observa ses compagnons. Alis, Lamkikoup, Siffle-Abricot et Crâne-Lard étaient inconscients, Mycostère décapité. Jolilie pleurait, le corps de Rue-Thon dans les bras. Seule Yuyu se tenaient encore à ses côtés. Il regarda au delà du cratère, là où la Nécromancienne avait été projetée. Le prince demanda, autoritaire, à l'apprentie druide de dépétrifier son mentor. Yuyiyine s'approcha de son maître et le gratta sous les oreilles. Le druide, suite à cette manipulation entraînée, reprit son apparence normale.

– Allez-vous en ! Tout de suite ! Elle va revenir !

Le nain ne posa aucune question et obéit à Tasse-Dent. Il se transforma à nouveau en griffon, agrippa dans une serre Jolilie et Rue-Thon, dans l'autre Siffle-Abricot et Lamkikoup. Sa disciple s'installa à toute vitesse sur son dos. Crâne-Lard tourna la tête pour chercher Tasse-Dent. Le prince, sa dévastatrice invention sur l'épaule, partait en direction du cratère. Le nain glapit au demi-homme de vite le rejoindre, mais bien évidemment, le prince ne comprenait pas le langage des rapaces. Crâne-Lard réfléchit à toute vitesse. Soit il prenait immédiatement la fuite et sauvait la vie des autres aventuriers en abandonnant Tasse-Dent, soit il courrait le risque que la Nécromancienne revienne et les tue tous. Le nain avait déjà vu tomber Alis et l'alchimiste. Il ne pouvait pas mettre tous les aventuriers en danger. Le demi-homme avait fait son choix. S'il voulait périr en affrontant une sorcière immortelle, c'était son problème. Le griffon s'éleva dans le ciel et s'éloigna.

Crâne-Lard n'avait pas remarqué que sa disciple s'était jetée de son dos pour suivre Tasse-Dent, son compagnon d'aventure qui lui avait tant manqué. Le prince s'était arrêté auprès d'Alis. Couchée sur le dos, elle reprenait ses esprits. Avant qu'ils ne puissent échanger le moindre mot, ils aperçurent Enaxor qui se relevait, de l'autre côté du cratère. Indemne.

À moitié transformée, elle s'envola, prête à en finir avec le trio. La guerrière tenta de se relever. Yuyiyine rejoignit alors ses deux amis.

– Moi aussi je peux me bagarrer. Je suis bientôt une vraie druide.

L'apprentie pointa son bâton de druide sur la sorcière.

– Écoutez ça, je l'ai inventé toute seule : petit soleil, brille sans pareil !

Le rubis qui ornait le bâton s'éclaira, puis une sphère enflammée en jaillit et fusa en tournoyant sur elle-même jusqu'à Enaxor. La langue de feu projetée par le bâton rebondit sur la poitrine de la sorcière et revint à l'envoyeur à toute vitesse. Le prince bondit pour s'interposer entre la boule de feu et la fillette sauvage. Une puissante explosion retentit : Tasse-Dent n'était plus qu'une silhouette de flammes vives qui hurlait. Yuyu et Alis, effrayées, se mirent à crier, Enaxor interrompit son vol. La Sorcière ressentit la puissance d'une magie ancienne, qui émanait du prince.

Le feu qui semblait consumer le demi-homme fut aspiré dans sa poitrine. La fumée noire de l'explosion se dissipa. Le prince se tenait, sain et sauf, droit et fier, sans la moindre trace de brûlure sur le corps. Il ne restait qu'une seule flamme, qui dansait à la hauteur de sa poitrine. Plus précisément, elle se consumait à l'intérieur de son cœur, là où un résidu d'hexakis octaèdre était resté prisonnier depuis son affrontement contre le dragon Prospère. Tasse-Dent récupéra, promptement mais avec calme, son propulseur à explosifs qu'il avait laissé choir avant de s'interposer pour sauver Yuyu. Il le positionna à nouveau sur son épaule.

– Joli tour, demi-homme, mais tu n'as toujours pas compris qu'aucune arme ne me ferait jamais le moindre mal ?

– Au contraire, j'ai très bien compris cela.

La Nécromancienne, peu férue de mécanique, n'avait bien évidemment pas remarqué que le prince tenait son engin à l'envers. Lorsqu'il enclencha son invention, c'est le demi-homme qui fut projeté en direction de la Nécromancienne. Les flèches, les boulets, les épées et bâtons magiques étaient inefficaces. Le corps de la sorcière ne pouvait être entamé par une arme.

Propulsé à toute vitesse sur Enaxor, Tasse-Dent tendit son poing droit au moment où il atteignit la sorcière. Son coup atteignit la Nécromancienne en plein visage. Ils tombèrent tous les deux dans la terre retournée par la chute de la Grande Meule. Couchée sur le dos, la sorcière était sonnée par la puissance du coup de poing du demi-homme. Celui-ci n'hésita pas et frappa encore Enaxor. Ses poings, maladroits mais rageurs, s'abattaient contre la mâchoire de la sorcière Sous les coups de Tasse-Dent, le corps monstrueux de la Nécromancienne reprit par soubresauts sa forme initiale : celui de la prêtresse Dardaumiel. Alis accourut auprès du prince et apaisa l'ire de son ami. Elle retint ses poings maculés de sang.

– Arrête, c'est fini. On l'a gagné.

Le prince se releva et soupira longuement. Il regarda ses mains, douloureuses. Le demi-homme grimaça, dégoûté par cet accès de violence, las des combats. Yuyiyine ne détachait plus son regard de la flamme qui brûlait encore sur son torse.

– C'est trop bien ton cœur de feu.

Alis avait approché son visage de celui qui avait appartenu à son amie. La jeune femme l'entendait respirer, comme si elle dormait.

– Dame-d'Eau-Miel ?

Lentement, la prêtresse ouvrit les yeux.

# Épilogue

Les rameks parcouraient par milliers la surface encore fraîche du cratère pour récupérer les fragments aux relents de fromages de la Grande Meule. La meute de rameks était parfaitement organisée, précise et rapide. Les hommes-rats se suivaient, récoltaient leur fromalune puis amenaient leur butin au Grand Filandreux. Sur ses ordres, le peuple des hommes-rats avait quitté à tout jamais leurs souterrains humides et froids. Le Grand Filandreux allait utiliser la puissance fermentée des débris de la Grande Meule pour s'emparer du royaume.

Ksflenstyh le flagorneur, un ramek dévoué et dénué d'ambition, ne se jeta pas comme la plupart de ses camarades sur le premier fromalune qui se trouvait sur son chemin. Ksflenstyh chercha, à la fois des yeux et de la truffe, le plus gros morceau possible. Ce n'était nullement dans le but d'impressionner ses supérieurs et de se faire remarquer. C'était uniquement par ferveur pour son seigneur et maître, le Grand Filandreux. Ksflenstyh dénicha, près du cœur du cratère, un fragment beaucoup plus imposant que les autres, plus long et large qu'un homme-rat. Les yeux du ramek brillèrent et, les moustaches frétillantes, il courut à quatre pattes jusqu'au plus gros fromalune qui n'ait jamais existé.

Malgré tous ses efforts, Ksflenstyh fut incapable de soulever à lui seul l'imposant fragment. Il héla les rongeurs alentours pour obtenir de l'aide. Plusieurs rameks se réunirent autour du morceau de la Grande Meule, l'empoignèrent et, bien synchronisés, le soulevèrent. Quand le fromalune fut déplacé, les hommes-rats découvrirent sous celui-ci le corps noirci et fumant d'un jeune homme. Il était complètement nu, une tignasse d'épais cheveux noirs dissimulait son visage. Les rameks, disciplinés, n'interrompirent pas leur récolte et continuèrent leur tâche. Mais pas Ksflenstyh. Observant le petit corps ainsi dévoilé, l'homme-rat décida de s'en approcher. Il ressentait l'envie de s'enquérir de l'état de santé du jeune homme. Quelques années auparavant, Ksflenstyh avait eu le privilège inouï de s'accoupler, après avoir remporté une tombola lors de la kermesse laiteuse. Quand il lui arrivait de songer à cet unique moment d'extase, et cela arrivait très souvent, Ksflenstyh se fantasmait une progéniture : peut-être que la péripatéprostérongeuse qu'il avait étreint avait mis au monde un raton. Il lui ressemblerait un peu, quoique plus fort et plus malin. Un jour, il croiserait peut-être son chemin, au hasard des meutes, le père et le fils se reconnaîtraient naturellement et s'étreindraient, virils mais sensibles. De part ces douces rêveries paternelles, Ksflenstyh ressentait de l'empathie pour ce petit humain mal en point.

Ksflenstyh, tout de même prudent, approcha son museau assez près du visage du jeune homme pour en percevoir le souffle. Lorsqu'ils se trouvèrent nez-à-truffe, le jeune homme ouvrit soudain les yeux. La dernière chose que vit Ksflenstyh avant de mourir fut la vision de ces belles prunelles bleues, douces et claires. Tout autour de l'adolescent de longs serpents noirs avaient surgit du sol pour se jeter, tous crochets dehors, sur le corps du ramek qui s'était trop approché du fils de la Nécromancienne.

Reki, maître des reptiles, se releva lentement. Sans qu'un seul mot de sa part soit nécessaire, il commanda à ses mambas de tuer les hommes-rats alentours. Trois cent vingt-et-un serpents mortels jaillirent en sifflant des entrailles de la Sphère pour exécuter les ordres de leur maître. Quelques secondes plus tard, une centaine de rameks gisaient tout autour du cratère. Les hommes-rats survivants s'enfuirent, terrorisés.

**FIN**

# ANNEXES

## Tableau final du Bigrement Inédit Tournoi Exceptionnel

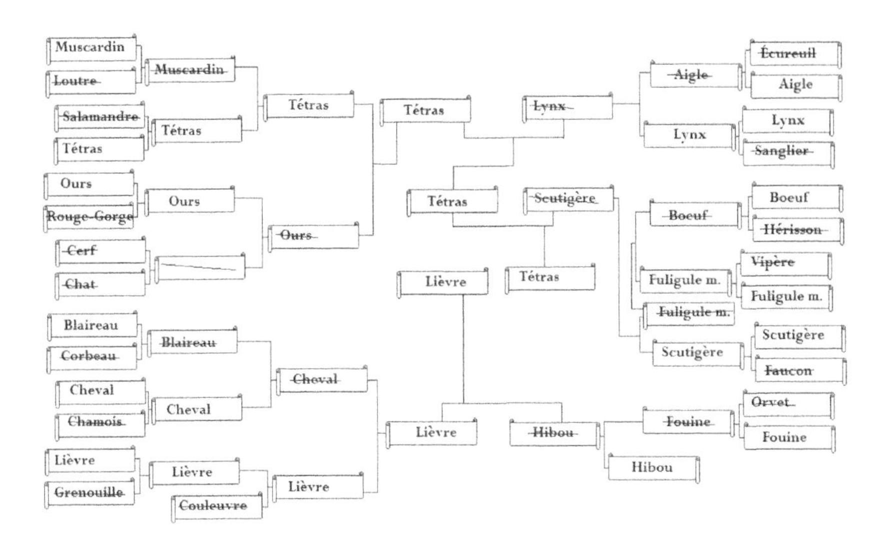

**Croquis et notes d'études anatomiques réalisés par d'Anno lors de son séjour dans l'Egluteuz**

Soins dentaires

Il ne m'a pas été facile de faire un compte exhaustif du nombre de dents présentes dans la bouche d'un orque adulte. Cela est dû au fait que l'hygiène dentaire a, jusqu'à présent, été fortement négligée. A force de devoir pratiquer l'extraction de dents endommagées, j'ai réussi à en récolter une de chaque.
J'en dénombre donc 42, 20 dans la mâchoire supérieure et 22 dans l'inférieure.
Leur forme indique qu'elles sont conçues pour un régime alimentaire omnivore, contrairement à ce que l'on pourrait croire en voyant la taille impressionnante de la canine inférieure. Certains individus m'ont même confié être gênés par cette dent surdimensionnée. Le régime alimentaire de la communauté étant le végétalisme, je réfléchis à un moyen de réduire la grandeur de cette canine sans provoquer d'atroces souffrances ou des complications.

Mais alors à quoi peut bien servir cette dent?

L'orque Paulain, qui est le chef, possède une très belle dentition. Il m'a raconté que l'être humain qui l'a instruit était très tatillon concernant les odeurs émanant de la bouche. Afin d'éviter les relents d'une haleine putride, il l'obligeait à frotter ses dents avec de la cendre du bout de son doigt, à passer un fil de lin entre ses dents et à se gargariser avec un breuvage alcoolisé aromatisé à la menthe et à la mélisse et ce après chaque repas.

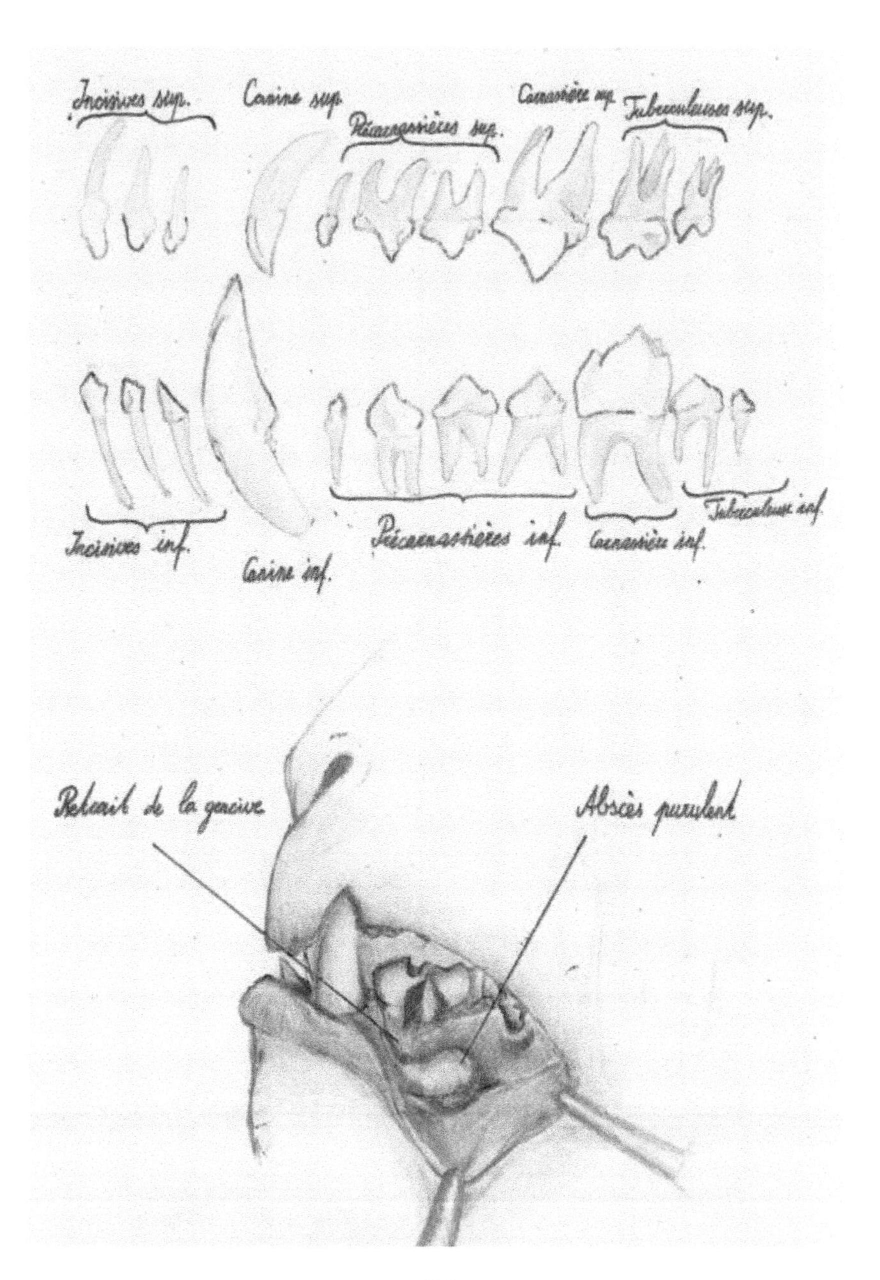
Incisives sup.
Canine sup.
Précarnassières sup.
Carnassière sup.
Tuberculeuses sup.
Incisives inf.
Canine inf.
Précarnassières inf.
Carnassière inf.
Tuberculeuse inf.
Retrait de la gencive
Abscès purulent

# Coeur d'orque

Par le passé, j'ai eu l'occasion d'étudier des coeurs d'homme, demi-homme, homme-lézard, homme-rat, homme-pierre. Tous avaient la même forme. La taille et la couleur différaient d'un modèle à l'autre. Mais en ce jour de lumière, je découvre enfin celui d'un orque. J'en reste pantois.

Le coeur orque semble fait de deux coeurs d'homme se faisant face. Ils sont liés par une sorte de gros tube. Une partie est à peu près deux fois plus grande qu'un coeur humain. C'est un bien bel organe.

J'émets l'hypothèse que son impressionnante taille, ainsi que sa forme particulière permettent à l'individu orque d'entretenir une musculature qui semble si naturelle mais extrêmement développée même chez les jeunes enfants.

Ma découverte pourrait expliquer aussi le pourquoi un orque touché "en plein coeur" a plus de chance de survivre qu'un autre individu, mis-à-part les elfes et certains de mes ex-confrères-prêtres.

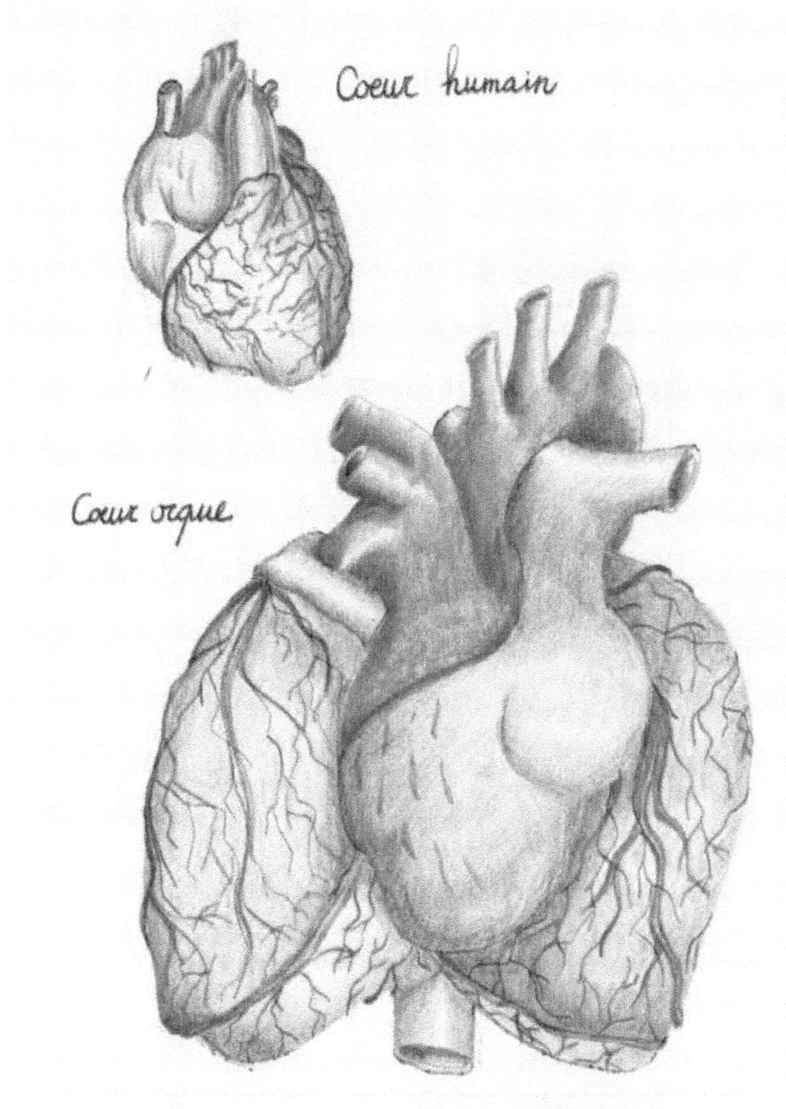

Coeur humain
Coeur orque

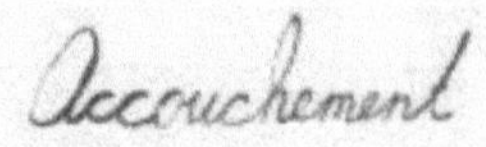


La vie, la naissance sont les dons de la Déesse. Un cadeau précieux...

L'accouchement est généralement une affaire de femmes. La présence des hommes lors de ce passage particulier de la vie n'est pas requise. Cependant, j'ai eu l'honneur de pouvoir assister une orque qui accompagne les futures mères dans cet acte de vie.

Je ne sais par où commencer ma narration, car j'en reste très ému.

J'ai été impressionné à la fois par la délicatesse et la fermeté avec lesquelles la femme orque a pratiqué cette opération. Très rapidement, elle a déterminé la position de l'enfant à l'intérieur du ventre de sa mère. Calmement, elle a expliqué à sa patiente que le bébé ne descendrait jamais et que la seule possibilité de les sauver était de pratiquer une incision sur le côté du ventre. Elle fit inhaler à la mère une fumée de plantes médicinales qui la plongea dans un état de décontraction complète. Elle passa une lame tranchante dans les braises du foyer, puis l'aspergea d'alcool. D'un geste sûr et rapide, elle incisa la peau. Elle me demanda de me laver les mains avec l'alcool et de saisir la bordure de la plaie afin de lui créer le passage jusqu'à l'enfant. Elle le saisit et l'extirpa des entrailles de sa mère sans aucune hésitation. Elle sutura le tout. L'enfant et la mère se porte toujours bien.

Accouchement atypique

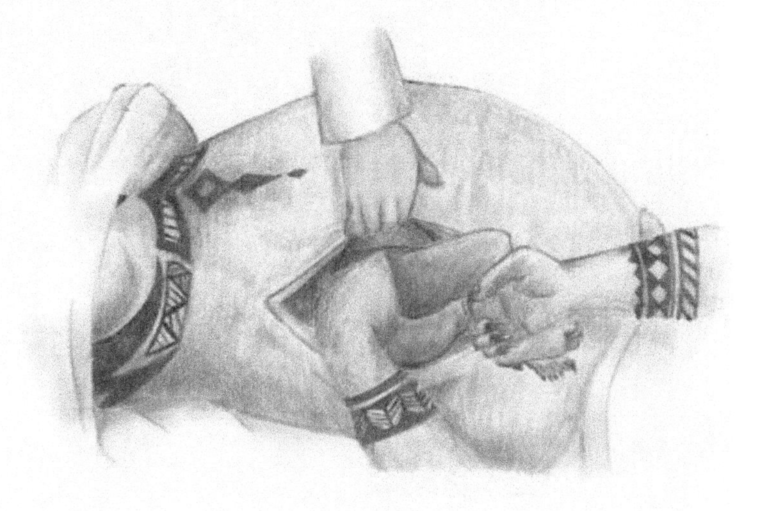

FSC
www.fsc.org
MIXTE
Papier issu
de sources
responsables
Paper from
responsible sources
FSC® C105338